D1028839

# LANGENSCHEIDTS
# PRAKTISCHE LEHRBÜCHER

# LANGENSCHEIDTS
# PRAKTISCHES LEHRBUCH
# SPANISCH

*Neubearbeitung*

von

Dr. José Vera Morales

## LANGENSCHEIDT

BERLIN · MÜNCHEN · WIEN · ZÜRICH · NEW YORK

Langenscheidts Praktisches Lehrbuch Spanisch
Ein Standardwerk für Anfänger
Neubearbeitung
von Dr. José Vera Morales

*Ein Schlüssel zu den Übungen ist gesondert lieferbar.*
*Es empfiehlt sich, zu diesem Lehrbuch auch die beiden Begleitcassetten zu verwenden.*
*Sie enthalten die Tonaufnahmen sämtlicher A-Texte des Lehrbuches.*
*Schlüssel (Best.-Nr. 26 347) und Cassetten (Best.-Nr. 80 434) sind im Buchhandel*
*erhältlich.*

**Text- und Bildquellennachweis:**
Carmen Balcells / Agencia Literaria (Text 210, 211)
Fotoagentur España (Umschlagfoto, 75)
Herbert Horn (19, 26, 33, 57, 82, 83, 84, 107, 160, 205, 232, 249)
Secretaría General de Turismo (116, 134)
Revista Madrid Visitor (158, 255)
Polyglott-Verlag (46, 48, 53, 68, 97, 104, 143, 194, 225)

*Umschlagmotiv: Burg Coca (Provinz Segovia)*

| *Auflage:* 7. 6. 5. 4. | *Letzte Zahlen* |
| *Jahr:* 1995 94 93 | *maßgeblich* |

© *1989 Langenscheidt KG, Berlin und München*
*Druck: Druckhaus Langenscheidt, Berlin-Schöneberg*
*Printed in Germany · ISBN 3-468-26342-2*

# Inhaltsverzeichnis

| Nr. | Lesetext | Grammatikschwerpunkte |
|---|---|---|
| 1 | En el hotel | Der bestimmte Artikel im Singular<br>Die Grundzahlen von 1–10; unbestimmter Artikel<br>Plural der Substantive mit Endung auf Vokal<br>Die Wortstellung im Satz<br>Grundsätzliches zur spanischen Aussprache |
| 2 | Conversación con el taxista | Der bestimmte Artikel im Singular und Plural<br>Plural der Substantive mit Endung auf Konsonanten<br>Präsens Indikativ von *ser* und *tener*<br>Das Peronalpronomen als Satzsubjekt, die Höflichkeitsform *usted, ustedes*<br>Die Verneinung mit *no*<br>Die Zahlen von 11 bis 20 |
| 3 | Con un castellano viejo | Übereinstimmung von Adjektiv und Substantiv<br>Bildung der weiblichen Form und des Plurals der Adjektive<br>Stellung des attributiven Adjektivs<br>Fehlen des unbestimmten Artikels *unos, unas*<br>Präsens Indikativ der regelmäßigen Verben auf *-ar* |
| 4 | En la pensión | Präsens Indikativ und Gebrauch von *ir* und *estar*<br>Grundbedeutung der Präpositionen *a, en, de*<br>Die Grundzahlen von 21 bis 99 |
| 5 | Ellos y ellas | Fehlen des unbestimmten Artikels<br>Gebrauch des bestimmten Artikels bei *todo* und *todos*<br>Das Personalpronomen im Nominativ<br>Das Dativobjekt<br>Der Akkusativ ohne und mit *a*<br>Präsens Indikativ von *dar* |
| 6 | Viejas amigas | Präsens Indikativ der Verben auf *-er* und *-ir*<br>Nahe Zukunft und nahe Vergangenheit<br>Stellung und Verkürzung des attributiven Adjektivs<br>Die Grundzahlen von 100 bis 199; *mil, un millón* |

| Nr. | Lesetext | Grammatikschwerpunkte |
|---|---|---|
| 7 | Con una estudiante de bachillerato | Die Bildung der weiblichen Form des Substantivs<br>Der Plural von Personenbezeichnungen<br>Das unbetonte Possessivpronomen<br>Vertretung von Sachen und Satzinhalten durch Pronomen<br>Die Stellung des deklinierten Pronomens im Satz<br>Die spanischen Ausdrücke für die Modalverben |
| 8 | En Burgos | *el/un* als Artikel vor weiblichen Substantiven<br>*unos, unas* als Artikel; *uno, una* als Pronomen<br>*Gentilicios* – Nationalitätsbezeichnungen<br>Die Verneinung mit *nada, nadie, nunca, tampoco*<br>*estar* zur Bezeichnung des Zustandes/*estar* als Vollverb<br>Das Gerundio; *estar* + Gerundio |
| 9 | La cita | Präsens Indikativ der Verbgruppe *e/ie* und *o/ue*<br>Unregelmäßige Gerundio-Formen<br>Der Artikel *lo*<br>Infinitivanschluß mit und ohne Präposition<br>Die Demonstrativpronomen |
| 10 | Amigos en un restaurante | Präsens Indikativ von *hacer, poner* und *traer*<br>Partizip Perfekt und zusammengesetztes Perfekt<br>Die Personalpronomen im Akkusativ und Dativ<br>Verkürzung und Gebrauch von *alguno* und *ninguno*<br>Mehrfache Verneinung<br>*lo de* |
| 11 | Querida abuelita: … | Präsens Indikativ der reflexiven Verben<br>Die unpersönliche Form von *haber*<br>Zum Gebrauch der Präposition *de*<br>Die Grundzahlen von 200 bis 999<br>Die Ordnungszahlen und ihre Ersatzformen<br>Übereinstimmung von Substantiv und Adjektiv |
| 12 | En Santillana del Mar | *decir*<br>Unregelmäßige Formen des Partizips/Das Partizip als Adjektiv<br>Vergleich und Steigerung des Adjektivs<br>Das unpersönliche Subjekt<br>Das redundante Personalpronomen<br>Bestimmter Artikel + *de* |
| 13 | Después de la fiesta | Präsens Indikativ von *jugar* und *oír*<br>Besonderer Gebrauch des bestimmten Artikels<br>Adjektive auf *-dor, -tor, -sor, -ín, -án, -ón*<br>Vergleichssätze<br>Bildung und Gebrauch des Imperfekts Indikativ<br>Der Gebrauch von *haber* und *estar* |

| Nr. | Lesetext | Grammatikschwerpunkte |
|---|---|---|
| 14 | Durante la cena | Präsens Indikativ von *salir* und *conducir* |
| | | Präsens Indikativ und Gerundio der Verbgruppe *e/i* |
| | | Die Personalpronomen nach Präpositionen |
| | | Der Gebrauch von *qué* und *cuál, cuáles* |
| | | Die Präpositionen *por* und *para* |
| | | Das prädikative Adjektiv mit *ser* oder *estar* |
| 15 | En el mercado | Präsens Indikativ von *venir* und *valer* |
| | | Gerundio von *venir* |
| | | Unregelmäßige Formen des Partizips |
| | | Gebrauch von *seguir* statt *estar todavía* |
| | | Der Unterschied zwischen *si* und *cuando* |
| | | Die Personalpronomen: Dativ + *lo/la/los/las* |
| | | Nachstellen des Satzsubjekts |
| 16 | Días de descanso | Präsens Indikativ der Verben auf *-iar* und *-uar* |
| | | Historisches Perfekt der Verben auf *-ar* |
| | | Gebrauch des historischen Perfekts/Unterschied zum zusammengesetzten Perfekt |
| | | Akkusativ und Dativ des betonten Personalpronomens |
| | | Betontes *mismo* |
| | | Zum Gebrauch des bestimmten Artikels |
| 17 | Carta del norte de España | Präsens Indikativ und Gerundio von *caer* und der Verben auf *-uir* |
| | | Historisches Perfekt der Verben auf *-er* und *-ir* |
| | | Das Reflexivpronomen *se* |
| | | Zum Gebrauch von *ser* und *estar* |
| | | Das historische Perfekt im Gegensatz zum Imperfekt Indikativ |
| | | Zeitangaben |
| 18 | Remigio García | Unregelmäßige Formen des historischen Perfekts |
| | | Das Plusquamperfekt |
| | | Historisches Perfekt und Imperfekt |
| | | Die Relativpronomen *lo que* und *todo lo que* |
| | | Zur Übereinstimmung von Subjekt und Prädikat |
| | | Zeitangaben für „vor" und „seit" |
| 19 | El hombre que se olvidó de su cumpleaños | Unregelmäßige Formen des historischen Perfekts |
| | | Imperfekt und historisches Perfekt im erzählenden Bericht |
| | | Das Relativpronomen *que* |
| | | Gebrauch des Gerundio |
| | | Adverbien auf *-mente/lo más ... posible* |
| | | Präposition + Infinitiv zur Verkürzung von Temporalsätzen |

| Nr. | Lesetext | Grammatikschwerpunkte |
|---|---|---|
| 20 | Escenas de una fiesta | Das betonte Possessivpronomen<br>Das Relativpronomen: *que, el que, el cual, lo que, lo cual, quien*<br>Das Passiv mit „sein": *estar* + Partizip<br>Gebrauch des bestimmten Artikels<br>Das Tempus des daß-Satzes, indirekte Rede<br>Adverbien und Präpositionen zur Angabe des Ortes |
| 21 | Parejas amigas | Verben auf *-eír*<br>Erstes Futur der Verben auf *-ar, -er, -ir*<br>Zweites Futur<br>„Als" in Vergleichssätzen<br>Die Präposition *por:* Gebrauch bei ungefähren Angaben des Ortes und der Zeit<br>Die Indefinitpronomen *nada* und *algo* |
| 22 | Sobre el idioma español | Der Plural der Substantive<br>Das Passiv mit dem Hilfsverb *ser*<br>*ser* + Ausdruck der Menge<br>Attributives Adjektiv mit Ergänzung<br>Die Relativpronomen *cuyo* und *el cual*<br>Zum Gebrauch von *mucho* |
| 23 | México lindo | Erster und zweiter Konditional<br>Zum Gebrauch von *ser, estar* und *haber*<br>„Jeder"<br>*lo* + Adjektiv/Adverb + *que*<br>Verkürzung von Kausalsätzen: *por* + Infinitiv<br>*por* + Adjektiv/Substantiv<br>Ausdruck der Vermutung |
| 24 | Si pudieran, volverían | Imperfekt Konjunktiv und Plusquamperfekt Konjunktiv<br>Der Ausdruck erfüllbarer und unerfüllbarer Bedingungen<br>Der Ausdruck unerfüllbarer Wünsche<br>„Ohne": *sin* + Substantiv/*alguno*<br>Ausdrücke für „nur"<br>Verkürzung von Nebensätzen mit *a pesar de* + Infinitiv; *nada más* + Infintiv |
| 25 | De viaje por la Alcarria | Zum Gebrauch des Imperfekts und Plusquamperfekts Konjunktiv<br>Reflexiv gebrauchte Verben<br>Ortsangaben mit der Präposition *a*<br>Verb + *a* + Infinitiv<br>*alguno*<br>*uno ... otro/unos ... otros* |

| Nr. | Lesetext | Grammatikschwerpunkte |
|---|---|---|
| 26 | ¿Qué quieres que haga? | Präsens Konjunktiv<br>Gebrauch des Konjunktivs nach *que*<br>Der Infinitivanschluß ohne Präposition<br>*tal – tanto/tan*<br>*parar de/dejar de* + Infinitiv<br>Zum Gebrauch des unbestimmten Artikels |
| 27 | Desde Mallorca | Unregelmäßige Bildung des Präsens Konjunktiv<br>Der Konjunktiv im *que*-Satz als Ausdruck der Ungewißheit<br>Gebrauch des Konjunktivs in Hauptsätzen<br>Der Imperativ<br>*volver a* + Infinitiv<br>Ausdruck des Superlativs |
| 28 | Lucha contra el destino | Perfekt Konjunktiv<br>Der Konjunktiv im *que*-Satz als Ausdruck des Widerspruchs<br>Der Konjunktiv nach anderen Konjunktionen als *que*<br>Negative Pronomen in positiver Bedeutung<br>Zeitangaben mit *para*<br>Vorangehendes Akkusativobjekt ohne redundantes Pronomen |
| 29 | Carta de un lector español … y su contestación | Das Tempus des Konjunktivs im Nebensatz/Der Imperativ in der indirekten Rede<br>Zum Gebrauch des Konjunktivs<br>„Werden" als Vollverb<br>Verstärkende Relativsätze<br>*con* + Infintiv<br>*venir* + Gerundio/*acabar* + Gerundio |
| 30 | ¿Vamos al cine? | Der Konjunktiv in Relativsätzen<br>Gebrauch und Wegfall der Präposition *a* vor dem Akkusativobjekt<br>*cualquiera/alguno*<br>*ser* mit Ortsadverbien<br>Ersatzformen für den Konditional von *deber* und *poder*<br>*tener* + Partizip/ *llevar* + Partizip |

# Vorwort

Langjährige Erfahrungen im Rahmen des Erwachsenenunterrichts haben uns bei der vorliegenden Neubearbeitung des „Praktischen Lehrbuchs Spanisch" geleitet. Ziel des Buches ist es, gründliche Kenntnisse der modernen spanischen Umgangssprache zu vermitteln und damit die Ansprüche derjenigen zu befriedigen, die sich – über eine bloße Verständigungsmöglichkeit hinaus – eingehender mit der Fremdsprache befassen möchten. Mit dieser Zielsetzung wendet sich das Buch auch gerade an die Benutzer, die im Selbststudium Spanisch lernen wollen. Dabei wird der Lernende auch auf die wichtigsten Besonderheiten des lateinamerikanischen Spanisch hingewiesen.

Den Lektionen sind ausführliche Bemerkungen über die *Aussprache* und *Schreibung* der spanischen Sprache sowie eine *Liste der grammatischen Fachausdrücke und ihre Erklärung* vorangestellt.

Die nach praktischen Gesichtspunkten ausgewählten Lektionstexte (meist Dialoge) sollen den Lernenden mit den vielfältigen Ausdrucksformen des heutigen spanischen Alltagslebens vertraut machen und ihn gleichzeitig in die spanische Umgangssprache einführen. Jedem Lektionstext ist ein ausführliches *zweisprachiges Vokabular* zugeordnet, ferner sind die Texte der ersten 5 Lektionen vollständig in Internationaler Lautschrift wiedergegeben worden, um den Lernenden mit den Gesetzmäßigkeiten der spanischen Aussprache im Satzkontext vertraut zu machen.

Die *Grammatik* selbst ist folgerichtig aus den Lesestücken entwickelt worden, wobei besonderer Wert auf klare und übersichtliche Darstellung (oft in Tabellenform) gelegt wurde. Die Erläuterungen werden in deutscher Sprache gegeben. Auf diese folgen in einem gesonderten Abschnitt C zusätzliche Informationen zum spanischen Sprachgebrauch sowie zur Landeskunde.

Auf die grammatischen Ausführungen folgen *Übungen,* die einen wesentlichen Bestandteil des Werkes ausmachen und den Lernenden befähigen sollen, das richtige Sprachgefühl zu erwerben und sich korrekt auszudrücken. Ein „Schlüssel" zu den *Übungen* ist gesondert erhältlich.

10

In den *Anhang* wurden aufgenommen: Konjugationsmuster der regelmäßigen und unregelmäßigen spanischen Verben, ein alphabetisches spanisch-deutsches Wörterverzeichnis und ein ausführliches Sachregister, das das schnelle Auffinden jeder grammatischen Struktur ermöglicht und dem Buch auch den Wert einer Nachschlagegrammatik verleiht.

Zusätzlich zu diesem Lehrbuch sind zwei Textcassetten erhältlich, auf denen bewährte Sprecher mit spanischer Muttersprache die den einzelnen Lektionen vorangestellten Texte vorsprechen. Der Lernende hört somit die fremde Sprache und eignet sich in kurzer Zeit eine fehlerfreie Aussprache an.

VERFASSER UND VERLAG

# Aussprache und Schreibung des Spanischen

Die Aussprachebezeichnung ist in der Lautschrift der Association Phonétique Internationale wiedergegeben und steht in eckigen Klammern. Bei zwei- und mehrsilbigen Wörtern wird das Betonungszeichen (') vor die betonte Silbe gesetzt.

## 1. Zeichen und Laute des Spanischen

**Schriftzeichen mit einem einzigen Grundlautwert:**

| Buch-stabe | Grund-laut-wert | wie man es ausspricht | spanisches Beispielwort |
|---|---|---|---|
| a | [a] | wie a in **da** | a [a] *nach* |
| b¹) | [b] | wie b in **B**all | bala ['bala] *Kugel* |
| ch | [tʃ] | wie tsch in Pri**tsch**e; Zungenspitze möglichst zurücknehmen | echa ['etʃa] *wirf!* |
| d¹) | [d] | wie d in **d**a | da [da] *gib!* |
| e²) | [e] | kürzer und etwas offener als e in M**eh**l | de [de] *von* |
| f | [f] | wie f in **f**esch | fecha ['fetʃa] *Datum* |
| j | [x] | wie ch in Ba**ch** | bajo ['baxo] *niedrig* |
| l | [l] | wie l in **L**and | ala ['ala] *Flügel* |
| ll | [ʎ] | ein l wie in **L**and und ein j wie in **j**a gleichzeitig aussprechen | ella ['eʎa] *sie* |
| m | [m] | wie m in **M**al | mal [mal] *schlecht* |
| ñ | [ɲ] | wie gn in Champa**gn**er | leña ['leɲa] *Holz* |
| o²) | [o] | kürzer und etwas offener als o in M**oh**n | mono ['mono] *hübsch* |
| p | [p] | wie p in **P**elle (ohne Hauchlaut h!) | pelo ['pelo] *Haar* |
| q | [k] | wie k in **k**eß (nicht kh!) | que [ke] *daß* |
| s³) | [s] | wie ss in Me**ss**e; Zungenspitze wie zur Aussprache von n ausstrecken | mesa ['mesa] *Tisch* |

¹) Zur Aussprache von **b** und **v** sowie **d** siehe Lekt. 1B6.
²) Zur Aussprache der Vokale **e** und **o** siehe Lekt. 1B7.
³) Zur Aussprache von **s** siehe Lekt. 5C.

| t | [t̪] | wie t in **T**al (nicht th!) | tal [tal] *solch* |
|---|---|---|---|
| v[1]) | [b] | wie b in **B**all | vale ['bale] *okay!* |
| z | [θ] | wie th in englisch bo**th** oder **th**ink. Zungenspitze zwischen die Ränder der Schneidezähne schieben und die Luft energisch ausströmen lassen. | feliz [fe'liθ] *glücklich* |

Der Buchstabe q kommt nur in Verbindung mit stummem u (qu) vor; qu bezeichnet den k-Laut vor e und i: que (auszusprechen wie ke in „keß") und qui (auszusprechen wie kie in „Kies"). Beispiele: queso ['keso] *Käse,* quizá [ki'θa] *vielleicht.*

**Schriftzeichen, die mehrere Lautwerte bezeichnen:**

| Buch-stabe | Laut-werte | wann man es ausspricht | wie man es ausspricht | spanisches Beispielwort |
|---|---|---|---|---|
| c | [θ] | vor e und i | wie th in englisch **th**ink (vgl. Aus-sprache von z) | cena ['θena] *Abendessen* cine ['θine] *Kino* |
| | [k] | immer, außer vor e und i | wie k in **k**lar (nicht kh!) | casa ['kasa] *Haus* copa ['kopa] *Glas* cura ['kura] *Priester* claro ['klaro] *klar* |
| g[2]) | [g] | ga gue (stummes u!) gui (stummes u!) go gu g + Konsonant | wie g in **G**arten | ganas ['ganas] *Lust* guerra ['gɛrra] *Krieg* guisar [gi'sar] *kochen* tengo ['teŋgo] *ich habe* gusto ['gusto] *Freude* inglés [iŋ'gles] *englisch* |
| | [x] | vor e und i | wie ch in Ba**ch** | gente ['xente] *Leute* página ['paxina] *Seite* |
| r | [r] | im Wortinneren (außer nach l, n, s) und am Wort-ende | Zungenspitzen-r, einfach gerollt | pero ['pero] *aber* carta ['karta] *Brief* sangre ['saŋgre] *Blut* bar [bar] *Bar* |
| | [rr] | am Wortanfang, nach l, n, s und in der Schrei-bung rr | Zungenspitzen-r, mehrfach ge-rollt | rato ['rrato] *Weile* Enrique [en'rrike] *Heinrich* perro ['pɛrrɔ] *Hund* |
| n[3]) | [n] | immer, außer vor b, v, f und p | wie n in **N**ote | no [no] *nein* |

[1]) Zur Aussprache von **b** und **v** sowie **d** siehe Lekt. 1B6.
[2]) Zur Aussprache von **g** siehe Lekt. 1B6.
[3]) Zur Aussprache von **n** siehe Lekt. 4C.

| | | | | |
|---|---|---|---|---|
| | [m] | vor b, v, f und p | wie m in M**a**l | invitar [imbi'tar] *einladen*<br>enfermo [em'fɛrmo] *krank* |
| i | [i] | immer, außer in Diphthongen | wie ie in S**ie**b | sí [si] *ja* |
| | [j] | in steigenden Diphthongen | wie i in Am**a**lie | bien [bjen] *gut* |
| | [ĭ] | in fallenden Diphthongen | wie i in M**a**i | aire ['aĭre] *Luft* |
| | [j] | in der Schreibung *hie* | wie j in **je**tzt | hielo ['jelo] *Eis* |
| [u] | [u] | immer, außer in Diphthongen | wie u in K**u**r | luz [luθ] *Licht* |
| | [w] | in steigenden Diphthongen | wie w in englisch **w**hat | cuatro ['kwatro] *vier* |
| | [ŭ] | in fallenden Diphthongen | wie u in L**a**ute | auto ['aŭto] *Auto* |
| y | [i] | nur im Wort y *und* | wie ie in S**ie**b | y [i] *und* |
| | [ĭ] | am Wortende im Diphthong | wie i in M**a**i | hay [aĭ] *es gibt* |
| | [j] | am Wortanfang und vor Vokal | wie j in **ju**ng | ya [ja] *schon*<br>mayor [ma'jɔr] *größer* |

**Buchstaben ohne Lautwert:**

**h** ist immer stumm: hotel [o'tɛl] *Hotel,* ahora [a'ɔra] *jetzt.*

**u** ist stumm in den Buchstabenverbindungen **gue, gui, que** und **qui:** guerra ['gɛrra] *Krieg,* guisar [gi'sar] *kochen,* que [ke] *was,* quizá [ki'θa] *vielleicht.* Die Schreibung **ü** in den Buchstabenverbindungen **güe** und **güi** zeigt dagegen an, daß das u wie [w] ausgesprochen wird: ungüento [uŋ'gwento] *Salbe,* güisqui ['gwiski] *Whisky.*

**Andere Buchstaben:**

**k** steht vereinzelt statt c oder q: kilo ['kilo] *Kilo.*

**w** kommt nur in Fremdwörtern vor und hat meistens den Lautwert [w]: wáter ['watɛr] *Klosett.*

**x** klingt in übertrieben korrekter Aussprache wie [ks]. Normalerweise hat x zwischen Vokalen den Lautwert [gs] (taxi ['tagsi] *Taxi*) und vor Konsonanten den Lautwert [s] (explicar [espli'kar] *erklären*).

**2. Diphthonge**

Diphthonge sind einsilbige Verbindungen von i oder u mit einem anderen, „starken" Vokal (a, e, o) oder miteinander. Der „starke" Vokal ist bei einem solchen Doppellaut

14

Silbenträger, d. h., er besitzt eine merklich größere Schallfülle, während i bzw. u nicht voll artikuliert werden. In den Verbindungen iu und ui ist meistens das jeweils zweite Element der Silbenträger.

Man spricht von **steigenden** Diphthongen, wenn der Silbenträger an zweiter Stelle kommt. Dann haben i und u den Wert von Halbkonsonanten: i wie i in Amalie, u wie w im englischen Wort what. Beispiele:

| | | | | | | |
|---|---|---|---|---|---|---|
| cambiar | [kam'bjar] | *ändern* | cuatro | ['kwatro] | *vier* |
| bien | [bjen] | *gut* | suelo | ['swelo] | *Fußboden* |
| Dios | [djɔs] | *Gott* | cuota | ['kwota] | *Anteil* |
| ciudad | [θju'daᵈ] | *Stadt* | fuimos | ['fwimos] | *wir gingen* |

Man spricht von **fallenden** Diphthongen, wenn der Silbenträger an erster Stelle kommt. Dann haben i und u den Wert von Halbvokalen: i wie i in Zeit, u wie u in Auto. Beispiele:

| | | | | | | |
|---|---|---|---|---|---|---|
| baile | ['baĭle] | *Tanz* | auto | ['aŭto] | *Auto* |
| seis | [sɛĭs] | *sechs* | Europa | [eŭ'ropa] | *Europa* |
| boina | ['bɔĭna] | *Baskenmütze* | Bou | [boŭ] | *(Ortsname)* |

Bei diesen Diphthongen ist darauf zu achten, daß – anders als im Deutschen – e und u ihren Lautwert behalten. Der Diphthong ei wird also nicht [aĭ], sondern [ɛĭ] (ähnlich wie in „aramäisch") ausgesprochen; eu nicht [oĭ] wie in „heute", sondern [eŭ] (ähnlich wie in „Lyzeum").

## 3. Silbentrennung

Im Spanischen wird nach **Sprechsilben** getrennt. Eine Silbe besteht aus einem Vokal (a, e, i, o, u) oder aus einem bzw. zwei Konsonanten mit einem Vokal, auf den eventuell noch ein Auslautkonsonant folgt: cre-e-mos, me-sa, ga-nas. Ein einzelner Vokal wird nicht abgetrennt; ein Wort wie ella kann also nicht getrennt werden.

**Diphthonge** dürfen nicht getrennt werden, da sie zu e i n e r Silbe gehören: au-to, cam-biar.

Treffen **zwei Konsonanten** aufeinander, so werden sie getrennt, der zweite Konsonant gehört also zur folgenden Silbe: car-ta, en-fer-mo.

Die Konsonanten **ch, ll** und **rr** bezeichnen e i n e n Laut und dürfen deshalb nicht getrennt werden: fe-cha, ca-ba-llo, pe-rro.

Treffen **b, c, d, f, g, p** oder **t** mit **r** oder **l** zusammen, dann dürfen diese Konsonanten nicht getrennt werden, sondern gehören beide zur folgenden Silbe: ha-blo, ma-dre, te-le-gra-ma. Steht vor dieser Verbindung ein weiterer Konsonant, dann wird nach diesem getrennt: san-gre, ex-pli-car.

Sonstige Verbindungen mehrerer Konsonanten werden nach dem dabei meistens vorkommenden s getrennt: trans-for-mar, cons-truir, cons-tar.

## 4. Betonung und Akzent

### Die Grundregeln:

Wörter, die auf einen Vokal, n oder s enden, werden auf der **vorletzten** Silbe betont: mesa *Tisch*, cine *Kino*, taxi *Taxi*, enfermo *krank*, ganas *Lust*, joven *jung*.

Wörter, die auf einen Konsonanten – außer n oder s – enden, werden auf der **letzten** Silbe betont: hotel *Hotel*, ciudad *Stadt*, guisar *kochen*, feliz *glücklich*.

Ausnahmen von diesen beiden Betonungsregeln werden durch den **Akzent** gekennzeichnet: quizá *vielleicht*, café *Kaffee*, aquí *hier*, enfermó *er erkrankte*, andén *Bahnsteig*, adiós *auf Wiedersehen*, fácil *leicht*, azúcar *Zucker*, lápiz *Bleistift*, teléfono *Telefon*, explíquemelo *erklären Sie es mir.*

Einsilbige Wörter werden im allgemeinen nicht mit Akzent geschrieben: a *nach*, tal *solch*, Dios *Gott*. Hier gibt es jedoch einige Ausnahmen, die weiter unten behandelt werden.

**Weitere Akzentregeln:**

Der Akzent wird bei Frage- und Ausrufewörtern gesetzt: ¿qué? *was?*, ¿cómo se llama? *wie heißt er?*, ¡qué bonito! *wie hübsch!* In den sogenannten abhängigen Fragen wird der Akzent beibehalten: dime cómo se llama *sag mir, wie er heißt.* (Diese Akzentregel steht teilweise im Widerspruch zu den Grundregeln.)

In einigen Fällen wird der Akzent gesetzt, um gleichlautende Wörter mit verschiedener Bedeutung voneinander zu unterscheiden: sí *ja* – si *wenn;* solo *allein* – sólo *nur;* tu *dein* – tú *du;* el *der* – él *er.* (Diese Akzentregel widerspricht teilweise den Grundregeln.)

Schließlich wird der Akzent gesetzt, um anzuzeigen, daß zwei aufeinanderfolgende Vokale keinen Diphthong bilden: tía *Tante*, país *Land*, continúo *ich setze fort*, baúl *großer Koffer.* (Diese Akzentregel widerspricht teilweise den Grundregeln.)

## 5. Amerikanisches Spanisch

Für die Aussprache des in Lateinamerika gesprochenen Spanisch wurde es von ausschlaggebender Bedeutung, daß die ersten spanischen Kolonisten zum weitaus größten Teil aus Andalusien und Extremadura stammten. Auch weiterhin war der Zuzug aus den südlichen Teilen der iberischen Halbinsel besonders stark. So ist es nicht verwunderlich, daß die auffallendsten Eigenheiten der andalusischen Aussprache sich nahezu über das gesamte spanische Sprachgebiet Amerikas verbreitet haben. Im einzelnen wäre auf folgende Merkmale hinzuweisen:

**c vor e und i** sowie **stimmloses z** werden nicht als stimmloser Lispellaut [θ], sondern als stimmloses s [s] gesprochen. Demzufolge besteht kein Unterschied in der Aussprache von casa *Haus* und caza *Jagd*, coser *nähen* und cocer *kochen*, serrar *sägen* und cerrar *schließen*.

**Stimmloses s** und **z** werden, wenn sie im Auslaut einer Silbe oder eines Wortes stehen, entweder ganz unterdrückt oder zu einem stimmlosen h abgeschwächt: ¿cómo está Vd.? ['komo e'ta u'te]; los fósforos [lo 'fɔforo]; la luz [la lu]. Stimmhafte Konsonanten erfahren bei völliger Unterdrückung eine Dehnung: mismo ['mimmo]; las mujeres [lammu'xɛre]; isla ['illa].

**Mouilliertes l** (geschrieben ll) lautet in fast ganz Südamerika wie [j]: caballo [ka'βajo]; calle ['kaje]; lleno ['jeno].

In Argentinien geht dieser Laut in einen stimmhaften Reibelaut (wie in den Fremdwörtern Etage, Genie usw.) über: [ka'βaʒo]; ['kaʒe]; ['ʒeno].

**y** im An- und Inlaut wird in Argentinien als stimmhafter Reibelaut (wie in den Fremdwörtern Etage, Genie usw.) gesprochen: ya [ʒa], yo [ʒo], ayer [a'ʒɛr].

# Die grammatischen Fachausdrücke und ihre Erklärung

Adjektiv = Eigenschaftswort: das braune Kleid
adjektivisch = als Eigenschaftswort gebraucht
Adverb = Umstandswort: er singt laut
Akkusativ = 4. Fall, Wenfall: Er pflückt den Apfel für seinen Bruder
Aktiv = Tätigkeitsform: Der Mann schlägt den Hund
Artikel = Geschlechtswort: der, die, das, ein, eine, ein
Attribut = Beifügung, Eigenschaft: Der alte Mann hat es nicht leicht
attributiv = beifügend
Dativ = 3. Fall, Wemfall: Die Frau kommt aus dem Garten
Deklination = Beugung des Hauptwortes: Nominativ – der Vater, Genitiv – des Vaters,
    Dativ – dem Vater, Akkusativ – den Vater
Demonstrativpronomen = hinweisendes Fürwort: dieser, jener
Diphthong = Doppellaut: ei in mein
Femininum = weibliches Geschlecht, weibliches Hauptwort
Futur = Zukunft(sform): Ich werde fragen
Genitiv = 2. Fall, Wesfall: Sie beraubten mich meines Geldes
Genus = Geschlecht: Maskulinum, Femininum, Neutrum
Imperativ = Befehlsform: geh(e)!
Imperfekt = Vergangenheit(sform): ich ging
Indefinitpronomen = unbestimmtes Fürwort: jeder, jemand, manch
Indikativ = Wirklichkeitsform: Er geht nicht sofort
Infinitiv = Nennform, Grundform: backen, biegen
Interrogativpronomen = Fragefürwort: wer, wessen, wem, wen
intransitiv(es Verb) = ohne Ergänzung im Akkusativ, nichtzielend: Der Hund bellt
Kausalsatz = Umstandssatz des Grundes
Komparativ = Höherstufe (1. Steigerungsstufe): schöner, größer
Konditional = Bedingungsform: Wenn schönes Wetter wäre, würden wir ausgehen
Konjugation = Beugung des Zeitwortes: Infinitiv – gehen, Präsens – ich gehe
Konjunktion = Bindewort: Der Mann ist unglücklich, weil er nicht arbeiten kann
Konjunktiv = Möglichkeitsform: Frau S. dachte, ihr Mann sei im Büro
Konsonant = Mitlaut: b, d, s
Konzessivsatz = Umstandssatz der Einräumung
Kopula = Satzband: Hans ist Schlosser
Maskulinum = männliches Geschlecht, männliches Hauptwort
Modalverb = Zeitwort, das die Art und Weise des Geschehens bezeichnet: er will
    kommen, sie kann schlafen
Modus = Aussageweise
Neutrum = sächliches Geschlecht, sächliches Hauptwort
Nomen = Hauptwort: der Tisch
Nominativ = 1. Fall: Der Mann kauft ein Buch
Objekt = Satzergänzung: Der Mann schlägt den Hund
Partizip = Mittelwort: gebacken

Passiv = Leideform: Der Hund wird von dem Mann geschlagen
Perfekt = Vollendete Gegenwart: ich bin weggegangen
Personalpronomen = persönliches Fürwort: er, sie, wir
Plural = Mehrzahl: Kirschen
Plusquamperfekt = Vorvergangenheit: Ich hatte das Buch gelesen
Possessivpronomen = besitzanzeigendes Fürwort: der, die, das meinige, mein, dein, euer
Prädikat = Satzaussage: Die Frau bäckt einen Kuchen
prädikativ = aussagend
Prädikatsnomen = Hauptwort als Teil der Satzaussage: Er ist Schüler
Präposition = Verhältniswort: auf, gegen, mit
präpositional = mit einem Verhältniswort gebildet
Präsens = Gegenwart: ich gehe
Pronomen = Fürwort: er, sie, es
reflexiv = rückbezüglich: er wäscht sich
Reflexivpronomen = rückbezügliches Fürwort
Rektion = Bestimmung des Falles, in dem ein abhängiges Wort steht: Er liest einen
   Roman („lesen" mit dem 4. Fall)
Relativpronomen = bezügliches Fürwort: Wo ist das Buch, das ich gekauft habe?
Relativsatz = Nebensatz, der mit einem bezüglichen Fürwort eingeleitet wird
Singular = Einzahl: Tisch
Subjekt = Satzgegenstand: Das Kind spielt mit der Katze
Substantiv = Hauptwort: der Tisch
substantivisch = als Hauptwort gebraucht
Superlativ = Höchststufe bei der Steigerung des Adjektivs oder höchste Steigerungsstufe:
   am schönsten
Temporalsatz = Umstandssatz der Zeit
Tempus = Zeit(form des Verbs): Präsens, Imperfekt, Futur
transitiv(es Verb) = mit Ergänzung im Akkusativ, zielend: Ich begrüße einen Freund
Verb(um) = Zeitwort: gehen, kommen
Vokal = Selbstlaut: a, e, i, o, u

## 1A₁ Text

**En el hotel**

| | |
|---|---|
| *Sr. Pérez:* | Buenas tardes, señorita. |
| *Señorita:* | Buenas tardes, señor. |
| *Sr. Pérez:* | El correo, por favor. Tengo la habitación cinco, cuatro, tres. |
| *Señorita:* | ¿Es usted el doctor Pérez? |
| *Sr. Pérez:* | No, no soy el doctor Pérez. |
| *Señorita:* | ¿Cómo se llama usted? |
| *Sr. Pérez:* | Pérez, pero no soy doctor. |
| *Señorita:* | ¿José Luis Pérez Aguilar? |
| *Sr. Pérez:* | Sí, exactamente. |
| *Señorita:* | A ver. Una carta, un paquete con libros y un recado del padre García. |
| *Sr. Pérez:* | ¿Quién es el padre García? |
| *Señorita:* | No lo sé, señor. |
| *Sr. Pérez:* | Da igual. ¿Le debo algo? |
| *Señorita:* | Cinco duros y una firma. La firma aquí, por favor. |
| *Sr. Pérez:* | ¿Me deja un bolígrafo? |
| *Señorita:* | Esto es un lápiz, pero da igual. Aquí tiene usted. |
| *Sr. Pérez:* | Bien, muchas gracias, señorita. |
| *Señorita:* | No hay de qué, señor Pérez. Hasta luego. |

| en | in, an, auf |
| el hotel | das Hotel |
| la tarde | der Nachmittag |
| buenas tardes | guten Tag (am Nach- mittag zu verwenden) |
| la señorita | das Fräulein; die junge Dame |
| el señor | der Herr |
| el correo | die Post |
| por favor | bitte |
| tener | haben, besitzen |
| tengo | ich habe |
| la habitación | das Zimmer |
| cinco | fünf |
| cuatro | vier |
| tres | drei |
| ser | sein (Verb) |
| es | er, sie, es ist; Sie sind |
| usted | Sie (Einzelperson) |
| el doctor | der Doktor |
| ¿es usted el doctor Pérez? | sind Sie Dr. Pérez? |
| no | nein; nicht; kein |
| como | wie |
| llamarse | heißen |
| ¿cómo se llama usted? | wie heißen Sie? |
| pero | aber |
| soy | ich bin |
| José | Joseph |
| Luis | Ludwig |
| sí | ja |
| exactamente | genau |
| a ver | mal sehen |
| un, una | ein, eine |
| la carta | der Brief |
| el paquete | das Paket |
| con | mit |
| el libro | das Buch |
| y | und |
| el recado | die Nachricht, der Bescheid |
| de | von, aus |
| el padre | der Vater; der Pater |
| un recado del padre García | eine Nachricht von Pater García |

| quien | wer |
| ¿quién es …? | wer ist …? |
| saber | wissen |
| sé | ich weiß |
| no lo sé | ich weiß es nicht |
| igual | gleich |
| da igual | es ist egal |
| deber | schulden |
| algo | etwas |
| ¿le debo algo? | schulde ich Ihnen etwas? |
| el duro | fünf Peseten (auch Münze) |
| cinco duros | 25 Peseten |
| la firma | die Unterschrift |
| aquí | hier |
| dejar | lassen, überlassen |
| ¿me deja …? | geben Sie mir …?, kann ich … haben? |
| el bolígrafo | der Kugelschreiber |
| esto | dies, das hier |
| el lápiz | der Bleistift |
| tiene | er, sie, es hat; Sie haben |
| aquí tiene usted | hier bitte |
| bien | gut, schön, in Ordnung |
| muchas gracias | vielen Dank |
| no hay de qué | keine Ursache |
| hasta | bis |
| luego | nachher |
| hasta luego | auf Wiedersehen |

*Grammatik und Übungen:*

| el taxi | das Taxi |
| vamos | gehen wir |
| ¡caramba! | Donnerwetter! |
| invitar | einladen |
| el vino | der Wein |
| el barco | das Schiff |
| donde | wo |
| el día | der Tag |
| adiós | auf Wiedersehen! |
| la verdad | die Wahrheit |
| el gato | die Katze |
| el amigo | der Freund |

# 1A₂ Text in Lautschrift

en ɛl o'tɛl

'bwenas 'tarðes, seɲo'rita.

'bwenas 'tarðes, se'ɲor.

ɛl kɔ'rrɛo, pɔr fa'bɔr. 'teŋgo la abita'θjɔn 'θiŋko, 'kŭatro, tres.

es us'teᵈ ɛl dɔk'tɔr 'pereθ?

no, no sɔĭ ɛl dɔk'tɔr 'pereθ.

'komo se 'ʎama us'teᵈ?

'pereθ, 'pero ño sɔĭ đɔk'tɔr.
xo'se lwis 'pereθ‿'agilar?
si, ɛgsakta'mente
a ƀɛr. 'una 'karta, um pa'kete kɔn 'liƀrɔs
i‿un rrɛ'kađo đɛl 'pađre gar'θia.
'kjen‿es‿ɛl 'pađre gar'θia?
no lo se, se'ɲɔr.
da‿i'gwal. le 'đebo‿'algo?
'θiŋko 'đurɔs‿i‿'una 'firma.
la 'firma‿a'ki, pɔr fa'ƀɔr.
me 'đɛxa‿um bo'ligrafo?
'esto‿es‿un 'lapiθ, 'pero‿da‿i'gwal.
a'ki 'tjene‿us'teᵈ.
bjen, 'mutʃaz 'graθjas, seɲo'rita.
no‿aĭ đe ke, se'ɲɔr 'pereθ. 'asta 'lwego.

## 1B Grammatik

### 1. Der bestimmte Artikel im Singular

| | |
|---|---|
| **männlich** *(m)*: | **el** correo *die Post* |
| **weiblich** *(f)*: | **la** carta *der Brief* |

Es gibt im Spanischen nur männliche und weibliche Substantive. Sachbezeichnungen haben nicht immer das gleiche Geschlecht wie im Deutschen.

Der Artikel und das Substantiv werden nicht dekliniert: con el señor *mit dem Herrn*.

Verschmelzung der Präposition **de** mit **el** zu **del**: del hotel *vom Hotel, des Hotels*.

Der bestimmte Artikel steht vor señor und vor Titeln: ¿quién es el señor Pérez? *wer ist Herr P.?*; ¿es usted el doctor Pérez? *sind Sie Dr. P.?* In der Anrede wird der Artikel jedoch nicht gebraucht: buenas tardes, señor Pérez *guten Tag, Herr P.*

### 2. Die Grundzahlen von 1 bis 10; unbestimmter Artikel

| | | | |
|---|---|---|---|
| 1 | uno | 6 | seis |
| 2 | dos | 7 | siete |
| 3 | tres | 8 | ocho |
| 4 | cuatro | 9 | nueve |
| 5 | cinco | 10 | diez |

Bei der Zahl 1 muß vor einem männlichen Substantiv **un**, vor einem weiblichen Substantiv **una** verwendet werden:

un libro *ein Buch*
una carta *ein Brief*

**un, una** sind die Formen des unbestimmten Artikels.

21

## 3. Plural der Substantive mit Endung auf Vokal

| una carta | ein Brief | dos cartas | zwei Briefe |
|---|---|---|---|
| un paquete | ein Paket | dos paquetes | zwei Pakete |
| un libro | ein Buch | dos libros | zwei Bücher |
| un taxi | ein Taxi | dos taxis | zwei Taxis |

**-s** wird für die Pluralbildung bei Wörtern, die auf unbetontem Vokal enden, angehängt.

## 4. Die Wortstellung im Satz

Die übliche Reihenfolge ist: **Subjekt + Prädikat + Objekt(e)** (el señor Pérez tiene un paquete con libros en la habitación *Herr P. hat ein Paket mit Büchern im Zimmer*).

Steht eine Umstandsbestimmung am Satzanfang, dann kann eine Umkehrung von Subjekt und Prädikat vorgenommen werden, oder die übliche Reihenfolge wird beibehalten. Im letzteren Fall muß nach der Umstandsbestimmung ein Komma stehen (en la habitación, el señor Pérez tiene un paquete con libros *im Zimmer hat Herr P. ein Paket mit Büchern*). In gewissen Fällen ist die Umkehrung von Subjekt und Prädikat im Aussagesatz zwingend; vgl. hierzu Lekt. 15B6.

Im Fragesatz tritt die Umkehrung von Subjekt und Prädikat ein, wenn ein Fragewort verwendet wird: ¿cómo se llama usted? *wie heißen Sie?* In Fragesätzen, die kein Fragewort enthalten, kann die Umkehrung von Subjekt und Prädikat vorgenommen oder die übliche Reihenfolge beibehalten werden: ¿es usted el señor Pérez? *sind Sie Herr P.?;* ¿usted es el señor Pérez? *Sie sind Herr P.?*

## 5. Grundsätzliches zur spanischen Aussprache

Vokale werden ohne Knacklaut gesprochen (vgl. den deutschen Satz: er erinnert sich auch an ihn). Ein zusammenhängend gesprochener Satz erhält den Silbenaufbau eines Einzelworts. Geschrieben steht beispielsweise: en el hotel, gesprochen wird: e-ne-lo-tel. In der Umschrift wird diese enge Verbindung mit einem Bogen gekennzeichnet [en‿ɛl‿o'tɛl]. Der Akzent ['] steht jeweils vor der betonten Silbe.

Bei der phonetischen Umschrift der Texte fällt auf, daß mancher Laut anders als erwartet angegeben wird. Dies hat mit einer Grundtatsache der spanischen Aussprache zu tun: Im zusammenhängend gesprochenen Satz oder Satzteil, also einer Redeeinheit, erscheinen deren Laute so eng verbunden wie die Laute eines einzigen Wortes. Die Aussprache von Anlaut bzw. Auslaut eines Wortes richtet sich daher nach dem vorhergehenden bzw. nachfolgenden Wort. So behält z. B. das **v** von **vino** *Wein* den Verschlußlautwert [b] in un vino [um 'bino], während es in el vino zum Reibelaut [b̞] wird [ɛl 'b̞ino]. Wird jedoch beispielsweise bei der Wortfolge el vino eine deutliche Pause nach dem Artikel eingelegt, dann hört man [ɛl 'bino], d. h. es wird wieder der Verschlußlaut gesprochen, weil sich v am Anfang einer Redeeinheit befindet. Vgl. Aussprache von b/v, d und g unten 1B6. Zur Aussprache von n vgl. Lekt. 4C; zur Aussprache von s vgl. Lekt. 5C; zur Aussprache von x vgl. Lekt. 5C; zur Aussprache von e und o vgl. Lekt. 5C.

## 6. Aussprache von b bzw. v, d und g

**b** und **v** werden in der Schrift streng unterschieden, phonetisch jedoch völlig gleich behandelt.

[b] Nach einer Pause und nach dem Nasallaut m wird ein Verschlußlaut wie **b** in „Baum" gesprochen: vamos [ˈbamɔs] *gehen wir!;* ¡caramba! [kaˈramba] *Donnerwetter!* Die Buchstabenfolgen **nb** und **nv** sind wie [mb] zu sprechen: invitar [imbiˈtar] *einladen;* un vino [um ˈbino] *ein Wein;* un barco [um ˈbarko] *ein Schiff;* en Valencia [em baˈlenθja] *in Valencia.*

[b̦] In allen anderen Fällen wird ein Reibelaut gesprochen. Die Lippen schließen sich nicht ganz, sondern berühren einander derart, daß eine leichte Reibung entsteht: Cuba [ˈkub̦a] *Kuba;* libro [ˈlib̦ro] *Buch;* el barco [ɛl ˈb̦arko] *das Schiff;* el vino [ɛl ˈb̦ino] *der Wein;* a Valencia [a b̦aˈlenθja] *nach Valencia.*

Es sei nachdrücklich darauf hingewiesen, daß es ein **w** wie in „Wein" im Spanischen nicht gibt.

**d** hat drei verschiedene Ausprägungen:

[d] Nach einer Pause und nach l und n wird ein Verschlußlaut wie **d** in „das" gesprochen: donde [ˈdɔnde] *wo;* el doctor [ɛl dɔkˈtɔr] *der Doktor;* un día [un ˈdia] *ein Tag.*

[ð] ist ein Reibelaut wie das th im englischen Wort „than". Es wird in allen anderen Fällen – außer im Wortauslaut bzw. im absoluten Auslaut – gesprochen: recado [rrɛˈkaðo] *Nachricht;* tarde [ˈtarðe] *spät;* padre [ˈpaðre] *Vater;* le debo [le ˈðebo] *ich schulde Ihnen;* adiós [aˈðjɔs] *auf Wiedersehen.*

[ᵈ] Im Wortauslaut wird **d** nur ganz schwach gesprochen oder entfällt sogar, in familiärer Aussprache, ganz: usted [usˈteᵈ] *Sie,* verdad [bɛrˈðaᵈ] *Wahrheit.*

**g** vor a, o, u und Konsonanten (nicht ge und gi!) hat zwei Ausprägungen:

[g] Nach einer Pause und nach n wird ein Verschlußlaut wie **g** in „Garten" gesprochen: gracias [ˈgraθjas] *danke;* tengo [ˈteŋgo] *ich habe;* un gato [uŋ ˈgato] *eine Katze.*

[g̦] Sonst wird ein Reibelaut gesprochen, noch weicher als **g** in „Lager": amigo [aˈmig̦o] *Freund;* algo [ˈalg̦o] *etwas;* bolígrafo [boˈlig̦rafo] *Kugelschreiber;* el gato [ɛl ˈg̦ato] *die Katze.*

# 1C Sprachgebrauch – Landeskunde

**Groß- und Kleinschreibung:** Mit großem Anfangsbuchstaben werden im Spanischen nur das erste Wort einer Überschrift, der Satzanfang und die Eigennamen geschrieben. Sonst schreibt man alle Wörter mit kleinem Anfangsbuchstaben. Nationalitätsbezeichnungen gelten nicht als Eigennamen.

An den Anfang von **Fragen** und **Ausrufen** wird das umgekehrte Frage- bzw. Ausrufezeichen gesetzt: ¿cómo se llama usted? *wie heißen Sie?;* ¡caramba! *Donnerwetter!*

23

Die Begrüßungsformel **buenas tardes** wird von der Mittagszeit an bis zum Eintritt der Dunkelheit gebraucht. (Vgl. Lekt. 10C).

José Luis **Pérez Aguilar:** Die Spanier haben zwei Familiennamen, nämlich den des Vaters und den der Mutter. Der erste ist der eigentliche Familienname (Pérez), das ist der erste Familienname des Vaters. Der zweite Familienname (Aguilar) ist der erste Familienname der Mutter, also ihr Mädchenname.

Die Ehefrau behält ihren eigenen Familiennamen, an den der erste Familienname des Mannes mit **de** angefügt wird. Der Familienname von Herrn Pérez' Mutter ist also: Aguilar de Pérez.

In dieser Lektion kommen bereits einige konjugierte Verbformen im Präsens sowie verschiedene Pronomen vor. Die Konjugation des Präsens dieser Verben wird im Grammatikteil der 2., 3. und 6. Lektion durchgenommen. – Hinweise zu den Pronomen: Zu **se** *sich* vgl. Lekt. 11B1; zu **lo** *es* vgl. Lekt. 7B4; die Personalpronomen **me** und **le** werden in Lekt. 10B3 besprochen, zu **le** vgl. auch Lekt. 2C.

# 1D Übungen

1. *Setzen Sie* el (del) *oder* la *ein:*

   a) ... señor de ... habitación diez es ... padre Pérez.   b) ... carta de ... señor Aguilar es de México.

2. *Setzen Sie die fehlenden Wörter ein:*

   a) ¿..... usted .... señorita García?
   ....., señor.
   ¿Cómo .... llama usted?
   Carmen Sánchez.

   b) ¿Me deja .... lápiz?
   Aquí ..... usted.
   .... gracias.
   No ... .... qué.

   c) ¿Quién .... el doctor Pérez?
   No .... sé.

3. *Übersetzungsübungen:*

A) *Schreiben Sie in der spanischen Übersetzung die Zahlen aus:*
   ein Zimmer; drei Kugelschreiber; fünf Taxis; neun Unterschriften; zwei Nachrichten; vier Pakete; acht Bücher; ein Wein; zehn Briefe; sechs junge Damen; sieben Freunde.

B) a) Wer sind Sie?   b) Wie heißen Sie?   c) Sind Sie Fräulein Pérez?   d) Ich bin nicht Fräulein Pérez.   e) Hier haben Sie die Post.   f) Dies ist ein Brief und dies ist ein Bleistift.

4. *Leseübung:*

A) *Lesen Sie die Namen der spanischsprachigen Länder und ihre Nationalitäts-bezeichnungen laut. Die deutschen Übersetzungen finden Sie im Wörterverzeichnis am Schluß des Lehrbuches.*

| | | | |
|---|---|---|---|
| España, | español | República Dominicana, | dominicano |
| México, | mexicano | Venezuela, | venezolano |
| Guatemala, | guatemalteco | Colombia, | colombiano |
| Honduras, | hondureño | Ecuador, | ecuatoriano |
| El Salvador, | salvadoreño | Perú, | peruano |
| Nicaragua, | nicaragüense | Bolivia, | boliviano |
| Costa Rica, | costarriqueño | Chile, | chileno |
| Panamá, | panameño | Argentina, | argentino |
| Cuba, | cubano | Uruguay, | uruguayo |
| Puerto Rico, | puertorriqueño | Paraguay, | paraguayo |

B) *Lesen Sie die häufigsten männlichen Vornamen laut:*

| | | |
|---|---|---|
| Antonio *Anton* | Alejandro *Alexander* | Federico *Friedrich* |
| Francisco *Franz* | Alfonso *Alfons* | Felipe *Philipp* |
| José *Joseph* | Carlos *Karl* | Gerardo *Gerhard* |
| Juan *Hans* | Diego *Jakob* | Javier *Xaver* |
| Luis *Ludwig* | Eduardo *Eduard* | Mario *Marius* |
| Manuel *Emmanuel* | Enrique *Heinrich* | Pablo *Paul* |
| Pedro *Peter* | Eusebio *Eusebius* | Rafael *Raphael* |
| Miguel *Michael* | Santiago *Jakob* | Ramón *Raimund* |

C) *Lesen Sie die häufigsten weiblichen Vornamen laut (einige haben keine deutsche Entsprechung):*

| | | |
|---|---|---|
| Carmen | Beatriz *Beatrix* | Margarita *Margarete* |
| Consuelo | Clara *Klara* | Mercedes |
| Dolores | Concepción | Milagros |
| Francisca *Franziska* | Esperanza | Montserrat |
| María *Maria* | Inés *Agnes* | Rosa *Rosa, Rose* |
| Pilar | Gloria | Soledad |
| Adela *Adele* | Irene *Irene* | Rocío |
| Ana *Hanna, Anna* | Lucía *Lucie* | Teresa *Therese* |

# 2A

## 2A₁ Text

### Conversación con el taxista

Carmen y Jorge son perio-
distas. Son marido y mujer,
pero no tienen hijos. Siempre
tienen prisa y nunca tienen
tiempo. Viajan en avión con
frecuencia. Siempre veranean
en Málaga.

| | |
|---|---|
| Jorge: | Al aeropuerto, por favor. |
| Taxista: | Bien, señores. ¿Vuelo internacional? |
| Jorge: | No no, vuelo nacional. |
| Taxista: | ¿Son ustedes españoles? |
| Carmen: | Claro, ¿por qué lo pregunta? |
| Taxista: | Pues . . . porque los españoles . . . |
| Jorge: | No viajan en avión a Madrid. |
| Taxista: | Eso es. Todos tienen coche. |
| Carmen: | No todos. Hay excepciones. |
| Taxista: | Claro. ¿De qué parte son ustedes? |
| Carmen: | Yo soy madrileña. |
| Jorge: | Yo soy de Bilbao. Somos matrimonio. |
| Taxista: | Hombre, yo tengo un hermano en Bilbao. |
| Jorge: | ¿Sí? ¿A qué se dedica? |
| Taxista: | Tiene un camión. Vive en Bilbao desde hace veinte años. |
| Jorge: | ¿Le gusta vivir allí? |
| Taxista: | No, no le gusta porque no tiene amigos. |
| Carmen: | Usted, ¿de qué parte es? |
| Taxista: | De Loja. Es un pueblo serrano. |
| Carmen: | ¿Tiene familia? |
| Taxista: | Sí. Tengo cinco hijos: un chico y cuatro chicas. |
| Carmen: | ¿Qué edad tienen? |
| Taxista: | El chico tiene quince y las chicas catorce, trece, doce y once. ¿Ustedes también tienen familia? |
| Jorge: | No, nosotros todavía no tenemos familia. |
| Taxista: | ¿Veranean aquí con frecuencia? |
| Carmen: | Sí, siempre. Tenemos una casa en la playa. |

*Taxista:* ¿Les gusta la ciudad? *[die Stadt]*
*Jorge:* Mucho. Vamos a echar de menos el cielo azul. *[Wir werden den blauen Himmel vermissen]*
*Carmen:* Y la comida, las flores y los balcones. *[Essen]*
*Jorge:* Los malagueños saben vivir. *[Die Leute aus Malaga, sie sind Lebenskünstler.]*
*Taxista:* Como todos los andaluces. *[Wie alle andaluces.]*

| | |
|---|---|
| la conversación | das Gespräch |
| el (la) taxista | der (die) Taxifahrer(in) |
| Jorge | Georg |
| el (la) periodista | der (die) Journalist(in) |
| el marido | der Ehemann |
| la mujer | die Frau; die Ehefrau |
| el hijo | der Sohn; das Kind |
| no tienen hijos | sie haben keine Kinder |
| siempre | immer |
| la prisa | die Eile |
| tener prisa | es eilig haben |
| nunca | niemals |
| el tiempo | die Zeit |
| viajar | reisen |
| el avión | das Flugzeug |
| viajan en avión | sie fliegen |
| con frecuencia | oft |
| veranean (von veranear) | sie machen Urlaub |
| a | nach, zu, in |
| el aeropuerto | der Flughafen |
| al aeropuerto | zum Flughafen |
| el vuelo | der Flug |
| el vuelo internacional | der Auslandsflug |
| el vuelo nacional | der Inlandsflug |
| ustedes | Sie (Plural) |
| el español | der Spanier |
| ¿son ustedes españoles? | sind Sie Spanier? |
| claro | klar, natürlich |
| ¿por qué? | warum? |
| preguntar | fragen |
| lo pregunta | Sie fragen es |
| pues | nun ja, also ... |
| porque | weil |
| eso es | so ist es |
| todos, -as | alle |
| el coche | der Wagen, das Auto |
| tener coche | einen Wagen haben |
| hay (von haber) | es gibt; es ist, es sind |
| la excepción | die Ausnahme |
| la parte | der Teil |
| ¿de qué parte son ustedes? | wo kommen Sie her? |
| yo | ich |
| madrileño, -a | Madrider, aus Madrid |
| la madrileña | die Madriderin |
| el matrimonio | das Ehepaar |

| | |
|---|---|
| somos matrimonio | wir sind miteinander verheiratet |
| el hombre | der Mann |
| el hermano | der Bruder |
| dedicarse a | sich widmen |
| ¿a qué se dedica? | was macht er beruflich? |
| el camión | der Lastwagen |
| vive (von vivir) | er lebt, er wohnt |
| veinte | zwanzig |
| el año | das Jahr |
| desde hace veinte años | seit zwanzig Jahren |
| gustar | gefallen; Spaß machen |
| vivir | leben; wohnen |
| ¿le gusta vivir ...? | lebt er gern ...? |
| allí | dort |
| el pueblo | das Dorf |
| serrano, -a | Gebirgs..., Berg... |
| es un pueblo serrano | es ist ein Gebirgsdorf |
| la familia | die Familie |
| ¿tiene familia? | haben Sie Familie (Kinder)? |
| el chico | der Junge |
| la chica | das Mädchen |
| ¿qué? | was?; was für ein(e)? |
| la edad | das Alter |
| ¿qué edad tienen? | wie alt sind sie? |
| el chico tiene quince años | der Junge ist fünfzehn Jahre alt |
| quince | fünfzehn |
| catorce | vierzehn |
| trece | dreizehn |
| doce | zwölf |
| once | elf |
| también | auch |
| nosotros, -as | wir |
| todavía | noch |
| la casa | das Haus |
| la playa | der Strand |
| les | ihnen; Ihnen (Plural) |
| la ciudad | die Stadt |
| mucho | viel; sehr |
| echar de menos | vermissen, sich sehnen nach |
| vamos a echar de menos | wir werden vermissen |
| el cielo | der Himmel |
| azul | blau |
| la comida | das Essen |
| la flor | die Blume |

27

| | | Grammatik und Übungen: | |
|---|---|---|---|
| el balcón | der Balkon | el joven | der junge Mann |
| malagueño, -a | aus Málaga | la calle | die Straße |
| los malagueños | die Leute aus Málaga | el catalán | der Katalane |
| saber | wissen; können | la catalana | die Katalanin |
| saben vivir | sie sind Lebenskünstler | el alemán | der Deutsche |
| el andaluz | der Andalusier | la alemana | die Deutsche |
| todos los andaluces | alle Andalusier | | |

## 2A₂ Text in Lautschrift

kɔmbɛrsa'θjɔŋ kɔn‿ɛl ta'gsista

'karmen‿i 'xɔrxe sɔm perjo'ɗistas. sɔn ma'riɗo‿i mu'xɛr, 'pero no 'tjenen 'ixɔs.
'sjempre 'tjenem 'prisa‿i 'nuŋka 'tjenen 'tjempo. bi'axan‿en‿a'ɓjɔŋ kɔm
fre'kwenθja. 'sjempre ɓera'nean em 'malaga.
al aero'pwɛrto, pɔr fa'ɓɔr.
bjen, se'ɲores. 'ɓwelo‿intɛrnaθjo'nal?
no, no, 'ɓwelo naθjo'nal.
sɔn‿us'teɗes‿espa'ɲoles?
'klaro. pɔr ke lo pre'gunta?
pwes, 'pɔrke lɔs‿espa'ɲoles ...
no ɓi'axan‿en‿a'ɓjɔn‿a ma'ɗriᵈ.
eso‿es. 'toɗɔs 'tjeneŋ 'kotʃe.
no 'toɗɔs. aĭ‿esθeɓ'θjones.
'klaro. de ke 'parte sɔn‿us'teɗes?
jo sɔĭ maɗri'leɲa.
jo sɔĭ ɗe ɓil'ɓao. 'somɔz matri'monĭo.
'ɔmbre, jo 'teŋgo‿un‿ɛr'mano‿em ɓil'ɓao.
si? a ke se ɗe'ɗika?
'tjene‿uŋ ka'mjɔn. 'biɓe em ɓil'ɓao 'dezde 'aθe 'ɓɛĭnte 'aɲɔs.
le 'gusta ɓi'ɓir‿a'ʎi?
no, no le 'gusta 'pɔrke no 'tjene‿a'migɔs.
us'teᵈ, ɗe ke 'parte‿es?
de 'lɔxa. es‿um 'pweɓlo sɛ'rrano.
'tjene fa'milja?
si. 'teŋgo 'θiŋko 'ixɔs: un 'tʃiko i 'kŭatro 'tʃikas.
ke‿e'ɗaᵈ 'tjenen?
ɛl 'tʃiko 'tjene 'kinθe i las 'tʃikas ka'tɔrθe, 'treθe, 'doθe i 'ɔnθe. us'teɗes tam'bjen
'tjenem fa'milja?
No, no'sotrɔs toɗa'bia no te'nemɔs fa'milja.
ɓera'nean‿a'ki kɔm fre'kwenθja?
si, 'sjempre. te'nemɔs‿'una 'kasa‿en la 'plaja.
lez 'gusta la θju'ɗaᵈ?
'mutʃo. 'ɓamɔs‿a‿e'tʃar ɗe 'menɔs ɛl 'θjelo‿a'θul.
i la ko'miɗa, las 'flores‿i lɔz ɓal'kones.
lɔz mala'geɲɔs 'saɓem bi'ɓir.
'komo 'toɗɔz lɔs‿anda'luθes.

28

# 2B Grammatik

## 1. Der bestimmte Artikel im Singular und Plural

|  | Singular | | Plural | |
|---|---|---|---|---|
| **männlich** | **el** coche | *das Auto* | **los** coches | *die Autos* |
| **weiblich** | **la** casa | *das Haus* | **las** casas | *die Häuser* |

Verschmelzungen mit **el**:  a + el = **al**
de + el = **del**

## 2. Plural der Substantive mit Endung auf Konsonanten

| Singular | Plural |
|---|---|
| el hotel | los hotel**es** |
| el señor | los señor**es** |
| la ciudad | las ciudad**es** |
| el balcón | los balcon**es** |
| el joven | los jóven**es** |
| el andaluz | los andaluc**es** |

Die Pluralform von Substantiven, die auf Konsonanten ausgehen, wird durch Anhängen von **-es** an die Singularform gebildet.

Da die Betonung der Singularform in der Pluralform unverändert bleibt, entfällt der Akzent bei Betonung auf der vorletzten Silbe (balcones). Wird dagegen die drittletzte Silbe betont, muß er gesetzt werden (jóvenes).

Substantive auf **-z** haben im Plural **-ces**.

Die Beispiele stehen für die häufigsten Substantivendungen.

## 3. Präsens Indikativ (presente de indicativo) **von ser und tener**

| ser | sein | tener | haben |
|---|---|---|---|
| soy | *ich bin* | tengo | *ich habe* |
| eres | *du bist* | tienes | *du hast* |
| es | *er ist* | tiene | *er hat* |
| somos | *wir sind* | tenemos | *wir haben* |
| sois | *ihr seid* | tenéis | *ihr habt* |
| son | *sie sind* | tienen | *sie haben* |

Die Konjugationsmuster werden im Lehrbuch immer in folgender Anordnung angegeben:
1. Person Singular (ich ...)
2. Person Singular (du ...)
3. Person Singular (er, sie, es; Sie ...)
1. Person Plural (wir ...)
2. Person Plural (ihr ...)
3. Person Plural (sie; Sie ...)

Zum Wegfall des Pronomens als Satzsubjekt und zu den Höflichkeitsformen vgl. unten B4.

## 4. Das Personalpronomen als Satzsubjekt, die Höflichkeitsformen usted, ustedes

Carmen y Jorge son periodistas.
No tienen hijos.
*Carmen und Jorge sind Journalisten.*
*Sie haben keine Kinder.*

Das Personalpronomen als Satzsubjekt fällt weg, wenn es klar ist, von welcher Person oder Sache die Rede ist. Die Endung des Verbs reicht für die Bestimmung aus.

A: ¿De qué parte son ustedes?
B: Yo soy madrileña.
C: Yo soy de Bilbao.
*A: Wo kommen Sie her?*
*B: Ich bin Madriderin.*
*C: Ich bin aus Bilbao.*

Das Personalpronomen wird nur dann als Satzsubjekt eingesetzt, wenn eine Hervorhebung notwendig ist (**ich** im Gegensatz zu anderen), manchmal auch zur Vermeidung von Unklarheiten. Eine Tabelle der Personalpronomen steht in Lekt. 5B3.

¿Es usted español?
*Sind Sie Spanier?*

**usted** = *Sie,* wenn man eine Einzelperson höflich und respektvoll anredet. Im Satz steht das Verb in der dritten Person Singular. Abkürzung von usted: **Vd., Ud., V.**

¿Son ustedes españoles?
*Sind Sie Spanier?*

**ustedes** = *Sie,* wenn man mehrere Personen höflich und respektvoll anredet. Im Satz steht das Verb in der dritten Person Plural. Abkürzung von ustedes: **Vds., Uds., Vs.**

## 5. Die Verneinung mit no

¿Es usted Jorge Pérez?
No. Yo me llamo García.
*Sind Sie J.P.?*
*Nein. Ich heiße García.*

**no** verneint eine Frage: „nein".

No le gusta vivir allí porque no tiene amigos.
*Er lebt nicht gern dort, weil er keine Freunde hat.*

**no** verneint eine Aussage: „nicht" oder „kein". Es steht vor dem Verb und vor einem deklinierten Pronomen.

No todos tienen coche.
*Nicht alle haben einen Wagen.*

**no** verneint einen Satzteil.

Zur Verneinung mit **nunca, nada, nadie** vgl. Lekt. 8B4.

## 6. Die Zahlen von 11 bis 20

11 once
12 doce
13 trece

14 catorce
15 quince
16 dieciséis

17 diecisiete                    19 diecinueve
18 dieciocho                    20 veinte

Die Schreibweise der Zahlen 16 bis 19 stellt eine Zusammenziehung dar:
diez y seis, diez y siete, diez y ocho, diez y nueve.

## 2C Sprachgebrauch – Landeskunde

Der Dativ **le** kann heißen: *ihm, ihr* oder auch *Ihnen* (Einzelperson); die Pluralform **les** kann heißen: *ihnen* und *Ihnen* (mehrere Personen). Demnach kann **le gusta** je nach Zusammenhang heißen: *ihm gefällt es, ihr gefällt es* oder *Ihnen gefällt es* (Einzelperson); **les gusta** kann heißen: *ihnen gefällt es* oder *Ihnen gefällt es* (mehrere Personen). Ähnlich bedeutet **se llama Pérez**: *er heißt P., sie heißt P.* oder *Sie heißen P.* (Einzelperson). Zum Akkusativ und Dativ des Personalpronomens vgl. Lekt. 10B3; zu **gustar** vgl. Lekt. 13C.
Zur Stellung des Subjekts nach dem Prädikat vgl. Lekt. 15B6.
Zu **vamos a ...** vgl. Lekt. 4B1 (Präsens von **ir**) und Lekt. 6B3 (nahe Zukunft).
Zu **desde hace ...** vgl. Lekt. 18B6.

## 2D Übungen

1. *Bilden Sie Dialoge nach dem Muster:*
   ¿Qué hay en el pueblo?
   Hay casas.
   a) aeropuerto/avión.   b) playa/hotel.   c) hotel/habitación.   d) coche/paquete.
   e) calle/camión.   f) balcón/flor.

2. *Bilden Sie Dialoge nach dem Muster:*
   ¿Son ustedes españoles?
   Claro, españoles de España.
   a) malagueño/Málaga.   b) madrileña/Madrid.   c) andaluz/Sevilla.   d) catalán/Barcelona.

3. *Bilden Sie Dialoge nach dem Muster:*
   ¿Hay taxis allí?
   No, no hay taxis.
   a) avión.   b) flor.   c) mujer.   d) joven.   e) gato.   f) carta.   g) lápiz.
   h) libro.   i) doctor.   j) barco.

4. *Geben Sie verneinende Antworten nach dem Muster:*
   ¿Es usted del pueblo?
   No, no soy del pueblo.
   a) ¿Tiene usted tiempo?   b) ¿Es usted periodista?   c) ¿Tiene usted coche?
   d) ¿Es usted de aquí?   e) ¿Se llama usted García?

31

5. *Verneinen Sie die Sätze mit* no:

a) Carmen y Jorge son alemanes.　b) Jorge es madrileño.　c) El taxista viaja con frecuencia.　d) En Loja hay un aeropuerto internacional.　e) Carmen y Jorge tienen coche.　f) El hermano del taxista tiene amigos en Bilbao. Le gusta vivir allí.

6. *Setzen Sie das fehlende Wort ein:*

a) ¿..... qué parte ..... usted?
..... Loja, ..... un pueblo serrano.

b) ¿..... qué ..... dedica usted?
..... periodista ..... Bilbao.

c) ¿..... gusta Málaga, señorita?
Mucho. Vamos ..... echar ..... menos ..... ciudad.

d) ¿Viajan ustedes ..... frecuencia?
Sí, viajamos siempre ..... avión.

e) ¿..... gusta vivir aquí, señor?
Mucho. Tengo una casa ..... la playa.

7. *Bilden Sie Dialoge nach dem Muster:*

– ¿Qué edad tiene <u>Pablo</u>?
– <u>15</u> años.

a) Alejandro/18.　b) Dolores/16.　c) Rocío/14.　d) Consuelo/19.　e) José/17.

8. *Übersetzungsübungen:*

A) Flugzeuge, Doktoren, Bleistifte, Deutsche, Spanier, Katalanen, Andalusier.

B) zum Hotel, am Strand, in die Stadt, am Flughafen, im Auto, auf der Straße, zum Flugzeug, aus dem Auto, aus dem Dorf, aus dem Hotel. Die Kinder des Taxifahrers, die Blumen der jungen Dame, die Bücher des Journalisten, die Briefe des Ehemannes.

C) Ich habe Freunde in Spanien. Hast du einen Bleistift? Das Hotel hat zwanzig Zimmer. Wir haben keine Zeit. Habt ihr die Post? Die Zimmer haben zwei Balkone.

D) Ich bin nicht Herr Mayer. Wer bist du? Doktor Pérez ist Andalusier. Wir sind Deutsche. Seid ihr die Brüder von Doktor García? Die jungen Damen sind nicht aus Madrid.

E) *(Jeden Satz im Singular und Plural!)* Sind Sie von hier? Haben Sie es eilig? Sie haben nie Zeit (Sie nie haben . . .). Sind Sie Spanier? Sie haben noch keine Kinder (keine Familie)? Hier haben Sie die Post.

## 3A₁ Text

**Con un castellano viejo**

La estación de Híjar es pequeña y oscura. Hoy despacha los billetes una chica muy guapa. Lleva una falda gris, una blusa verde y un pañuelo rojo.

Señor:  Para Barcelona, por favor.

Chica:  ¿Ida y vuelta?

Señor:  No, sólo ida.

Chica:  Mil pesetas.

Señor:  ¿Cuánto dura el viaje, señorita?

Chica:  Dos horas y media.

El tren trae media hora de retraso. En el andén hay poca gente: un vendedor de flores, dos guardias civiles, dos curas jóvenes con una maleta grande, una chica rubia y una morena. La rubia se llama Inés y lleva un bolso azul. La morena se llama Beatriz y lleva un bolso amarillo.

33

Son extranjeras. Por fin llega el tren. Se apean unos soldados, unas monjas, un joven con varios paquetes y otro joven con una maleta marrón. Suben las chicas y los curas. Las chicas toman asiento junto a un señor de unos sesenta años. Es un campesino burgalés.

| | |
|---|---|
| Castellano: | ¿Viajan ustedes a Barcelona? |
| Inés: | Sí, ¿usted también? |
| Castellano: | También. ¿Son americanas? |
| Beatriz: | No, suecas. |
| Castellano: | ¿Les gusta España? |
| Inés: | Mucho. Es un país muy bonito. |
| Beatriz: | En España somos muy felices. |
| Castellano: | Hablan muy bien el castellano. |
| Inés: | Muchas gracias. |
| Castellano: | ¿Hablan también el catalán? |
| Beatriz: | Yo no. Ni una palabra. |
| Inés: | Yo hablo un poquito. |
| Castellano: | ¡Qué bien! ¿Les apetece un bocadillo? |
| Inés: | Con mucho gusto. |
| Beatriz: | A mí no me apetece, gracias. |
| Castellano: | ¿Vino tampoco? |
| Beatriz: | Vino sí. |
| Inés: | El vino es muy bueno. |
| Castellano: | Claro, es de la Rioja. |

| | | | |
|---|---|---|---|
| el castellano | der Kastilier | rojo, -a | rot |
| viejo, -a | alt | para | für; nach, in Richtung |
| con un castellano viejo | bei einem Altkastilier (Mann aus Altkastilien) | para Barcelona | nach Barcelona |
| | | la ida | die Hinfahrt |
| | | la vuelta | die Rückfahrt |
| la estación | der Bahnhof | ¿ida y vuelta? | hin und zurück? |
| pequeño, -a | klein | sólo | nur |
| oscuro, -a | dunkel | mil | tausend |
| hoy | heute | la peseta | die Pesete |
| despachar | ausgeben, verkaufen | ¿cuánto? | wieviel?, wie lange? |
| el billete | die Fahrkarte | durar | dauern |
| la chica | das Mädchen | el viaje | die Reise; die Fahrt |
| muy | sehr | la hora | die Stunde |
| guapo, -a | hübsch (nur von Personen) | medio, -a | halb |
| | | dos horas y media | zweieinhalb Stunden |
| llevar | tragen; bei sich haben | el tren | der Zug |
| la falda | der Rock | traer | (her)bringen |
| gris | grau | el retraso | die Verspätung |
| la blusa | die Bluse | el tren trae media hora de retraso | der Zug hat eine halbe Stunde Verspätung |
| verde | grün | | |
| el pañuelo | das Halstuch | el andén | der Bahnsteig |

34

| | | | |
|---|---|---|---|
| poco, -a | wenig | el año | das Jahr |
| la gente (Sing.) | die Leute (Plur.) | unos sesenta años | etwa 60 Jahre |
| el vendedor | der Verkäufer | el campesino | der Bauer |
| el vendedor de flores | der Blumenverkäufer | burgalés, -esa | aus Burgos (Provinz in |
| el guardia civil | der Landpolizist | | Altkastilien) |
| el cura | der Geistliche, der | la americana | die (Süd-) Amerikane- |
| | Priester | | rin |
| joven | jung | la sueca | die Schwedin |
| la maleta | der Koffer | el país | das Land |
| grande | groß | bonito, -a | hübsch, schön |
| rubio, -a | blond | feliz | glücklich |
| moreno, -a | dunkel(haarig, -häutig) | hablar | sprechen |
| el bolso | die Tasche | el castellano | Spanisch, die spanische |
| amarillo, -a | gelb | | Sprache |
| la extranjera | die Ausländerin | el catalán | Katalanisch |
| por fin | endlich | ni | auch nicht, nicht einmal |
| llegar | ankommen | la palabra | das Wort |
| se apean (von apearse) | sie steigen aus, es stei- | un poquito | ein bißchen |
| | gen aus | ¡qué bien! | wie schön!, wie gut! |
| unos, -as | einige, ein paar | apetecer | Appetit haben auf |
| el soldado | der Soldat | ¿les apetece ...? | mögen Sie ...? |
| la monja | die Nonne | el bocadillo | das belegte Brötchen |
| varios, -as | mehrere, einige | mucho, -a | viel (Adj.) |
| otro, -a | ein anderer (-s), eine | el gusto | das Vergnügen |
| | andere | con mucho gusto | sehr gern |
| marrón | braun | a mí no me apetece | ich möchte nicht |
| suben (von subir) | sie steigen ein, es stei- | tampoco | auch nicht |
| | gen ein | bueno, -a | gut (Adj.) |
| tomar | nehmen | es de la Rioja | er stammt aus La Rioja |
| el asiento | der (Sitz-) Platz | | |
| tomar asiento | Platz nehmen, sich set- | Übungen: | |
| | zen | el sombrero | der Hut |
| junto a | neben | negro, -a | schwarz |
| sesenta | sechzig | | |

## 3A₂ Text in Lautschrift

kɔn‿uŋ kaste'ʎano 'bjɛxo

la‿esta'θjɔn de‿'ixar es pe'keɲa‿i‿ɔs'kura. ɔĭ đes'patʃa lɔz ɓi'ʎetes 'una 'tʃika mŭi 'gŭapa. 'ʎeɓa‿'una 'falda gris, 'una 'blusa 'bɛrđe i‿um pa'ɲwelɔ 'rrɔjo.

'para ɓarθe'lona, pɔr fa'ɓɔr.

'iđa‿i 'bwɛlta?

no, 'solo‿'iđa.

mil pe'setas.

'kwanto 'đura‿ɛl ɓi'axe, seɲo'rita?

dɔs‿'oras‿i 'međja.

ɛl tren 'trae 'međja‿'ɔra đe rrɛ'traso. en‿ɛl‿an'den aĭ 'pɔka 'xente: um bende'đɔr đe 'flores, dɔz 'gwarđjas θi'biles, dɔs 'kuras 'xoɓenes kɔn‿'una ma'leta 'grande, 'una 'tʃika 'rrubja i‿'una mo'rena. la 'rrubja se 'ʎama‿i'nes i 'ʎeɓa‿um 'bolso‿a'θul. la mo'rena se 'ʎama ɓea'triθ i 'ʎeɓa‿um 'bɔlso‿ama'riʎo. sɔn‿estran'xeras. pɔr fin 'ʎega‿ɛl tren. se‿a'pean‿'unɔs sɔl'dadɔs, 'unaz 'mɔŋxas, uŋ 'xoɓeŋ kɔm 'barjɔs pa'ketes i‿'otro 'xoɓeŋ kɔn‿'una ma'leta ma'rrɔn. 'suɓen las 'tʃikas‿i lɔs 'kuras. las

'tʃikas 'toman‿a'sjento 'xunto‿a‿un se'ɲɔr đe‿'unɔs se'senta‿'aɲɔs. es‿uŋ kampe-
'sino ƀurga'les.
bi'axan‿us'teđes‿a ƀarθe'lona?
si, us'teᵈ tam'bjen?
tam'bjen. sɔn‿ameri'kanas?
no, 'swekas.
lez 'gusta‿es'paɲa?
'mutʃo. es‿um pa'iz mŭi ƀo'nito.
en‿es'paɲa 'somɔz mŭi fe'liθes.
'aƀlam mŭi ƀjen‿ɛl kaste'ʎano.
'mutʃaz 'graθjas.
'aƀlan tam'bjen‿ɛl kata'lan?
jo no. ni‿'una pa'laƀra.
jo‿'aƀlo‿um po'kito.
ke ƀjen. les‿ape'teθe‿um boka'điʎo?
kɔm 'mutʃo 'gusto.
a mi no me‿ape'teθe, 'graθjas.
'ƀino tam'poko?
'ƀino si.
ɛl 'ƀino‿ez mŭi 'ƀweno.
'klaro, ez đe la 'rrjɔxa.

## 3B Grammatik

### 1. Übereinstimmung von Adjektiv und Substantiv

| | |
|---|---|
| un coche viejo/el coche es viejo<br>*ein alter Wagen/der Wagen ist alt*<br>una casa vieja/la casa es vieja<br>*ein altes Haus/das Haus ist alt*<br>coches viejos/los coches son viejos<br>*alte Wagen/die Wagen sind alt*<br>casas viejas/las casas son viejas<br>*alte Häuser/die Häuser sind alt* | Das Adjektiv stimmt in Geschlecht und Zahl mit dem Substantiv, auf das es sich bezieht, **immer** überein, d. h. also sowohl im attributiven Gebrauch (z. B. un coche viejo) als auch im prädikativen Gebrauch (z. B. la casa es vieja). |

### 2. Bildung der weiblichen Form und des Plurals der Adjektive

| | | |
|---|---|---|
| coche rojo *(m)*<br>*rotes Auto* | bolso verde *(m)*<br>*grüne Tasche* | pañuelo azul *(m)*<br>*blaues Tuch* |
| casa roja *(f)*<br>*rotes Haus* | falda verde *(f)*<br>*grüner Rock* | blusa azul *(f)*<br>*blaue Bluse* |

Wenn das Adjektiv auf **-o** endet, tritt in der weiblichen Form **-a** an die Stelle von **-o**. Die Adjektive auf **-e** bleiben unverändert, ebenso die meisten Adjektive, die auf einen **Konsonanten** enden. Zu den Adjektiven auf **-án, -ín, -ón** und **-or** vgl. jedoch Lekt. 13B3.

| | | | |
|---|---|---|---|
| blusas verdes | *grüne Blusen* | pañuelos azules | *blaue Tücher* |
| curas jóvenes | *junge Geistliche* | días felices | *glückliche Tage* |

Die Adjektive bilden den Plural nach den gleichen Regeln wie die Substantive (vgl. Lekt. 1B3 und 2B2).

### 3. Stellung des attributiven Adjektivs

| pueblo serrano | muchas gracias |
|---|---|
| falda gris | varios paquetes |
| guardia civil | media hora |
| maleta marrón | otro joven |

Das Adjektiv steht nach dem Substantiv, wenn es zur sachlichen Unterscheidung verwendet wird. Indefinitpronomen stehen meistens vor dem Substantiv.

### 4. Fehlen des unbestimmten Artikels

Vor **medio** und **otro** wird der unbestimmte Artikel nicht gesetzt.

media hora *eine halbe Stunde*   dos horas y media *zweieinhalb Stunden*
otro señor *ein anderer Herr*   otro vino, por favor *noch einen Wein bitte*

### 5. unos, unas (Pluralform des unbestimmten Artikels)

Mit **unos, unas** wird eine kleinere Anzahl bezeichnet: *einige, ein paar*. Vor Zahlen haben sie die Bedeutung von *etwa, ungefähr, zirka*.

**unos** curas y **unas** monjas   *einige Geistliche und einige Nonnen*
**unos** sesenta años   *etwa sechzig Jahre*

### 6. Präsens Indikativ der regelmäßigen Verben auf -ar

| |
|---|
| tomar *nehmen* |
| tomo *ich nehme* |
| tomas |
| toma |
| tomamos |
| tomáis |
| toman |

Die regelmäßigen Verben der ersten Konjugation (Endung des Infinitivs: **-ar**) gehen im Präsens Indikativ nach dem Muster von **tomar**.
An den Stamm, den man durch das Abtrennen der Infinitivendung erhält, werden die Personenendungen angehängt.
Die Formen des Singulars sowie die dritte Person Plural sind stammbetont, bei den beiden übrigen Formen wird das **a** der Personenendung betont.

Wie **tomar** gehen folgende Verben, die im Lehrbuch bereits in einzelnen konjugierten Formen vorgekommen sind: dejar *lassen;* viajar *reisen;* veranear *Sommerurlaub machen;* echar de menos *vermissen;* preguntar *fragen;* gustar *gefallen, Spaß machen.*

## 3C Sprachgebrauch – Landeskunde

**muy** steht nur vor Adjektiven und Adverbien und niemals allein: muy bien *sehr gut;* muy pequeños *sehr klein.* „Sehr" bei einem Verb heißt **mucho**: me gusta mucho *es gefällt mir sehr.*

Das deutsche „es" als Satzsubjekt in Sätzen wie: *es kommen viele Leute an* und *es ist ein Bergdorf* hat im Spanischen keine Entsprechung: llega mucha gente; es un pueblo serrano.

**a mí me apetece** ist eine hervorgehobene Form von me apetece *mir ist danach, ich habe Appetit darauf.* Ähnlich: me gusta/a mí me gusta *mir gefällt es, ich mag es* (vgl. Lekt. 16B4).

Ein attributives Adjektiv mit einer adverbiellen Ergänzung wird meistens nachgestellt: una chica muy guapa *ein sehr hübsches Mädchen:* un vino muy bueno *ein sehr guter Wein.*

Als Bezeichnung für die spanische Sprache wird häufig **castellano** ( = *Kastilisch*) statt español (*Spanisch*) verwendet.

**Altkastilien** (Castilla la Vieja) ist eine historische Region im Zentrum und Norden Spaniens. **Burgos** ist eine Provinz in Altkastilien, **la Rioja** eine altkastilische Weingegend. **Híjar** ist eine Kleinstadt in Aragonien.

## 3D Übungen

1. *Bilden Sie Dialoge nach dem Muster:*
   ¿La <u>falda</u> es roja?
   No. Es azul.
   a) maleta.  b) coches.  c) flores.  d) bolso.  e) pañuelo.  f) blusa.

2. *Gleiche Übung:*
   ¿Es joven el <u>periodista?</u>
   No, no es muy joven.
   a) campesinos.  b) vendedor.  c) marido.  d) mujer.  e) padre García.
   f) soldados.  g) monjas.  h) señor Pérez.

3. *Bilden Sie Dialoge nach dem Muster:*
   ¿Lleva usted las maletas?
   Sí, llevo las maletas.
   a) tomar la habitación.  b) hablar español.  c) echar de menos el sol.  d) tomar asiento aquí.  e) tener coche.  f) ser alemán.

4. *Geben Sie eine verneinende Antwort:*
   a) ¿El viaje dura una hora?  b) ¿Llega el tren?  c) ¿Llevas un pañuelo en el

38

bolso? d) ¿Toman asiento los soldados? e) ¿Viaja usted a España? f) ¿Se apean todos? g) ¿Dejáis el coche aquí? h) ¿Preguntan ustedes en el hotel? i) ¿Veranea usted en Málaga?

5. *Setzen Sie das fehlende Wort ein:*
   a) ¿*Le* apetece *un* vino, señorita?
      *Con* mucho gusto.
   b) ¿*A qué* se dedica Jorge?
      *Es* vendedor *de* flores.
   c) ¿*Cuánto* dura *el* viaje *a* Barcelona?
      *En* avión, media hora.
   d) Granada *me* gusta mucho.
      A *mí* no *me* gusta.

6. *Übersetzungsübungen:*

A) Das Schiff ist nicht klein. Die Flugzeuge sind klein. Der Wagen ist nicht klein. Der Zug ist auch nicht klein.

B) Ein großes Haus mit einem sehr kleinen Balkon. Ein sehr hübsches Mädchen mit vier braunen Koffern. Ein Dorf mit vielen alten Häusern. Ein anderes Dorf mit mehreren Häusern am Meer (am Meeresufer).

C) Ein paar Mädchen von etwa 10 Jahren. Eine halbstündige Reise (von einer halben Stunde). Eine zweieinhalbtägige Fahrt. Eine Handtasche mit einigen Peseten.

D) *(Jeweils im Singular und Plural!)* Nehmen Sie nicht Platz? Sprechen Sie auch Spanisch? Reisen Sie nie mit dem Auto? Wie reisen Sie? Vermissen Sie die Sonne nicht?

E) Ich nehme immer neben Fräulein Pérez Platz. Du sprichst oft von Doktor Castro. Die Landpolizisten tragen schwarze Hüte. Am Flughafen fragen wir nach (por) Inlandsflügen. Warum laßt ihr den Wagen nicht hier? Wer verkauft hier die Fahrkarten?

# 4A

## 4A₁ Text

**En la pensión**

Pedro Maus es hijo de un alemán y una española. Tiene cuarenta y un años. Es casado y tiene una hija. Es dueño de una tienda de artesanías y antigüedades en Colonia. Ahora está en Madrid por razones profesionales. Pedro viaja a España con frecuencia para visitar exposiciones y mercados. Tiene una casa de verano en la Costa del Sol. En Madrid suele alojarse en la pensión "Doña María". Pedro es un hombre de talento para los negocios, pero últimamente está con dificultades. Es muy difícil encontrar cosas buenas y baratas.

Pedro llega a la pensión, entra en la recepción y se pone a charlar con doña María.

| | |
|---|---|
| *Pedro:* | Buenas noches, doña María. Espero una llamada importante. Estoy ahora en el comedor. ¿Me pone un buen pedazo de pan para la cena? Tengo mucha hambre. |
| *Dª. María:* | Bien, don Pedro. Hay un paquete para usted encima de la mesa. Además tengo un recado del doctor Sánchez. Él está en el salón ahora. |
| *Pedro:* | Bien, entonces voy al salón. ¿Le debo algo por el paquete? |
| *Dª. María:* | Treinta y una pesetas. ¿Qué tal van los negocios, don Pedro? |
| *Pedro:* | Pues . . . hay dificultades. Es difícil encontrar cosas buenas y baratas. |
| *Dª. María:* | ¿No tiene ganas de ir al Rastro mañana? |
| *Pedro:* | Mañana estoy fuera todo el día, doña María. Voy a la sierra con unos amigos. |
| *Dª. María:* | Pues me alegro mucho. ¿Van ustedes en coche o en tren? |
| *Pedro:* | En coche, por supuesto. Primero vamos al parador de montaña para almorzar y después continuamos al monasterio de Yuste. |
| *Dª. María:* | El parador de montaña es muy bonito, don Pedro. Está en la cumbre de una montaña. Es de ladrillo. |
| *Pedro:* | ¿Va usted allí con frecuencia, doña María? |
| *Dª. María:* | No no. Yo paso cerca de allí cuando viajo a mi pueblo. Yo soy de Lagunilla. |
| *Pedro:* | ¿Dónde queda Lagunilla, doña María? |

| | |
|---|---|
| *Dª. María:* | Lagunilla no queda lejos de Béjar. Está al norte de la sierra, a veintiún kilómetros de Béjar, en Salamanca. |
| *Pedro:* | Ya. Tengo que telefonear, doña María. ¿Qué número tenemos aquí? |
| *Dª. María:* | 84 63 21 ó 55 99 77. El teléfono está en el salón, encima de la mesa. |
| *Pedro:* | Bien, gracias por todo, doña María, hasta mañana. |
| *Dª. María:* | Pero don Pedro, ¿adónde va usted? El teléfono está aquí, abajo. |
| *Pedro:* | Tengo que mirar una cosa arriba. Bajo enseguida. |

| | |
|---|---|
| la pensión | *die Pension* |
| la española | *die Spanierin* |
| tener . . . años | *. . . Jahre alt sein* |
| casado, -a | *verheiratet* |
| la hija | *die Tochter* |
| el dueño | *der Besitzer* |
| la tienda | *der Laden, das Geschäft* |
| la artesanía | *das Kunsthandwerk* |
| las antigüedades | *die Antiquitäten* |
| una tienda de artesanías y antigüedades | *ein Kunsthandwerk- und Antiquitätengeschäft* |
| Colonia *f* | *Köln* |
| ahora | *jetzt* |
| estar | *sein, sich befinden* |
| por | *wegen, aus* |
| la razón | *der Grund* |
| profesional | *beruflich, Berufs. . .* |
| para | *um zu* |
| visitar | *besuchen* |
| la exposición | *die Ausstellung* |
| el mercado | *der Markt* |
| el verano | *der Sommer* |
| la casa de verano | *das Sommerhaus* |
| la costa | *die Küste* |
| el sol | *die Sonne* |
| alojarse | *logieren, absteigen* |
| suele (*von* soler) alojarse | *er wohnt meistens* |
| el talento | *das Talent* |
| el negocio | *das Geschäft* |
| últimamente | *in letzter Zeit* |
| la dificultad | *die Schwierigkeit* |
| difícil | *schwierig* |
| encontrar | *finden* |
| la cosa | *das Ding, die Sache* |
| barato, -a | *billig, preiswert* |
| entrar | *eintreten, hineingehen* |
| la recepción | *das Büro; die Rezeption* |
| se pone (*von* ponerse) a | *er beginnt zu* |
| charlar | *plaudern* |

| | |
|---|---|
| la noche | *die Nacht; der Abend* |
| buenas noches | *guten Abend* |
| esperar | *erwarten, warten auf* |
| la llamada | *der Anruf* |
| importante | *wichtig* |
| el comedor | *das Eßzimmer; der Speisesaal* |
| ¿me pone . . .? (*von* poner) | *geben Sie mir . . .?* |
| el pedazo | *das Stück* |
| el pan | *das Brot* |
| un buen pedazo de pan | *ein großes Stück Brot* |
| la cena | *das Abendessen* |
| el hambre *f* | *der Hunger* |
| encima de | *auf* |
| la mesa | *der Tisch* |
| además | *außerdem* |
| él | *er* |
| el salón | *das Wohnzimmer, der Salon* |
| entonces | *dann* |
| ¿qué tal? | *wie?* |
| tener ganas de | *Lust haben zu* |
| el Rastro | *der Trödelmarkt (in Madrid)* |
| ir al Rastro | *auf den R. gehen* |
| mañana | *morgen* |
| fuera | *außerhalb, draußen, weg* |
| todo, -a | *ganze(r, -s)* |
| todo el día | *den ganzen Tag* |
| la sierra | *das Gebirge* |
| alegrarse | *sich freuen* |
| pues me alegro mucho | *ich freue mich aber sehr* |
| en coche | *mit dem Wagen* |
| por supuesto | *natürlich, selbstverständlich* |
| primero (*Adv.*) | *zuerst* |
| el parador | *das staatliche Touristenhotel* |
| la montaña | *der Berg* |
| el parador de montaña | *das Berghotel* |
| almorzar | *frühstücken, vespern* |

41

| | | | |
|---|---|---|---|
| después | *dann, danach, nachher* | mirar | *(sich) ansehen, nach-schauen* |
| continuar | *weiterfahren; weiter-machen* | una cosa | *etwas* |
| el monasterio | *das Kloster* | arriba | *oben* |
| la cumbre | *der Gipfel* | bajar | *herunterkommen, hin-untergehen* |
| el ladrillo | *der Ziegelstein* | | |
| pasar | *vorbeifahren, -gehen* | enseguida | *gleich, sofort* |
| cerca | *nahe, in der Nähe* | | |
| cuando | *wenn* | *Grammatik und Übungen:* | |
| mi | *mein(e) (Sing.)* | ir | *gehen, fahren* |
| donde | *wo* | venir | *kommen* |
| quedar | *liegen, sich befinden* | el bar | *die Bar, das kleine Café* |
| lejos | *weit (entfernt)* | la plaza | *der (Markt-)Platz* |
| el norte | *der Norden* | mayor | *größer* |
| al norte | *nördlich* | trabajar | *arbeiten* |
| el kilómetro | *der Kilometer* | el banco | *die Bank* |
| a veintiún kilómetros de ... | *21 km von ... entfernt* | el campo | *das Land, das Feld* |
| | | colocar | *stellen, setzen, legen* |
| ya | *schon; ach so, ich ver-stehe* | el suelo | *der Fußboden* |
| | | la cama | *das Bett* |
| tener que | *müssen* | la silla | *der Stuhl* |
| telefonear | *telefonieren* | sobre | *auf, über* |
| el número | *die Zahl, die Nummer* | clavar | *einschlagen* |
| o (*zwischen Zahlen:* ó) | *oder* | el clavo | *der Nagel* |
| el teléfono | *das Telefon* | la pared | *die Wand* |
| gracias por | *danke für* | entender | *verstehen* |
| todo | *alles* | fácil | *leicht* |
| adonde | *wohin* | hacer | *machen, tun* |
| abajo | *unten* | Alemania *f* | *Deutschland* |

## 4A₂ Text in Lautschrift

en la pen'sjɔn

'peðro maŭs es‿'ixo ðe‿un‿ale'man‿i‿'una‿espa'ɲola. 'tjene kwa'renta‿i‿un‿
'aɲos. es ka'saðo‿i 'tjene‿'una‿'ixa. ez 'ðweɲo ðe‿'una 'tjenda ðe‿artesa'nias‿i‿
antigwe'ðaðes eŋ ko'lonja. a'ɔra‿es'ta‿em ma'ðriᵈ pɔr rra'θones profesjo'nales.
'peðro bi'axa‿a‿es'paɲa kɔm fre'kwenθja 'para bisi'tar‿esposi'θjones‿i mɛr'kaðɔs.
'tjene‿'una 'kasa ðe ße'rano en la 'kɔsta ðɛl sɔl. em ma'ðriᵈ 'swele‿alɔ'xarse en la
pen'sjɔn 'doɲa ma'ria. 'peðro‿es‿un‿'ɔmbre ðe ta'lento 'para lɔz ne'goθjɔs,
'pero‿'ultima'mente es'ta kɔn difikul'taðes. ez mŭi ði'fiθil eŋkon'trar 'kosaz
'bwenas‿i ßa'ratas.
'peðro 'ʎega‿a la pen'sjɔn, 'entra‿en la rrɛßeb'θjɔn i se 'pone‿a tʃar'lar kɔn 'doɲa
ma'ria.
'bwenaz 'notʃes, 'doɲa ma'ria. es'pero‿'una ʎa'maða‿impɔr'tante. es'tɔĭ‿a'ɔra‿
en‿ɛl kome'ðɔr. me 'pone‿um bwem pe'ðaθo ðe pam 'para la 'θena? 'teŋgo
'mutʃa‿'ambre.
bjen, dɔm 'peðro. aĭ‿um pa'kete 'para‿us'teᵈ en'θima ðe la 'mesa. aðe'mas 'teŋgo‿un
rrɛ'kaðo ðɛl dɔk'tɔr 'santʃeθ. ɛl‿es'ta‿en‿ɛl sa'lɔn‿a'ɔra.
bjen, en'tɔnθez bɔĭ‿al sa'lɔn. le 'ðebo‿'algo pɔr‿ɛl pa'kete?
'trɛĭnta‿i‿'una pe'setas. ke tal ßan lɔz ne'goθjɔs, dɔm 'peðro?
pwes ... aĭ ðifikul'taðes. ez ði'fiθil eŋkon'trar 'kosaz 'bwenas‿i ßa'ratas.

42

no ˈtjene ˈganaz ɗe‿ir‿al ˈrrastro maˈɲana?
maˈɲana‿esˈtɔĭ ˈfwera ˈtoɗo‿ɛl ˈdia, ˈdoɲa maˈria. bɔĭ‿a la ˈsjɛrra kɔn‿ˈunɔs‿ aˈmigɔs.
pwez me aˈlɛgro ˈmutʃo. ban‿usˈteɗes eŋ ˈkotʃe‿o‿en tren?
eŋ ˈkotʃe, pɔr suˈpwesto. priˈmero ˈbamɔs‿al paraˈɗɔr ɗe mɔnˈtaɲa ˈpara‿almɔrˈθar i ɗesˈpwes kɔntiˈnwamos‿al monasˈterjo ɗe ˈʝuste.
ɛl paraˈɗɔr ɗe mɔnˈtaɲa ez mŭi boˈnito, dɔm ˈpeɗro. esˈta‿en la ˈkumbre ɗe‿ˈuna mɔnˈtaɲa. ez ɗe laˈɗriʎo.
ba‿usˈteᵈ aˈʎi kɔm freˈkwenθja, doˈɲa maˈria?
no no. jo ˈpaso ˈθɛrka ɗe‿aˈʎi ˈkwando biˈaxo‿a mi ˈpweblo. jo sɔĭ ɗe laguˈniʎa. ˈdɔnde ˈkeɗa laguˈniʎa ˈdoɲa maˈria?
laguˈniʎa no ˈkeɗa ˈlɛxɔz ɗe ˈbexar. esˈta‿al ˈnɔrte ɗe la ˈsjɛrra, a bɛintiˈuŋ kiˈlometrɔz ɗe bexar, en salaˈmaŋka.
ja. ˈteŋgo ke telefoneˈar, ˈdoɲa maˈria. ke ˈnumero teˈnemɔs‿aˈki?
otʃentaĭˈkwatro sesentaĭˈtrez bɛintiˈuno o θiŋkwentaĭˈθinko nobentaĭˈnwebe setentaĭˈsjete. ɛl teˈlefono esˈta‿en‿ɛl saˈlɔn, enˈθima ɗe la ˈmesa.
bjeŋ, ˈgraθjas pɔr ˈtoɗo, ˈdoɲa maˈria, ˈasta maˈɲana.
ˈpero dɔm ˈpeɗro, aˈdɔnde ba‿usˈteᵈ? ɛl teˈlefono esˈta‿aˈki, aˈbaxo.
ˈteŋgo ke miˈrar ˈuna ˈkosa‿aˈrriba. ˈbaxo‿enseˈgiɗa.

## 4B Grammatik

### 1. Präsens Indikativ und Gebrauch von ir *gehen, fahren*

| | |
|---|---|
| voy *ich gehe* vas va vamos vais van | **ir** bezeichnet nur die Bewegung auf einen Ort hin. Im Deutschen wird dafür auch „kommen" verwendet: voy al salón *ich gehe* (oder: *ich komme*) *in den Salon.* Die Bewegung des Kommens von … her heißt im Spanischen *venir* (vgl. Lekt. 15B1 und C). |

Durch **allí** wird das Ziel der Bewegung bezeichnet:
¿Va usted allí con frecuencia? *Gehen Sie oft dorthin?*
Bei ausreichender Klarheit des Zusammenhanges wird es jedoch oft weggelassen.

### 2. Präsens Indikativ und Gebrauch von estar *sein, sich befinden*

| | | |
|---|---|---|
| estoy *ich bin* estás está estamos estáis están | **estar** steht für „sein", wenn der Standort angegeben wird. | |
| | ¿Dónde estás? | *Wo bist du?* |
| | Estoy abajo. | *Ich bin unten.* |
| | ¿Está lejos el hotel? | *Ist das Hotel weit entfernt?* |
| | No, está muy cerca. | *Nein, es ist ganz in der Nähe.* |

43

**estar** steht auch für „sein", wenn von einer Situation die Rede ist: estamos con dificultades *wir sind in Schwierigkeiten.*

Die geographische Lage kann durch **quedar** angegeben werden:
Lagunilla no queda lejos de Béjar. *Lagunilla liegt/ist nicht weit von Béjar.*

### 3. Grundbedeutung der Präposition a

**a** wird gebraucht zur Angabe des Ziels oder der Richtung einer Fortbewegung:

a España     *nach Spanien*
al aeropuerto     *zum Flughafen*
a la sierra     *ins Gebirge*

Man merke sich: llegar a *ankommen in*

### 4. Grundbedeutung der Präposition en

Estoy en un bar/en la Plaza Mayor/en la estación/en casa.
*Ich bin in einer Bar/auf der P. M./am Bahnhof/zu Hause.*
Trabajamos en Madrid/en un banco/en el campo.
*Wir arbeiten in M./in einer Bank/auf dem Land.*

a) Bei Verben, die keine Zielrichtung ausdrücken, dient **en** zur Angabe des Raumes (oder der Fläche).
colocar algo en el suelo/en la cama/en la silla.
*etwas auf den Fußboden/auf das Bett/auf den Stuhl stellen.*

b) Bei Verben des Setzens, Stellens und Legens steht **en** zur Angabe der Fläche, die berührt werden soll. Man sagt: colocar algo en (*od.* sobre *od.* encima de) la mesa
*etwas auf den Tisch stellen.*

    entrar en la casa
    *ins Haus (hinein)gehen*

    clavar un clavo en la pared
    *einen Nagel in die Wand (ein)schlagen*

c) **en** dient zur Ortsangabe bei Verben, die eine Bewegung „in etwas hinein" ausdrücken.

### 5. Grundbedeutung der Präposition de

**de** drückt aus:

a) Besitz, Zugehörigkeit
    dueño de una tienda *Besitzer eines Ladens*
    hijo de un alemán *Sohn eines Deutschen*
    monasterio de Yuste *Kloster von Yuste*

b) Herkunft, Ausgangspunkt, Material
    soy de Lagunilla *ich bin aus L. (bin dort geboren)*
    vamos del hotel al aeropuerto *wir fahren vom Hotel zum Flughafen*
    la casa es de ladrillo *das Haus ist aus Ziegelstein*

c) begriffliche Verbindung (im Deutschen oft eine Wortzusammensetzung)
vendedor de flores *Blumenverkäufer*
casa de verano *Sommerhaus*

d) **de** = *zu* als Infinitivergänzung eines Substantivs:
tengo ganas de ir a España *ich habe Lust, nach Spanien zu fahren.*
**de** führt niemals die Infinitivergänzung eines unpersönlichen Ausdrucks mit Adjektiv ein: es difícil encontrar cosas baratas *es ist schwierig, preiswerte Sachen zu finden.* Die Infinitivergänzung einiger Adjektive in **persönlicher** Konstruktion wird jedoch mit **de** eingeführt: esto es difícil de entender *dies ist schwer zu verstehen;* estas cosas son fáciles de hacer *diese Sachen sind leicht zu machen.*

e) **de** steht zwischen zwei Substantiven bei Mengenangaben:
dos pedazos de pan *zwei Stück Brot.*

f) **de** ist Bestandteil vieler zusammengesetzter Präpositionen:
encima de la mesa *auf dem Tisch* (vgl. Lekt. 20B6).

**6. Die Grundzahlen von 21 bis 99**

| | | |
|---|---|---|
| 21 veintiuno | 31 treinta y uno | 50 cincuenta |
| 22 veintidós | 32 treinta y dos | 52 cincuenta y dos |
| 23 veintitrés | 33 treinta y tres | 60 sesenta |
| 24 veinticuatro | 34 treinta y cuatro | 64 sesenta y cuatro |
| 25 veinticinco | 35 treinta y cinco | 70 setenta |
| 26 veintiséis | 36 treinta y seis | 76 setenta y seis |
| 27 veintisiete | 37 treinta y siete | 80 ochenta |
| 28 veintiocho | 38 treinta y ocho | 88 ochenta y ocho |
| 29 veintinueve | 39 treinta y nueve | 90 noventa |
| 30 treinta | 40 cuarenta | 99 noventa y nueve |

Die Konjunktion **y** vor den Einern ist bei den Zwanzigern Wortbestandteil geworden und tritt anstelle des ausgehenden -e von veinte.

Die Zahlen auf (-)**uno** verlieren vor einem männlichen Substantiv und vor mil *tausend* das ausgehende -o der Vollform; vor einem weiblichen Substantiv steht (-)**una**:
veintiún kilómetros *21 Kilometer*
treinta y un años *31 Jahre*
cuarenta y un mil *41 000*
cincuenta y una pesetas *51 Peseten*
Man merke sich den Akzent bei **veintiún.**

# 4C Sprachgebrauch – Landeskunde

**don, doña:** Diese höflichen Formen der Anrede werden ausschließlich mit dem Vornamen und niemals mit dem Artikel verwendet. Sie werden gegenüber älteren

45

bzw. gesellschaftlich höher gestellten Personen gebraucht. Abkürzung von don: D., von doña: D<sup>a</sup>.

Ein **parador** ist ein staatseigenes, an einem historisch oder landschaftlich interessanten Ort gelegenes Hotel der Luxusklasse. Viele der paradores sind in z. T. unter Denkmalschutz stehenden historischen Gebäuden untergebracht. Ursprüngliche Bedeutung von parador: *Gasthof*.

Zu **suele** alojarse vgl. Lekt. 9B2.

Zu **el hambre** vgl. Lekt. 8B1.

Mit **Costa del Sol** *(Sonnenküste)* wird die südliche Mittelmeerküste bezeichnet.

**Yuste, Lagunilla** und **Béjar** sind Ortschaften westlich von Madrid.
**Salamanca:** Provinz und deren Hauptstadt in Altkastilien.

Aussprache von **n**:

Vor p, b/v wird [m] gesprochen: do**n** Pedro [dɔm ˈpeđro], va**n** bien [bam bjen], u**n** vino [um ˈbino].

Vor f wird ein mit der Zungenstellung von f gebildetes [m] gesprochen: co**n** frecuencia [kɔm freˈkwenθja].

Vor c/k, g und j wird ein nasaler Laut [ŋ] gesprochen, der *ng* im Wort „Ring" gleichkommt: te**n**go [ˈteŋgo], e**n** coche [eŋ ˈkotʃe], u**n** joven [uŋ ˈxoben].
Nach folgendem m wird n angeglichen: e**n** Madrid [em maˈđriđ].

Salamanca: Parador Enrique II

# 4D Übungen

1. *Bilden Sie Dialoge nach dem Muster:*
   ¿Adónde vais?
   Yo voy al <u>hotel</u>.
   Nosotros vamos a la <u>playa</u>.
   a) bar/habitación. b) salón/comedor. c) tienda/mercado. d) playa/montaña. e) aeropuerto/estación de trenes. f) costa/sierra.

2. *Bilden Sie Dialoge nach den Mustern:*
   ¿Dónde está la casa?          ¿Dónde están las casas?
   Está allí.                    Están allí.
   a) lápices. b) gente. c) flores. d) camiones. e) bolso. f) guardia civil.
   g) maletas. h) billetes. i) coche. j) chicas.

3. <u>Mi marido y yo</u> tenemos talento para los negocios. Somos jóvenes, pero ya somos dueños de un negocio de antigüedades en Colonia. Viajamos con frecuencia a España. Cuando estamos en Madrid, vamos siempre al Rastro y visitamos tiendas de artesanías. Ahora estamos en la Costa del Sol. Tenemos una casa a pocos kilómetros de Torremolinos.

   *Wie müßte der Text lauten, wenn das Subjekt:* a) yo, b) María *hieße?*

4. *Setzen Sie das fehlende Wort ein:*
   Hay un paquete . . . . . usted, don Pedro.   Muchas gracias. ¿Le debo algo . . . . . el paquete?   Sólo una firma. Aquí . . . . . favor.   ¿Me . . . . . usted un bolígrafo?
   . . . . . supuesto. Aquí tiene.   Bien, gracias . . . . . todo, doña María.

5. *Übersetzungsübungen:*

A) aufs Zimmer, ins Dorf, in die Stadt, am Himmel, am Bahnhof, im Zug, nach Deutschland, auf dem Markt, ins Kloster.

B) Wer ist Doktor Castro? Wer ist jetzt im Wohnzimmer? Warum sind die Blumen auf dem Tisch? Was ist ein parador? Wo ist das Antiquitätengeschäft? Wo sind wir jetzt? Sind wir schon in Madrid?

C) Herr García ist 61 Jahre alt. Toledo liegt 71 Kilometer von hier entfernt. 21 Peseten ist sehr wenig für einen Tisch. Eine Reise mit dem Zug von Köln nach Madrid dauert 21 Stunden.

D) Der Zug aus Barcelona kommt mit Verspätung an, wie immer. Fahren wir nach Barcelona mit dem Schiff? Wir gehen jetzt zum Bahnsteig. Alle sind schon am Bahnsteig.

E) *(Jeweils im Singular und Plural!)*
   Wo fahren Sie hin? Fahren Sie nach Spanien? Sind Sie Spanier? Warum sind Sie hier? Warum gehen Sie nicht ins Hotel (hinein)?

Madrid: Plaza de la Cibeles und Calle de Alcalá

## 5A₁ Text

### Ellos y ellas

*Gloria y Vicente son de Gijón. Ella tiene veintiséis años y él, veintinueve. Son profesores de colegio. Todavía no tienen familia. Tampoco tienen coche ni piso propio. Pero tienen trabajo. No todos los licenciados o graduados españoles tienen tanta suerte como ellos.*

Un sábado por la noche toman el tren a Madrid. Como equipaje llevan unos bolsos y una cámara fotográfica. Viajan toda la noche y llegan a las siete de la mañana. Tienen hambre y sueño. Pero también tienen ganas de dar una vuelta por el centro. ¿Qué hacer?

*Gloria:* ¿Buscamos un hotel por aquí? –pregunta Gloria.

*Vicente:* Vamos al centro, tomamos algo en un bar y después buscamos un hotel, ¿de acuerdo?

*Gloria:* Vale, de acuerdo.

La pareja echa a andar. El Madrid viejo tiene muchos lugares de interés: el Palacio Real, la Plaza Mayor, la Gran Vía . . . En el Palacio Real, Gloria y Vicente saludan a los guardias de la entrada y sacan fotos de la fachada. En la Gran Vía, regalan cigarrillos a unos muchachos y dan limosna a una mendiga. En la Plaza Mayor, Gloria se coloca delante de la estatua de Felipe Cuarto. Pero Vicente no puede sacar la foto porque alguien coloca la mano delante de la cámara. ¡Vaya sorpresa! Son Paco y Maruja, unos compañeros de trabajo.

Unos minutos después, los amigos entran en un bar. Gloria llama al camarero.

| | |
|---|---|
| *Gloria:* | Un café con leche y un bocadillo de jamón. ¿Qué tomas tú? –pregunta Gloria a su marido. |
| *Vicente:* | Un vaso de leche fría y un bocadillo de queso –dice Vicente. |
| *Camarero:* | ¿Y qué toman los señores? –pregunta el camarero a Paco y Maruja. |
| *Maruja:* | Nosotros no tomamos nada. Acabamos de desayunar –dice Maruja. |

Mientras esperan, las parejas hablan de sus planes.

| | |
|---|---|
| *Vicente:* | ¿Qué vais a hacer después? –pregunta Vicente. |
| *Paco:* | Maruja visita a Goya y yo voy al Rastro –dice Paco. |
| *Gloria:* | ¿A quién visitas? ¿Al pintor? –pregunta Gloria a Maruja. |
| *Maruja:* | Exactamente. ¿Tenéis ganas de ver las nuevas salas del Prado? –pregunta Maruja. |
| *Gloria:* | Yo sí, muchas. Tú no, ¿verdad? –dice Gloria a Vicente. |
| *Vicente:* | No, no me gusta ver museos ni iglesias. Prefiero acompañar a Paco –dice Vicente. |
| *Maruja:* | Bueno, mientras vosotros miráis cosas viejas, nosotras miramos cuadros en el Prado –dice Maruja. |
| *Paco:* | Un momento, voy a comprar un periódico para ver qué películas echan hoy –dice Paco de pronto. |
| *Maruja:* | ¿Tenéis ganas de ir al cine por la tarde? –pregunta Maruja a Gloria y Vicente. |
| *Gloria:* | Pues . . . Tenemos tanto sueño . . . –dice Gloria. |

| | | | |
|---|---|---|---|
| ellos | *sie (m/pl.)* | el (la) graduado, -a | *der (die) Inhaber(in)* |
| ellas | *sie (f/pl.)* | | *eines Hochschultitels* |
| Vicente | *Vinzenz* | tanto, -a | *soviel* |
| ella | *sie (f/sg.)* | la suerte | *das Glück* |
| el profesor | *der Lehrer* | el sábado | *der Samstag, der Sonn-* |
| la profesora | *die Lehrerin* | | *abend* |
| el colegio | *die Schule* | un sábado | *an einem Samstag* |
| el piso | *die Wohnung* | por la noche | *am Abend, in der Nacht* |
| propio, -a | *eigen* | un sábado por la noche | *an einem Samstag-* |
| el trabajo | *die Arbeit* | | *abend* |
| el (la) licenciado, -a | *der (die) Akademi-* | como | *als* |
| | *ker(in)* | el equipaje | *das Gepäck* |

| | | | |
|---|---|---|---|
| llevar | mitnehmen; (hin)bringen | ¡vaya sorpresa! | was für eine Überraschung! |
| la cámara fotográfica | der Fotoapparat | Paco (Koseform für Francisco) | Franz |
| la mañana | der Morgen | | |
| a las siete de la mañana | um sieben Uhr morgens | Maruja (Koseform für María) | Marie(chen) |
| el sueño | der Schlaf; der Traum | | |
| tener sueño | müde sein | el compañero | der Kollege, der Kamerad |
| dar | geben | | |
| la vuelta | die Runde | el minuto | die Minute |
| dar una vuelta | einen Spaziergang machen | llamar | rufen; anrufen |
| | | el camarero | der Kellner |
| por | durch | la camarera | die Kellnerin |
| el centro | das Zentrum | el café | der Kaffee |
| ¿qué hacer? | was tun? | la leche | die Milch |
| buscar | suchen | el jamón | der Schinken |
| por aquí | hier irgendwo | preguntar una cosa a alguien (Dat.) | j-n etwas fragen |
| tomar algo | etwas zu sich nehmen, essen; trinken | | |
| vale | o.k., in Ordnung | el vaso | das (Trink-)Glas |
| el acuerdo | die Übereinstimmung, das Einverständnis | frío, -a | kalt |
| | | el queso | der Käse |
| de acuerdo | einverstanden | dice (von decir) | er (sie, es) sagt |
| la pareja | das Paar | nada | nichts |
| echar a | beginnen zu | no tomamos nada | wir nehmen nichts |
| andar | (zu Fuß) gehen | acabar | enden; beenden |
| el lugar | der Ort | desayunar | frühstücken |
| el interés | das Interesse | acabar de desayunar | gerade gefrühstückt haben |
| un lugar de interés | eine Sehenswürdigkeit | | |
| el palacio | der Palast | mientras | während (Konjunktion) |
| real | königlich, Königs... | | |
| gran (von grande) | groß | el plan | der Plan |
| la vía | der Weg, die Straße | ir a hacer | gleich tun (werden), tun wollen |
| Gran Vía | (eine der Hauptstraßen Madrids) | | |
| | | ¿a quién? | wen?; wem? |
| saludar | grüßen, begrüßen | el pintor | der Maler |
| el guardia | der Posten, die Wache | la pintora | die Malerin |
| la entrada | der Eingang | ver | sehen |
| sacar | herausnehmen, -ziehen, -holen | nuevo, -a | neu |
| | | la sala | der Saal |
| la foto | das Foto | la verdad | die Wahrheit |
| sacar una foto | eine Aufnahme machen | ¿verdad? | nicht wahr? |
| la fachada | die Fassade, die Hausfront | el museo | das Museum |
| | | ni | und nicht, und auch nicht, und auch kein |
| regalar | schenken | la iglesia | die Kirche |
| el cigarrillo | die Zigarette | prefiero (von preferir) | ich ziehe vor |
| el muchacho | der Junge | acompañar | begleiten |
| la muchacha | das Mädchen | prefiero acompañar | ich begleite lieber |
| la limosna | das Almosen | bueno | nun ja, na schön |
| el mendigo | der Bettler | vosotros, -as | ihr (Nominativ) |
| la mendiga | die Bettlerin | el cuadro | das Bild |
| Gloria se coloca | G. stellt sich | el momento | der Augenblick |
| delante de | vor (räumlich!) | comprar | kaufen |
| la estatua | die Statue, das Standbild | el periódico | die (Tages-)Zeitung |
| | | la película | der Film |
| Felipe Cuarto | Philipp der Vierte | qué películas echan | welche Filme gezeigt werden |
| puede (von poder) | er (sie, es) kann | | |
| alguien | jemand | pronto (Adv.) | bald; früh |
| la mano | die Hand | de pronto | plötzlich |
| la sorpresa | die Überraschung | el cine | das Kino |

## 5A₂ Text in Lautschrift

'eʎɔs‿i‿'eʎas

'glorja‿i ƀi'θente sɔn de xi'xɔn. 'eʎa 'tjene ƀeĩnti'sɛĩs‿'aɲɔs‿i‿ɛl, beĩnti'nweƀe. sɔm profe'sorez đe ko'lɛxjo. tođa'ƀia no 'tjenem fa'milja. tam'poko 'tjeneŋ 'kotʃe ni 'piso 'propjo. 'pero 'tjenen tra'ƀaxo. no 'tođɔz lɔs liθen'θjađɔs‿o gra'đŭađɔs‿espa'ɲoles 'tjenen 'tanta 'swɛrte 'komo‿'eʎɔs.

un 'saƀađo pɔr la 'notʃe 'toman‿ɛl tren‿a ma'đriᵈ. 'komo‿eki'paxe 'ʎeƀan‿'unɔz 'bɔlsɔs i‿'una 'kamara foto'grafika. bi'axan 'tođa la 'notʃe i 'ʎegan‿a las 'sjete đe la ma'ɲana. 'tjenen‿'ambre‿i 'sweɲo. 'pero tam'bjen 'tjeneŋ 'ganaz đe đar‿'una 'ƀwɛlta pɔr‿ɛl 'θentro. ke‿a'θɛr?

bus'kamɔs‿un‿o'tɛl pɔr‿a'ki? pre'gunta 'glorja.

'bamɔs‿al 'θentro, to'mamɔs‿'algo‿en‿um bar i đes'pwez bus'kamɔs‿un‿o'tɛl, de‿a'kwɛrđo?

'bale, de‿a'kwɛrđo.

la pa'rɛxa‿'etʃa‿a‿an'dar. ɛl ma'đriᵈ 'bjɛxo 'tjene 'mutʃɔz lu'garez đe‿inte'res: ɛl pa'laθjɔ rrɛ'al, la 'plaθa ma'jɔr, la gram 'bia.

en‿ɛl pa'laθjɔ rrɛ'al, 'glorja‿i ƀi'θente sa'luđan‿a loz 'gwarđjaz đe la‿en'trađa i 'sakam 'fotɔz đe la fa'tʃađa. en la gram 'bia rrɛ'galan θiga'rriʎɔs‿a‿'unɔz mu'tʃatʃɔs i đan li'mozna‿a‿'una men'diga. en la 'plaθa ma'jɔr, 'glorja se ko'loka đe'lante đe la‿es'tatwa đe fe'lipe 'kwarto. 'pero ƀi'θente no 'pweđe sa'kar la 'foto 'pɔrke‿'algjeŋ ko'loka la 'mano đe'lante đe la 'kamara. 'baja sɔr'presa. sɔm 'pako‿i ma'ruxa, 'unɔs kɔmpa'ɲerɔz đe tra'ƀaxo.

'unɔz mi'nutɔz đes'pwes, lɔs‿a'migɔs‿'entran‿en‿um bar. 'glorja 'ʎama‿al kama-'rero.

uŋ ka'fe kɔn 'letʃe i‿um boka'điʎo đe xa'mɔn. ke 'tomas tu? pre'gunta 'glorja‿a su ma'riđo.

um 'baso đe 'letʃe 'fria i‿um boka'điʎo đe 'keso, 'điθe ƀi'θente.

i ke 'toman lɔs se'ɲores? pre'gunta‿ɛl kama'rero a 'pako‿i ma'ruxa.

no'sotrɔz no to'mamɔz 'nađa. aka'ƀamɔz đe đesaju'nar, 'điθe ma'ruxa.

'mjentras‿es'peran, las pa'rɛxas‿'aƀlan de sus 'planes.

ke 'baĩs‿a‿a'θɛr đes'pwes? pre'gunta ƀi'θente.

ma'ruxa ƀi'sita‿a 'goja i jo ƀoĩ‿al 'rrastro, 'điθe 'pako.

a 'kjem ƀi'sitas? al pin'tɔr? pre'gunta 'glorja‿a ma'ruxa.

ɛgsakta'mente. te'nɛĩz 'ganaz đe ƀɛr laz 'nweƀas 'salaz đɛl 'prađo? pre'gunta ma'ruxa.

jo si, 'mutʃas. tu no, ƀɛr'đaᵈ? 'điθe 'glorja‿a ƀi'θente.

no, no me 'gusta ƀɛr mu'seɔz ni‿i'glesjas. pre'fjero‿akɔmpa'ɲar‿a 'pako, 'điθe ƀi'θente.

'bweno, 'mjentraz ƀo'sotrɔz mi'raĩs 'kosaz 'bjɛxas, no'sotraz mi'ramɔs 'kwadrɔs‿en‿ɛl 'prađo, 'điθe ma'ruxa.

um mo'mento, bɔĩ‿a kɔm'prar‿um pe'rjođiko 'para ƀɛr ke pe'likulas‿'etʃan‿ɔĩ, 'điθe 'pako đe 'prɔnto.

te'nɛĩz 'ganaz đe‿ir‿al 'θine pɔr la 'tarđe? pre'gunta ma'ruxa‿a 'glorja‿i ƀi'θente.

'pwes . . . te'nemɔs 'tanto 'sweɲo . . . 'điθe 'glorja.

# 5B Grammatik

## 1. Fehlen des unbestimmten Artikels

**tienen familia**
*sie haben (eine) Familie, sie haben Kinder*
**no tienen coche**
*sie haben keinen Wagen*
**buscan trabajo**
*sie suchen (eine) Arbeit*

un, una fällt im Ausdruck des Besitzes weg, wenn es um eine Person oder Sache geht, über die man gewöhnlich nur einmal verfügt. Tritt jedoch eine nähere Bestimmung hinzu, wird der unbestimmte Artikel meistens gesetzt: tienen un coche bonito *sie haben einen schönen Wagen.*

## 2. Gebrauch des bestimmten Artikels bei todo und todos

El viaje dura **toda la** noche.
*Die Reise dauert die ganze Nacht.*
No **todos los** licenciados tienen trabajo.
*Nicht alle Akademiker haben Arbeit.*

Auf **todo, -a** *ganze(r, -s)* und **todos, -as** *alle* folgt der bestimmte Artikel.

## 3. Das Personalpronomen im Nominativ

| Singular | | Plural | |
|---|---|---|---|
| yo | *ich* | nosotros nosotras | *wir* |
| tú | *du* | vosotros vosotras | *ihr* |
| él | *er* | ellos | *sie* |
| ella | *sie* | ellas | *sie* |
| usted | *Sie* | ustedes | *Sie* |

Mit den Formen antwortet man auf die Frage: wer?
¿Quién es Pedro? *Wer ist P.?*
Yo.          *Ich.*
Im Satz werden sie nur bei notwendiger Hervorhebung verwendet; vgl. Lekt. 2B3.
**nosotras, vosotras, ellas** beziehen sich nur auf weibliche Personen.

## 4. Das Dativobjekt

Regalan cigarrillos a unos muchachos.
*Sie schenken einigen jungen Burschen Zigaretten.*
Gloria dice algo a los amigos.
*Gloria sagt den Freunden etwas.*
Gloria pregunta algo al camarero.
*Gloria fragt den Kellner etwas.*

Das Dativobjekt wird durch **a** eingeführt. Es steht meist hinter dem Akkusativobjekt.

Beim Verb **preguntar** steht die befragte Person im Dativ (im Deutschen im Akkusativ!).

**5. Der Akkusativ ohne und mit a**

| | |
|---|---|
| Miramos el cuadro. | 'Bei Sachen sind Akkusativ und Nominativ gleich. |
| *Wir sehen uns das Bild an.* | |
| Saludan a don Pedro. | Vor die Bezeichnung eines bestimmten **Lebewesens** (Mensch oder Tier) wird im Akkusativ **a** gesetzt. |
| *Sie begrüßen Don Pedro.* | |
| Tengo un amigo en España. | Im Ausdruck des Besitzes mit **tener** steht jeglicher Akkusativ ohne **a**. |
| *Ich habe einen Freund in Spanien.* | |

**6. Präsens Indikativ von dar** *geben*

| | |
|---|---|
| doy *ich gebe* | damos |
| das | dais |
| da | dan |

Endungen und Betonung des Präsens Indikativ von **dar** gleichen denen von **ir** und **estar**.

## 5C Sprachgebrauch – Landeskunde

**gran:** Verkürzte Form von **grande** *(groß);* vgl. Lekt. 6B4.

Zu **puede** (von **poder**) vgl. Lekt. 7B6; zu **dice** (von **decir**) vgl. Lekt. 12B1. Zu **prefiero** vgl. Lekt. 9B1.

**qué películas echan:** Die unpersönliche 3. Person Plural ist hier durch das Passiv zu übersetzen.

**Felipe Cuarto:** Philipp IV., König von Spanien (1605–1665).

**el Prado** (Museo del Prado): Das spanische Nationalmuseum in Madrid enthält vor allem Sammlungen spanischer Gemälde.

Aussprache von **s**: Vor einem stimmhaften Konsonanten wird **s** stimmhaft wie in „Rose" gesprochen (Lautzeichen [z]): limosna, los guardias, unos muchachos.

Vor [rr] ist **s** meistens nicht mehr hörbar: ellas regalan.

Madrid: Museo del Prado

53

s wird in Nord- und Mittelspanien apikal, d. h. mit der Zungenstellung von n gesprochen. Im sonstigen spanischen Sprachgebiet klingt s wie das (stimmlose) *s* in „Messe".

Aussprache von **x**:
Nur in übertrieben korrekter Redeweise hat **x** den Wert von ks. Im allgemeinen wird **x** zwischen Vokalen wie [gs] ausgesprochen: taxi [tagsi], exactamente [εgsagtamente]. Vor einem Konsonanten erhält **x** normalerweise den Wert von s: extranjero = estranjero.

Aussprache von **o**:
**o** ist geschlossen (aber etwas offener als das **o** in „Ofen") am Silbenende außer vor und nach rr und vor [x]: no, coche, piso, todo, hotel.
**o** ist offen wie das **o** in „Sonne" in Silbenmitte: jamón, ellos, mayor, doctor, costa, sol; vor und nach rr: correo, Roma *(Rom)*; vor [x]: coger, Loja; im Diphthong oi bzw. oy: soy, boina.

Aussprache von **e**:
**e** ist geschlossen (aber etwas offener als das **e** in Mehl) am Silbenende außer vor und nach rr und vor [x]: café, tiene, pero, noche; in Silbenmitte vor m, d, s, n, z, x (bzw. s, vgl. oben Aussprache von x): tiempo, usted, interés, mendiga, vez, extranjero.
**e** ist offen wie das **e** in Berg am Silbenende vor und nach rr und vor [x]: perro, real, dejar; in Silbenmitte außer vor m, n, d, z, s (bzw. s, vgl. oben Aussprache von x): exactamente, suerte, papel; im Diphthong ei bzw. ey: seis, rey.

## 5D Übungen

1. *Bilden Sie Sätze nach dem Muster:*
   Mientras él saca fotos, ella compra un periódico.
   a) tú – sacar fotos/yo – comprar el periódico.
   b) nosotros – desayunar/vosotros – esperar abajo.
   c) nosotras – telefonear/vosotras – tomar un café.
   d) ellos – dar una vuelta por el Rastro/ellas – visitar el Museo del Prado.
   e) usted – hablar con don Pedro/yo – estar en el bar.
   f) tú – acabar el trabajo/vosotros – ir a buscar a Gloria.

2. *Fragen und antworten Sie nach dem Muster:*
   Yo tomo café, ¿tú también?
   Yo no. Yo tomo leche.
   a) ir al Rastro/vosotros/a la Plaza Mayor.
   b) desayunar aquí/ustedes/en la pensión.
   c) ser de Gijón/tú/de Bilbao.
   d) tener veinte años/vosotros/veintiuno.
   e) estar en una pensión/usted/en un hotel.
   f) viajar en coche/tú/en tren.

3. *Wo fehlt der unbestimmte Artikel? Schreiben Sie x, wenn nichts fehlt!*
   a) Nosotros nunca tenemos . . . . . suerte.
   b) El café no tiene . . . . . leche.
   c) Las chicas toman . . . . . asiento.
   d) ¿Tienes . . . . . teléfono?
   e) El gato tiene . . . . . dueño: yo.
   f) La carta no lleva . . . . . firma.
   g) ¿Tienes . . . . . billete ya?
   h) Yo siempre tengo . . . . . hambre.
   i) El profesor busca . . . . . piso.
   j) El salón tiene . . . . . mesa muy grande.

4. *Bilden Sie Sätze nach dem Muster:*
   /von dein
   No todos los coches son buenos.
   a) palabra/nuevo. b) mujer/feliz. c) profesor/joven. d) excepción/importante. e) parador/bonito. f) hombre/igual. g) marido/difícil. h) español/moreno. i) alemán/rubio.

5. *Setzen Sie das fehlende Wort ein:*
   a) La carta . . . . . padre García está encima . . . . . la mesa.
   b) El tren trae media hora . . . . . retraso.
   c) Vamos . . . . . Toledo . . . . . la tarde.
   d) ¿Tenéis ganas . . . . . dar una vuelta . . . . . el centro?
   e) Quisiera estar ya . . . . . España.

6. *Übersetzungsübungen:*

A) Wir besuchen immer Herrn González, wenn er in Madrid ist. Pedro besucht Fräulein Pérez jeden Tag (alle Tage). Sucht er Frau Sánchez? Sie ist nicht hier. Ich vermisse den blauen Himmel von Málaga. Wir sitzen (sind) den ganzen Tag in der Bar. Vermißt ihr auch Doktor Martínez? Warum tragen alle Polizisten einen Hut?

B) *(Jeweils im Singular und Plural!)*
   Sie müssen den Spanischlehrer fragen. Sie müssen das einen anderen Lehrer fragen. Warum geben Sie den Jungen Brot? Vermissen Sie die Katze von Herrn Baroja? Bringen Sie Pater García zum Bahnhof?

# 6A

## 6A Text

### Viejas amigas

Isabel y Margarita aprenden inglés en una academia de idiomas. Asisten a clase dos veces por semana. Isabel hace el primer curso y Margarita, el tercero. Aprenden inglés porque creen que los idiomas son útiles para la vida. Isabel es secretaria del famoso abogado Julio Rodríguez Entralgo. Margarita tiene un buen empleo en un banco. Las jóvenes empleadas viven en el mismo barrio y trabajan en el mismo edificio: Isabel en el tercer piso y Margarita, en el primero. Todos los días van juntas de su casa al trabajo. En el descanso de mediodía van a un bar a comer y charlar.

| | |
|---|---|
| *Margarita:* | ¿Qué tal va lo del piso? –pregunta un día Margarita a Isabel. |
| *Isabel:* | Acabamos de recibir respuesta del médico alemán. Ofrece cinco millones por el piso. Vamos a contestarle que aceptamos. El hombre escribe que tiene un gran interés. |
| *Margarita:* | Chica, yo leo rara vez los anuncios, pero creo que hacéis un mal negocio. ¿Por qué no esperáis un poco? Los precios suben de día en día. Pronto vamos a pagar cien mil pesetas por un café. |
| *Isabel:* | Cinco millones de pesetas no es gran cosa, lo sé. Pero tú sabes que necesitamos el dinero para pagar la nueva casa. Además, la oferta no es mala. Yo conozco los precios. |
| *Margarita:* | No comprendo. ¿Cuánto debéis al banco? |
| *Isabel:* | Cuatro millones. Yo gano cien mil y Pedro ciento cincuenta mil. No somos pobres, pero eso no alcanza. ¿Comprendes ahora? |
| *Margarita:* | Claro, pero, en realidad, yo no veo la razón para vender el piso. No vivís mal allí. |
| *Isabel:* | Vivimos muy bien y tenemos vecinos maravillosos, pero una familia necesita aire limpio para ser feliz. No lo hacemos por nosotros, sino por los niños. |
| *Margarita:* | ¿No teméis quedar en paro? |
| *Isabel:* | No. Yo tengo un empleo seguro y el jefe de Pedro es un santo. |
| *Margarita:* | ¿Y tenéis confianza en el alemán? |

| Isabel: | Por supuesto. Los alemanes son personas serias. Este médico tiene dirección en Madrid. |
|---|---|
| Margarita: | ¿Sí? ¿En qué calle? |
| Isabel: | A ver ... Calle de San Fernando 120. No sé por dónde queda eso. |
| Margarita: | Yo tampoco. Vamos a preguntar al camarero. |

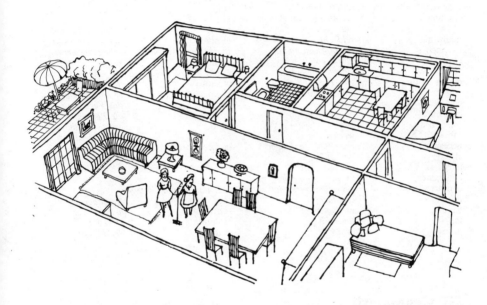

| | | | |
|---|---|---|---|
| la amiga | die Freundin | famoso, -a | berühmt |
| aprender | lernen | el abogado | der Rechtsanwalt |
| el inglés | Englisch, die englische Sprache | el empleo | die (Arbeits-) Stelle |
| | | la empleada | die Angestellte |
| la academia | die Akademie | el mismo | derselbe |
| el idioma | die Sprache | el barrio | das Stadtviertel |
| una academia de idiomas | eine Sprachenschule | el edificio | das Gebäude |
| | | el piso | das Stockwerk; die Wohnung |
| asistir a | teilnehmen an | | |
| la clase | der Unterricht | juntos, -as | zusammen |
| la vez | das Mal | el descanso | die Pause; die Ruhe |
| la semana | die Woche | el mediodía | der Mittag |
| dos veces por semana | zweimal in der Woche | comer | essen; zu Mittag essen |
| el curso | der Kurs | van a un bar a comer | sie gehen in eine Bar essen |
| creer | glauben | | |
| que | daß | lo de | das mit, die Sache mit |
| útil | nützlich | un día | eines Tages |
| la vida | das Leben | recibir | bekommen, in Empfang nehmen |
| la secretaria | die Sekretärin | | |

57

| la respuesta | die Antwort | alcanzar | reichen, ausreichen |
|---|---|---|---|
| el médico | der Arzt | la realidad | die Wirklichkeit |
| ofrecer (zc) | bieten, anbieten | en realidad | eigentlich |
| el millón | die Million | vender | verkaufen |
| contestar | antworten | mal (Adv.) | schlecht |
| vamos a contestarle | wir werden (oder: wollen) ihm antworten | el vecino | der Nachbar |
| | | maravilloso, -a | wunderbar |
| aceptar | annehmen, akzeptieren | el aire | die Luft |
| escribir | schreiben | limpio, -a | rein, sauber |
| leer | lesen | no lo hacemos por nosotros | wir tun es nicht unseretwegen |
| raro, -a | selten; seltsam | | |
| rara vez | selten einmal | sino | sondern |
| el anuncio | die Anzeige, die Annonce | el niño | das Kind |
| | | temer | fürchten, befürchten |
| malo (mal), -a | schlecht | el paro | die Arbeitslosigkeit |
| un poco | ein bißchen, etwas | quedar en paro | arbeitslos werden |
| el precio | der Preis | seguro, -a | sicher |
| subir | steigen; ansteigen | el jefe | der Chef |
| de día en día | von Tag zu Tag | el santo | der Heilige |
| pagar | zahlen, bezahlen | es un santo | er ist ein Engel |
| cien | hundert | la confianza | das Vertrauen |
| cien mil | hunderttausend | la persona | die Person |
| gran cosa | viel | serio, -a | ernst, ernsthaft |
| saber | wissen | este, esta | diese(r, -s) |
| necesitar | brauchen, benötigen | la dirección | die Adresse |
| el dinero | das Geld | ¿en qué calle? | in welcher Straße? |
| la oferta | das Angebot | por dónde queda eso | wo das ist |
| conocer (zc) | kennen; kennenlernen | | |
| comprender | begreifen, verstehen | Grammatik und Übungen: | |
| deber | schulden | otro día | ein andermal |
| ganar | verdienen | santo, -a | heilig |
| mil | tausend | Holanda f | Holland |
| pobre | arm | el mes | der Monat |

# 6B Grammatik

## 1. Präsens Indikativ der Verben auf -er

| comer<br>*essen* | conocer<br>*kennen* | ver<br>*sehen* | saber<br>*wissen* |
|---|---|---|---|
| como | conozco | veo | sé |
| comes | conoces | ves | sabes |
| come | conoce | ve | sabe |
| comemos | conocemos | vemos | sabemos |
| coméis | conocéis | veis | sabéis |
| comen | conocen | ven | saben |

Die regelmäßigen Verben der zweiten Konjugation (Endung des Infinitivs: **-er**) gehen nach dem Muster von **comer**. Die Formen des Singulars und der dritten Person Plural

sind stammbetont; bei den übrigen Formen wird das **e** der Personenendung betont.
Nach dem Muster von **conocer** gehen eine Reihe von Verben mit dem Wechsel von
**c** [θ] zu **zc** [θk] in der ersten Person Singular. Die Betonung ist die gleiche wie bei
**comer**. Im Wörterverzeichnis sind die Verben dieser Gruppe mit (zc) gekennzeichnet.
Die Verben **ver** und **saber** sind unregelmäßig und haben jeweils ein eigenes
Konjugationsschema.

### 2. Präsens Indikativ der Verben auf -ir

| sub**ir** *steigen* |
| --- |
| sub**o** |
| sub**es** |
| sub**e** |
| sub**imos** |
| sub**ís** |
| sub**en** |

Die regelmäßigen Verben der dritten Konjugation
(Endung des Infinitivs: **-ir**) gehen nach dem Muster von
**subir**.
Bei der ersten und zweiten Person Plural wird das **i** der
Personenendung betont. Die übrigen Formen sind
stammbetont und haben die gleichen Endungen wie die
Verben der zweiten Konjugation.

### 3. Nahe Zukunft und nahe Vergangenheit

**Voy a** llamar al camarero.
*Ich werde den Kellner rufen./Ich rufe
den Kellner.*

**Voy a** escribir cartas.
*Ich will/werde jetzt Briefe schreiben.*

**Vamos a** comer.
*Laß(t) uns essen./Wir wollen essen.*

¿Qué tomas?
Nada. **Acabo de** comer.
*Was möchtest du?*
*Nichts. Ich habe gerade gegessen.*

Mit **ir a** + **Infinitiv** wird ausgedrückt,
daß etwas in der nahen Zukunft geschehen wird. Im Deutschen steht dafür oft
das Präsens oder das Modalverb *wollen*
oder *werden*. Die erste Person Plural
(**vamos a** + **Infinitiv**) drückt auch eine
Aufforderung an die eigene Person und
andere aus.

Mit **acabar de** + **Infinitiv** wird ausgedrückt, daß etwas in der nahen Vergangenheit geschehen ist. Im Deutschen
steht dafür das Perfekt und ein Adverb
wie *gerade* oder *soeben*.

### 4. Stellung und Verkürzung des attributiven Adjektivs

una maleta **marrón**
*ein brauner Koffer*
el médico **alemán**
*der deutsche Arzt*

personas **serias**
*ernsthafte Menschen*
casas **grandes**
*große Häuser*

guardia **civil**
*Polizist*
cámara **fotográfica**
*Fotoapparat*

Das **nachgestellte** Adjektiv fügt dem Substantiv ein notwendiges Unterscheidungs-merkmal hinzu.

Isabel y Carmencita son **viejas** amigas.
*Isabel und Carmencita sind alte Freundinnen.*
Isabel es secretaria del **famoso** abogado Julio Rodríguez.
*Isabel ist Sekretärin bei dem berühmten Rechtsanwalt J. R.*

Das Adjektiv wird **vorangestellt**, wenn es für die nähere Bestimmung des Sub-stantivs nicht notwendig ist. Es handelt sich dabei meistens um subjektive Wertun-gen.

| | | |
|---|---|---|
| el **mismo** edificio | **otro** día | **varios** soldados |
| *dasselbe Gebäude* | *ein andermal* | *mehrere Soldaten* |
| el **segundo** piso | **medio** millón | **muchas** gracias |
| *das zweite Stockwerk* | *eine halbe Million* | *vielen Dank* |

Vorzugsweise **vorangestellt** werden die Ordnungszahlen (vgl. aber Lekt. 11B5) und unbestimmte Pronomen in adjektivischer Verwendung.

**Verkürzte Formen:**

Folgende Adjektive werden verkürzt, wenn sie vor einem männlichen Substantiv im Singular stehen:

| | | | |
|---|---|---|---|
| **bueno:** | un **buen** empleo | **primero:** | el **primer** piso |
| | *eine gute Stelle* | | *das erste Stockwerk* |
| **malo:** | un **mal** negocio | **tercero:** | el **tercer** curso |
| | *ein schlechtes Geschäft* | | *der dritte Kurs* |

**grande** wird zu **gran** verkürzt, wenn es vor einem männlichen oder weiblichen Substantiv im Singular steht:

un gran hombre  *ein großartiger Mann*
una gran mujer  *eine großartige Frau*

### 5. Die Grundzahlen von 100 bis 199

| | |
|---|---|
| 100 cien/ciento | 160 ciento sesenta |
| 101 ciento uno | 171 ciento setenta y uno |
| 102 ciento dos | 182 ciento ochenta y dos |
| 103 ciento tres | 198 ciento noventa y ocho |
| 104 ciento cuatro | 199 ciento noventa y nueve |

Für 100 steht immer **cien**, wenn ein Substantiv unmittelbar darauf folgt: cien pesetas *hundert Peseten,* cien años *hundert Jahre.* Auch vor **mil** und **millones** muß es **cien** heißen: cien mil *100.000,* cien millones *hundert Millionen.*

Nach ciento steht niemals y.

**6. Die Zahlwörter mil** *tausend* **und un millón** *eine Million*

**mil** wird wie das deutsche „tausend" gebraucht:

| | | |
|---|---|---|
| 1.000 mil | 1.000 Ptas. = | mil pesetas |
| 2.000 dos mil | 2.000 Ptas. = | dos mil pesetas |
| 25.000 veinticinco mil | 25.000 Ptas. = | veinticinco mil pesetas |

**millón** ist ein männliches Substantiv und wird immer mit dem unbestimmten Artikel gebraucht. Der Plural heißt **millones**. Zwischen millón bzw. millones und einem Substantiv muß **de** stehen:

| | | |
|---|---|---|
| 1.000.000 = un millón | *eine Million Menschen:* | un millón de personas |
| 2.000.000 = dos millones | *zwei Millionen Peseten:* | dos millones de pesetas |

Man merke sich: eine Milliarde = **mil millones**

## 6C Sprachgebrauch – Landeskunde

**Santo** wird zu **San** vor dem Namen eines Heiligen, der nicht mit To- oder Do- beginnt: San Juan *der heilige Johannes.*

Einem daß-Satz geht im Spanischen kein Komma voraus: creo que es un mal negocio *ich glaube, das ist ein schlechtes Geschäft.* Die Konjunktion **que** *( = daß)* darf bei creer, decir usw. nicht fehlen. Man merke: *ich glaube, ja* creo que sí.

Nur zur Betonung des Zwecks steht para *( = um zu)* vor einem Infinitiv, der ein Verb der Fortbewegung ergänzt. Normalerweise steht **a**: bajamos al comedor a comer *wir gehen in den Speisesaal zum Essen hinunter.* In Sätzen dieser Art kann die Zielortangabe auch nach dem Infinitiv stehen: bajamos a comer al comedor.

Vor i- und hi- steht **e** statt **y** *und.* Vor o- und ho- steht **u** statt **o** *oder:* Margarita e Isabel, Alemania u Holanda *(Holland).*

Zu contestarle vgl. Lekt. 10B3.

## 6D Übungen

1. Isabel es joven. Tiene 25 años. Trabaja como secretaria en un banco madrileño. Es un buen empleo. Gana cien mil pesetas al mes *(im Monat).* Vive en el centro de Madrid. Asiste a un curso de alemán una vez por semana. Está en el primer curso. Es una chica con muchos intereses. Viaja con frecuencia y lee mucho. Conoce todos los países de Europa.
   *Ändern Sie das Subjekt des Textes:* a) yo. b) nosotras. c) ellas.

2. *Bilden Sie Dialoge nach dem Muster:*

¿Vivís cerca?
No, vivimos lejos.

a) trabajar mucho/poco.
b) comer en un bar/en una pensión.
c) tener hambre/sueño.
d) creer eso/otra cosa.
e) estar en el primer curso/en el segundo.
f) aprender inglés/alemán.
g) ser de aquí/de Toledo.
h) dar una vuelta por la Gran Vía/Plaza Mayor.

3. *Bilden Sie Dialoge nach dem Muster:*

Yo contesto mañana.
Yo voy a contestar enseguida.

a) escribir.　b) llamar.　c) telefonear.　d) preguntar.　e) acabar.　f) hablar.
g) vender.

4. A) *Lesen Sie die Zahlen laut.*

B) *Schreiben Sie sie dann aus.*

C) *Lesen Sie die Zahlen mit* peseta(s) *und* duro(s).

1, 2, 3, 4, 11, 15, 20, 21, 25, 33, 58, 100, 101, 191, 1.000, 21.000, 73.176,
2.000.000.

5. *Übersetzungsübungen:*

A) ein guter Vater, gute Freunde, eine gute Freundin, eine große Überraschung, ein
großes Talent, große Schwierigkeiten, der erste Tag, die dritte Nacht, das zweite
Mal, eine halbe Minute, ein anderes Kind.

B) Ich kenne alle Madrider Kellner. Ich sehe Isabel jeden Tag (alle Tage). Ich weiß
nicht, wo der Koffer ist. Ich habe gerade zu Mittag gegessen und werde gleich
Doktor Aguilar anrufen. Der Zug ist soeben angekommen. Ich sehe Pedro nicht,
wo ist er?

C) Sprechen wir Spanisch! Nehmen wir den Bus! Zahlen wir! Fragen wir dort! Wir
wollen frühstücken! Machen wir Schluß!

D) *(Jeweils im Singular und Plural!)*
Kennen Sie Herrn Rodríguez? Sehen Sie die Kirche? Sehen Sie auch die Nonnen?
Wissen Sie, wer Doktor López ist? Glauben Sie, daß wir glücklich sind?

## 7A Text

**Con una estudiante de bachillerato**

| | |
|---|---|
| *Periodista:* | ¿Qué edad tienes, Amparo? |
| *Amparo:* | Dieciocho años. Cumplo los diecinueve el sábado. ¡No lo puedo creer! |
| *Periodista:* | ¿Cómo vas a celebrar tu cumpleaños? |
| *Amparo:* | Bueno, en casa no celebramos el cumpleaños, sino el santo. A lo mejor mi novio y yo hacemos una fiesta en casa de una amiga. |
| *Periodista:* | ¿Cuántos hermanos sois? |
| *Amparo:* | Siete, tres chicos y cuatro chicas. Yo soy la menor de todos. |
| *Periodista:* | ¿Trabajan o estudian tus hermanos? |
| *Amparo:* | Pues . . . de mis hermanas, la mayor es profesora de EGB, la segunda tiene un negocio con su marido. La tercera y yo somos mellizas. De los chicos, el mayor es periodista y escritor, el segundo está en la mili y el menor estudia Medicina en Salamanca. |
| *Periodista:* | ¿Vives todavía en casa de tus padres? |
| *Amparo:* | Claro. Es una casa muy grande y hay sitio para bastante gente. |
| *Periodista:* | ¿Quiénes viven allí? |
| *Amparo:* | Mis padres, mi hermano el periodista y su mujer, mi hermana melliza, mi hermana mayor, mis abuelos, una tía y un perro. |
| *Periodista:* | ¿Te llevas bien con tu hermana melliza? |
| *Amparo:* | Mucho. Tenemos los mismos gustos. Nuestra afición principal es cocinar. Nosotras preparamos la comida cuando viene gente a casa. |
| *Periodista:* | ¿Cuál es vuestro plato preferido? |
| *Amparo:* | El cocido. Lo preparamos a la alavesa. Es una receta de familia. Mi madre la tiene de mi abuela y mi abuela de su madre. |
| *Periodista:* | ¿Qué cosas escribe tu hermano el escritor, poesía o prosa? |
| *Amparo:* | Novelas. Todo el mundo dice que son buenas, pero yo no las conozco. Voy a leerlas después de mis exámenes. |
| *Periodista:* | ¿Te gusta leer? |

| | |
|---|---|
| *Amparo:* | Mucho. Sobre todo libros de historia. Siempre saco tiempo para leerlos. Acabo de leer una cosa muy buena sobre los Reyes Católicos. |
| *Periodista:* | ¿Practicas algún deporte? |
| *Amparo:* | Aunque no sé nadar muy bien, voy a la piscina con frecuencia. Por desgracia, ello no es posible de momento. Tengo que estudiar mucho. Quiero sacar buenas notas en los exámenes. Son dentro de una semana y hay que estudiar bastante para salir bien. |
| *Periodista:* | ¿Qué planes tienes para el verano? |
| *Amparo:* | No tengo planes fijos todavía. Mi hermana y yo queremos ir a Alemania. Su novio es un chico de Munich. Pero el novio quiere venir a España y continuar a Portugal. Y mi novio quiere viajar a Italia . . . A ver si podemos llegar a un acuerdo. |
| *Periodista:* | ¿Sabes alemán tú? |
| *Amparo:* | Ni una palabra. Mi hermana dice que es un idioma fácil, pero yo creo que no lo es. |

| | | | |
|---|---|---|---|
| el (la) estudiante | *der (die) Student(in)* | el (la) mayor | *der (die) älteste* |
| el bachillerato | *das Abitur* | el (la) profesor(a) de | *der (die) Grundschul-* |
| el (la) estudiante de | *der (die) Gymna-* | EGB | *lehrer(in)* |
| bachillerato | *siast(in)* | EGB = Educación | |
| la edad | *das Alter* | General Básica | *Grundschulwesen* |
| ¿qué edad tienes? | *wie alt bist du?* | la enseñanza | *der Unterricht* |
| cumplir | *vollenden* | general | *allgemein* |
| cumplir los diecinueve | *19 Jahre alt werden* | básico, -a | *grundlegend* |
| años | | su, sus | *sein, seine; ihr, ihre;* |
| poder | *können* | | *Ihr, Ihre* |
| ¡no lo puedo creer! | *ich kann es nicht glau-* | mellizo, -a | *Zwillings. . .* |
| | *ben* | los mellizos, las melli- | |
| celebrar | *feiern* | zas | *die Zwillinge* |
| el cumpleaños | *der Geburtstag* | el escritor | *der Schriftsteller* |
| en casa | *zu Hause; bei uns* | la mili | *der Wehrdienst* |
| el santo | *der Namenstag* | la medicina | *die Medizin* |
| a lo mejor | *vielleicht* | los padres | *die Eltern* |
| mi, mis | *mein, meine* | el sitio | *der Platz; der Ort* |
| el novio | *der Verlobte, der* | bastante | *ziemlich viel* |
| | *Freund* | ¿quiénes? | *wer? (Plural)* |
| la fiesta | *das Fest* | el abuelo | *der Großvater* |
| hacer una fiesta | *feiern* | la abuela | *die Großmutter* |
| en casa de una amiga | *bei einer Freundin* | los abuelos | *die Großeltern* |
| ¿cuántos, -as? | *wie viele?* | el tío | *der Onkel* |
| los hermanos | *die Geschwister* | la tía | *die Tante* |
| el (la) menor | *der (die) jüngste* | el perro | *der Hund* |
| estudiar | *studieren; lernen* | ¿te llevas bien? | *verträgst du dich?* |
| tu, tus | *dein, deine* | el gusto | *der Geschmack* |
| la hermana | *die Schwester* | nuestro, -a | *unser, unsere* |

| | | | |
|---|---|---|---|
| la afición | die Vorliebe | católico, -a | katholisch |
| principal | hauptsächlich | practicar | (aus)üben, treiben |
| cocinar | kochen | alguno (algún), -a | irgendeine(r, -s) |
| preparar | (zu)bereiten; vorbereiten | el deporte | der Sport |
| viene (von venir) | er (sie, es) kommt; Sie kommen | aunque | obwohl |
| | | nadar | schwimmen |
| a casa | nach Hause, zu uns | no sé nadar | ich kann nicht schwimmen |
| ¿cuál?, ¿cuáles? | welche(r, -s)? | la piscina | das Schwimmbad |
| vuestro, -a | euer, eure | la desgracia | das Unglück |
| el plato | der Teller; das Gericht | por desgracia | leider, unglücklicherweise |
| preferido, -a | Lieblings... | | |
| el cocido | (ein Eintopf mit Fleisch und Gemüse) | ello | das |
| | | posible | möglich |
| a la alavesa | nach der Art von Álava | de momento | im Augenblick |
| la receta | das Rezept | querer | wollen |
| la madre | die Mutter | sacar buenas notas | gute Noten bekommen |
| la poesía | die Dichtung; die Dichtkunst; das Gedicht | dentro de | in, nach Ablauf (von) |
| | | hay que | man muß |
| la prosa | die Prosa | la nota | die Note |
| la novela | der Roman | salir bien | gut abschneiden |
| el mundo | die Welt | fijo, -a | fest |
| todo el mundo | alle Leute | Munich f | München |
| después de | nach (zeitlich) | venir | kommen |
| el examen | die Prüfung | Portugal m | Portugal |
| sobre todo | vor allem | Italia f | Italien |
| la historia | die Geschichte | si | ob |
| saco tiempo | ich nehme mir die Zeit | saber alemán | Deutsch können |
| sobre | über | fácil | leicht |
| el rey | der König | *Grammatik:* | |
| la reina | die Königin | el (la) presidente (-a) | der (die) Präsident(in) |

# 7B Grammatik

## 1. Die Bildung der weiblichen Form des Substantivs

| männlich | weiblich |
|---|---|
| el amigo | la amiga |
| el escritor | la escritora |
| el estudiante | la estudiante |
| el periodista | la periodista |
| el presidente | la presidenta |
| el rey | la reina |
| el hombre | la mujer |
| el padre | la madre |

Endet das Maskulinum auf **-o**, tritt im Femininum **-a** an die Stelle des -o. Endet das Maskulinum auf einen **Konsonanten**, wird im Femininum **-a** hinzugefügt.

Beim Auslaut auf **-e** oder **-a** sind die männliche und weibliche Form gleich.

In neuester Zeit nimmt die Tendenz zu, zu einer männlichen Form auf **-e** eine weibliche Form auf **-a** zu verwenden.

Maskulinum und Femininum sind teilweise Wörter mit verschiedenem Stamm.

65

**2. Der Plural von Personenbezeichnungen**

el padre + la madre = los padres *die Eltern*
el abuelo + la abuela = los abuelos *die Großeltern*
el hijo + la hija = los hijos *die Kinder*
el rey + la reina = los reyes *das Königspaar*
Der Plural für männliche und weibliche Personen (z. B. bei Verwandtschafts-
namen) wird von der Pluralform des männlichen Substantivs gebildet.

**3. Das unbetonte (verbundene) Possessivpronomen**

Für **einen** Besitzer:

|  |  | *mein, meine,* |  | *dein, deine* |  | *sein, seine; ihr, ihre; Ihr, Ihre* |
|---|---|---|---|---|---|---|
| Sing. | **mi** | libro carta | **tu** | libro carta | **su** | libro carta |
| Plur. | **mis** | libros cartas | **tus** | libros cartas | **sus** | libros cartas |

Für **mehrere** Besitzer:

|  | *unser, unsere* | *euer, eu(e)re* | *ihr, ihre; Ihr, Ihre* |
|---|---|---|---|
| Sing. | **nuestro** libro **nuestra** carta | **vuestro** libro **vuestra** carta | **su** libro carta |
| Plur. | **nuestros** libros **nuestras** cartas | **vuestros** libros **vuestras** cartas | **sus** libros cartas |

**mi, tu, su** und **mis, tus, sus** haben nur eine Endung für beide Geschlechter.
**su libro** kann bedeuten: *sein Buch, ihr Buch* und *Ihr Buch.*

**4. Vertretung von Sachen und Satzinhalten durch Pronomen**

| | |
|---|---|
| **El libro** es bonito. **Lo** compro. | **lo** steht im Akkusativ für ein männliches Substantiv im Singular. |
| **La casa** es bonita. **La** compro. | **la** steht im Akkusativ für ein weibliches Substantiv im Singular. |
| **Los bolsos** son bonitos. **Los** compro. | **los** steht im Akkusativ für ein männliches Substantiv im Plural. |
| **Las flores** son bonitas. **Las** compro. | **las** steht im Akkusativ für ein weibliches Substantiv im Plural. |

¿Quién es Gloria?
No lo sé.
Amparito va a la piscina con frecuencia. Ello no es posible ahora porque tiene exámenes pronto.

lo steht für einen Satzinhalt im Akkusativ.

ello *(das)* ist ein betontes Personalpronomen und vertritt den Satzinhalt im Nominativ. Als unbetontes, also mit dem Verb verbundenes Pronomen steht hier lo: Todos creen que los alemanes son serios, pero yo no sé si lo son *(... ob sie es sind)*.

## 5. Die Stellung des deklinierten Pronomens im Satz

lo, la, los, las stehen:
Vor dem konjugierten Verb: lo sé *ich weiß es*
Nach der Verneinung no: no lo sé *ich weiß es nicht*
An den Infinitiv werden sie angehängt: para saberlo *um es zu wissen*
Bei Modalverben sowie bei einigen Verbverbindungen kann das deklinierte Pronomen vor dem konjugierten Verb stehen oder an den Infinitiv angehängt werden:
quiero hacerlo / lo quiero hacer *ich will es tun*
no puedo hacerlo / no lo puedo hacer *ich kann es nicht tun*
tengo que hacerlo / lo tengo que hacer *ich muß es tun*
voy a hacerlo / lo voy a hacer *ich werde es tun*
acabo de hacerlo / lo acabo de hacer *ich habe es gerade getan*

## 6. Die spanischen Ausdrücke für die Modalverben *wollen, können, müssen*

### Präsens Indikativ und Gebrauch von querer *wollen*

| |
|---|
| quiero |
| quieres |
| quiere |
| queremos |
| queréis |
| quieren |

Dem Modalverb *wollen* entspricht querer. In manchen Fällen ist *wollen* durch ir a + Infinitiv (nahe Zukunft) wiederzugeben. Man unterscheide zwischen: quiero comer *ich will (habe den Wunsch zu) essen* und voy a comer *ich will (werde) essen*.

### Präsens Indikativ und Gebrauch von poder *können*

| |
|---|
| puedo |
| puedes |
| puede |
| podemos |
| podéis |
| pueden |

Das Verb poder = *können* drückt die Möglichkeit aus, daher bedeutet es auch *dürfen*: ya podemos entrar *wir können/dürfen schon eintreten*. Wenn *können* sich auf eine (erlernte) Fähigkeit bezieht, heißt es im Spanischen saber: yo no sé nadar *ich kann nicht schwimmen*. Man merke sich: sé inglés y alemán *ich kann Englisch und Deutsch*.

Für *müssen* als Ausdruck des äußeren Zwanges wird die Verbindung **tener que** + **Infinitiv** verwendet: tengo que estudiar *ich muß lernen*. Das unpersönliche *man muß* wird durch **hay que** + **Infinitiv** ausgedrückt: hay que estudiar *man muß lernen;* no hay que entrar *man darf nicht eintreten*.
Zu den Ausdrücken für *mögen* vgl. Lekt. 13C, für *sollen* vgl. Lekt. 27C und 29C.

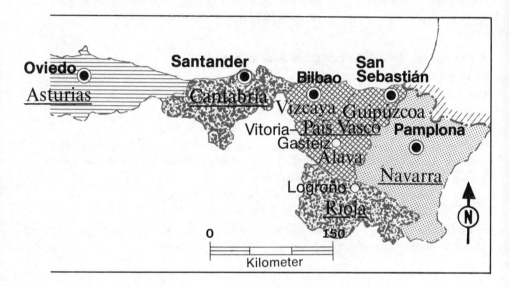

## 7C Sprachgebrauch – Landeskunde

**Álava** ist eine der drei baskischen Provinzen im Nordosten Spaniens. Die anderen heißen Vizcaya und Guipúzcoa.

**los Reyes Católicos:** Hier ist das Königspaar Ferdinand von Aragonien und Isabella von Kastilien gemeint. Unter ihrer Herrschaft erfolgte die Einigung der Iberischen Halbinsel zum Nationalstaat und begann die Entdeckung und Eroberung Amerikas. Sie regierten Ende des 15. bis Anfang des 16. Jahrhunderts.

Beispiele für den Gebrauch von **casa:**

| | |
|---|---|
| estamos en casa | *wir sind zu Hause* |
| vamos a casa | *gehen wir nach Hause* |
| ¿estás en tu casa? | *bist du (bei dir) zu Hause?* |
| ¡vamos a mi casa! | *gehen wir zu mir!* |
| vive en casa de sus padres | *sie wohnt bei ihren Eltern* |
| la fiesta es en casa de una amiga | *das Fest ist bei einer Freundin* |
| está usted en su casa | *fühlen Sie sich wie zu Hause* |

68

# 7D Übungen

1. *Bilden Sie das Femininum nach dem Muster:*
   un amigo de mi padre / una amiga de mi madre
   a) el hijo del vecino.   b) el marido de la periodista.   c) el hermano mayor de mi novio.   d) el tío del vendedor de flores.   e) un gran amigo del señor Sánchez.

2. Tengo diecinueve años y estoy en el último año de bachillerato. Mi afición principal es viajar. Todos los años voy a Alemania. Mi novio es un estudiante de Munich. Yo no sé alemán, pero él y su familia hablan español muy bien. Quiero aprender el idioma de mi novio. Pero de momento no puedo porque tengo que estudiar para mis exámenes.
   *Beginnen Sie den Text mit:* a) Gloria.   b) nosotras.   c) ellas.

3. *Bilden Sie Dialoge nach dem Muster:*
   A) Aquí tienes el <u>libro.</u> Lo dejo encima de la mesa.
      Puedes tenerlo hasta mañana. Yo no lo necesito ahora.

      a) receta.   b) novela.   c) fotos.   d) pañuelo.   e) cigarrillos.   f) lápices.
      g) bolso.   h) maletas.

   B) ¿Por qué no <u>lee usted el periódico?</u>
      Porque no tengo tiempo para leerlo.

      a) escribir la carta.   b) comer el bocadillo.   c) mirar la iglesia.   d) visitar las exposiciones.   e) tomar la medicina.   f) ver las fotos.

4. *Setzen Sie das fehlende Wort ein:*
   a) Asisto . . . . . clase dos veces . . . . . semana.
   b) . . . . . desgracia no tengo tiempo . . . . . estudiar más.
   c) Mis exámenes son dentro . . . . . dos semanas.
   d) Después . . . . . la clase de español vamos . . . . . un bar.
   e) Álava está . . . . . el norte de España.
   f) . . . . . verano quiero ir . . . . . España.

5. *Übersetzungsübungen:*
   A) Wo ist Ihr Wagen? Wo sind Ihre Nachbarinnen? Wo ist Ihr Mann? Welches ist Ihre Telefonnummer? Wo sind Ihre Fahrkarten?

   B) *(Jeweils im Singular und Plural!)*
      Können Sie das sehen? Können Sie das verstehen? Können Sie kochen? Können Sie dies lesen? Können Sie bitte lesen? Was, Sie können nicht lesen?

   C) Man muß arbeiten, um zu essen, und man muß essen, um zu arbeiten.
      Um mehr Geld zu verdienen, muß man mehr arbeiten.
      Um glücklich zu sein, muß man viel Geld haben.
      Man muß nicht Spanisch können, um glücklich zu sein.
      Um in den Himmel zu kommen (gehen), mußt du nicht soviel arbeiten.

# 8A

## 8A Text

**En Burgos**

Delante del hotel "La Reina", uno de los mejores de la ciudad de Burgos, ha aparcado un autobús turístico. El conductor está charlando con el portero del hotel. El día está muy bonito. El cielo está sin nubes. Hace calor, pero no mucho. Es un típico día de primavera. Una señorita sale del hotel y sube al autobús. Es morena y delgada, no muy alta. Lleva un vestido marrón y unos zapatos del mismo color. Tiene unas gafas de sol en la mano izquierda y un bolso de cuero en la derecha.

*Srta. Pérez:* Buenos días, le pido perdón por el retraso –dice al guía.

*Guía:* Cinco minutos no es nada, señorita Pérez, ¿cómo le va?

*Srta. Pérez:* Muy bien, gracias, ¿puedo dejar esto aquí?

*Guía:* Claro, lo puede dejar en el suelo. Está limpio.

*Srta. Pérez:* Gracias. Mi hermana se queda en el hotel hoy.

*Guía:* ¡Qué lástima! Bueno, entonces ya no falta nadie. Podemos salir. Vamos, Federico –dice el guía haciendo una seña al conductor.

A los pocos minutos, el autobús está pasando un puente sobre el río Arlanzón. Todo el mundo está de buen humor. La mayoría de los viajeros vienen de la Europa fría: alemanes, holandeses, suecos. También hay franceses e ingleses. ¡Cómo cambia la gente cuando está de vacaciones! No, no todos están alegres. Uno de los viajeros está triste porque no está la hermana de la señorita Pérez. Se llama Jorge Braun y es alemán. Está bebiendo cerveza de una lata. Por eso no escucha las explicaciones del guía ni las preguntas de los turistas. El guía está hablando de la catedral.

*Guía:* Vamos a visitar sólo el ala izquierda, el ala derecha está en obras.

*Señora:* El río tiene poca agua. ¿Cómo se llama? –pregunta una señora.

*Guía:* Arlanzón. Es un típico río de Meseta. En verano está casi seco.

*Señor:* ¿Siempre está tan sucia el agua? –pregunta un señor.

*Guía:* Sí. Es peligroso beberla. Bien, vamos a ver la catedral, señores.

Veinte minutos después, el grupo está en medio de la plaza de Santa María. Algunos sacan fotos de las torres. La señorita Pérez no puede encender el cigarrillo que tiene en la mano. Jorge Braun le ofrece fuego.

*Srta. Pérez:* Muchas gracias. Yo no olvido nunca las cerillas, pero hoy estoy un poco despistada.

| Jorge: | ¿Cómo está su hermana? ¿Qué tiene? |
|---|---|
| Srta. Pérez: | Está con dolor de cabeza y, claro, no tiene ganas de hacer nada. |
| Jorge: | Ustedes tienen nombres y apellidos españoles, pero no son españolas, ¿no? |
| Srta. Pérez: | No, somos francesas. Pero usted no es español tampoco, ¿verdad? |
| Jorge: | Soy alemán, pero mi madre es española, madrileña. |
| Srta. Pérez: | ¿Viene a España con frecuencia? |
| Jorge: | Todos los años. Ahora estoy asistiendo a un congreso en Burgos. Soy médico. Es la primera vez que estoy aquí. |
| Srta. Pérez: | Los alrededores son muy interesantes, ¿los conoce? |

| | | | |
|---|---|---|---|
| uno, -a | einer, eine, eines | el guía | der Fremdenführer |
| el, la mejor | der, die, das beste | no es nada | das macht nichts |
| la ciudad de Burgos | die Stadt Burgos | ¿cómo le va? | wie geht es Ihnen? |
| haber | haben (Hilfsverb) | el suelo | der Boden; der Fußbo- |
| ha | er (sie, es) hat | | den |
| aparcar | parken | se queda (von quedar- | sie bleibt |
| ha aparcado | er hat geparkt | se) | |
| el autobús | der Bus | ¡qué lástima! | wie schade! |
| turístico, -a | touristisch, Reise... | ya no | nicht mehr |
| el conductor | der Fahrer | faltar | fehlen |
| está charlando | er spricht gerade | nadie | niemand |
| el portero | der Portier | ¡vamos! | los, gehen wir! |
| el día está bonito | der Tag ist schön | la seña | das Zeichen |
| sin | ohne | haciendo una seña a | und macht ... dabei ein |
| la nube | die Wolke | ... | Zeichen |
| el calor | die Hitze | a los pocos minutos | wenige Minuten später |
| hace calor | es ist heiß | pasar | überqueren, passieren |
| típico, -a | typisch | el puente | die Brücke |
| la primavera | der Frühling | el río | der Fluß |
| salir | hinausgehen; heraus- | el humor | die Laune; der Humor |
| | kommen; abfahren | de buen humor | gut gelaunt |
| delgado, -a | schlank | la mayoría | die Mehrheit |
| alto, -a | hoch, groß | el viajero | der Reisende; der Fahr- |
| el vestido | das Kleid | | gast |
| el zapato | der Schuh | vienen (von venir) | sie kommen |
| lleva unos zapatos | sie trägt Schuhe | el holandés | der Holländer |
| el color | die Farbe | la holandesa | die Holländerin |
| las gafas | die Brille | el francés | der Franzose |
| unas gafas de sol | eine Sonnenbrille | la francesa | die Französin |
| izquierdo, -a | linke(r, -s) | el inglés | der Engländer |
| el cuero | das Leder | la inglesa | die Engländerin |
| derecho, -a | rechte(r, -s) | cambiar | sich (ver)ändern |
| buenos días | guten Morgen | las vacaciones | der Urlaub; die Ferien |
| pedir | bitten | de vacaciones | auf Urlaub |
| el perdón | die Entschuldigung | alegre | fröhlich, lustig |
| le pido perdón | ich bitte Sie um Ent- | triste | traurig |
| | schuldigung | porque no está ... | weil ... nicht da ist |

71

| | | | |
|---|---|---|---|
| beber | *trinken* | olvidar | *vergessen* |
| la cerveza | *das Bier* | la cerilla | *das Streichholz* |
| la lata | *die Dose* | despistado, -a | *zerstreut* |
| por eso | *deshalb* | ¿cómo está su herma- | *wie geht es Ihrer* |
| escuchar | *hören, zuhören* | na? | *Schwester?* |
| la explicación | *die Erklärung* | el dolor | *der Schmerz* |
| la pregunta | *die Frage* | la cabeza | *der Kopf* |
| el (la) turista | *der (die) Tourist(in)* | está con dolor de cabe- | *sie hat Kopfschmerzen* |
| la catedral | *der Dom; die Kathe-* | za | |
| | *drale* | no tiene ganas de hacer | *sie hat zu nichts Lust* |
| el ala *f* | *der Flügel* | nada | |
| la obra | *das Werk; der Bau* | el nombre | *der Name; der Vorna-* |
| está en obras | *er wird renoviert* | | *me* |
| el agua *f* | *das Wasser* | el apellido | *der Familienname* |
| la meseta | *die Hochebene* | el congreso | *der Kongreß* |
| casi | *fast, beinah* | alrededor | *ringsherum* |
| seco, -a | *trocken* | los alrededores | *die Umgebung* |
| sucio, -a | *schmutzig* | interesante | *interessant* |
| peligroso, -a | *gefährlich* | | |
| el grupo | *die Gruppe* | | |
| ⊸ el medio | *die Mitte* | *Grammatik und Übungen:* | |
| en medio | *in der Mitte* | italiano, -a | *italienisch* |
| algunos, -as | *einige* | francés, -esa | *französisch* |
| la torre | *der Turm* | árabe | *arabisch* |
| encender | *anzünden* | belga | *belgisch* |
| que *(Relativpronomen)* | *der, die, das* | iraní | *iranisch* |
| el fuego | *das Feuer* | la argentina | *die Argentinierin* |

## 8B Grammatik

### 1. el/un als Artikel vor weiblichen Substantiven

> **el** agua
> **un** hambre

Ein weibliches Substantiv, das mit **betontem a-** oder **ha-** beginnt, erhält im Singular den Artikel **el** bzw. **un**. Adjektive haben die weibliche Form, da sich das grammatische Geschlecht des Substantivs nicht ändert (el agua fría *das kalte Wasser*). Im Plural steht der weibliche Artikel (las alas *die Flügel*).

### 2. unos, unas als Artikel; uno, una als Pronomen

**unos, unas** steht als unbestimmter Artikel bei Substantiven, die nur im Plural verwendet werden: unas gafas de sol *eine Sonnenbrille,* unos alrededores interesantes *eine interessante Umgebung.*

**unos, unas** steht als unbestimmter Artikel bei Substantiven, die meistens paarweise vorkommen oder zweiteilig sind; ferner steht **unos, unas** in der Bedeutung von „ein paar" vor einem Plural. In beiden Fällen muß der Artikel im Deutschen nicht gebraucht werden: lleva unos zapatos muy bonitos *sie trägt sehr hübsche Schuhe;* Luis y José son unos chicos muy alegres *Luis und José sind sehr lustige Burschen.*

¿Quién es Pedro?
Uno de los chicos.
*Wer ist Pedro?*
*Einer der* (od. *von den*) *Jungen.*

¿Quién es Gloria?
Una de las chicas.
*Wer ist Gloria?*
*Ein(e)s der* (od. *von den*) *Mädchen.*

**uno, una** hat als Pronomen die Bedeutung *einer, eine, ein(e)s.*

### 3. Gentilicios – Nationalitätsbezeichnungen

| | |
|---|---|
| un amigo italiano | *ein italienischer Freund* |
| una amiga italiana | *eine italienische Freundin* |
| un italiano, una italiana | *ein Italiener, eine Italienerin* |
| un amigo español | *ein spanischer Freund* |
| una amiga española | *eine spanische Freundin* |
| un español, una española | *ein Spanier, eine Spanierin* |
| el vino francés, la cocina francesa | *der französische Wein, die französische Küche* |
| el petróleo árabe, la cultura árabe | *das arabische Öl, die arabische Kultur* |
| el comercio belga, la industria belga | *der belgische Handel, die belgische Industrie* |
| el gobierno iraní, la revolución iraní | *die iranische Regierung, die iranische Revolution* |

Wörter, die eine geographische Zugehörigkeit bezeichnen (Land, Region, Stadt usw.), heißen im Spanischen „gentilicios". Sie werden als Substantive und Adjektive verwendet. Bei den „gentilicios" endet das Femininum auf -a, wenn das Maskulinum auf -o oder auf einen Konsonanten ausgeht; in allen anderen Fällen sind die männliche und die weibliche Form gleich. Die „gentilicios" werden immer kleingeschrieben.

### 4. Die Verneinung mit nada, nadie, nunca, tampoco

no lo hace nadie/nadie lo hace
*niemand macht es*
no falta nada/nada falta
*nichts fehlt*
no viene nunca/nunca viene
*er kommt nie/nie kommt er*
tampoco va él/él no va tampoco
*er geht auch nicht*

In einem Satz mit den Verneinungswörtern nada, nadie, nunca und tampoco steht **no** vor dem Verb, wenn jene hinter dem Verb stehen. Stehen sie vor dem Verb, dann entfällt no. Die doppelte Verneinung ist keine Bejahung. Vgl. Lekt. 10B5.

### 5. estar zur Bezeichnung des Zustandes / estar als Vollverb

1. estoy triste
2. ¿cómo estás?

*ich bin traurig*
*wie geht es dir?*

| 3. el agua está fría | *das Wasser ist kalt* |
|---|---|
| 4. estamos bien | *es geht uns gut* |
| 5. estáis de buen humor | *ihr seid gut gelaunt* |
| 6. están con dolor de cabeza | *sie haben Kopfschmerzen* |

Wenn durch ein Adjektiv, ein Adverb oder eine Präposition + Substantiv ein augenblicklicher Zustand angegeben wird, dann muß **estar** im zusammengesetzten Prädikat als Kopula (Satzband) verwendet werden. Dagegen wird **ser** zur Angabe eines Wesensmerkmals oder einer dauernden Eigenschaft verwendet (vgl. Lekt. 14B6 und 17B4). In vielen Fällen ist **estar** nicht mit *sein* zu übersetzen, so z. B. im zweiten, vierten und sechsten Beispielsatz.

¿Está Pedro?
*Ist Pedro da?*
No, no está.
*Nein, er ist nicht da.*

Als Vollverb bedeutet **estar** hier *dasein (anwesend sein)*.

**6. Das Gerundio (Gerundium); estar + Gerundio**

| Infinitiv | tom**ar** | com**er** | sub**ir** |
|---|---|---|---|
| Gerundio | tom**ando** *nehmend* | com**iendo** *essend* | sub**iendo** *steigend* |

Verben auf **-ar** haben im Gerundio die Endung **-ando**, Verben auf **-er** und **-ir** die Endung **-iendo**.

Gloria aprende alemán hablando con su novio.
*Gloria lernt Deutsch, indem sie mit ihrem Verlobten spricht.*

Das Gerundio ist unveränderlich. Im Deutschen gibt es dafür keine genaue Entsprechung. Es drückt eine gleichzeitige Handlung zu einem Hauptvorgang aus. Es ist in der Übersetzung mit einem Nebensatz wiederzugeben *(indem sie ...)*; das Subjekt des Hauptsatzes und des Nebensatzes sind gleich *(Gloria)*.

Die unbetonten Personalpronomen im Dativ und Akkusativ werden an das Gerundio angehängt (vgl. Lekt. 19B4).

El conductor está charlando con el portero.
*Der Fahrer spricht gerade mit dem Portier.*

Jorge está bebiendo cerveza.
*Jorge trinkt Bier.*

Die Verbindung **estar + Gerundio** wird verwendet, wenn man einen Vorgang oder eine Tätigkeit bezeichnet, die gerade im Gange ist. Im Deutschen wird **estar + Gerundio** durch ein Adverb wie „gerade" oder auch durch das einfache Tempus ausgedrückt.

## 8C Sprachgebrauch – Landeskunde

**ha aparcado:** Zur Bildung des zusammengesetzten Perfekts aus den Präsensformen von **haber** *(haben)* und dem Partizip Perfekt vgl. Lekt. 10B2.

Zu **pido** (von **pedir**) vgl. Lekt. 14B2.

**Burgos** ist eine Stadt in Kastilien.

Mit **Meseta** (mit großem Anfangsbuchstaben) ist hier die kastilische Hochebene gemeint.

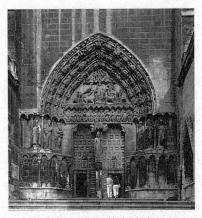

Burgos: Südportal der Kathedrale

## 8D Übungen

1. *Setzen Sie die richtige Form des Präsens Indikativ von* ser *oder* estar *ein:*
   a) El cocido .*es*. un plato típico de Madrid.
   b) El cocido *está* frío. No lo puedo comer.
   c) España *es*. un país muy bonito.
   d) Mis padres *están* en España.
   e) Carmen y Ramón *son* novios.
   f) Ramón *está* de buen humor siempre.
   g) Carmen *está* abajo con su novio.
   h) El río *está* a dos kilómetros de aquí.
   i) El río *está*. seco todo el año.
   j) El río *es*. importante para los campesinos.

2. *Bilden Sie Dialoge nach dem Muster:*
   ¿Dónde está <u>Jorge</u>?
   Está <u>en el bar.</u>
   ¿Qué está haciendo?
   Está <u>charlando con el portero.</u>

75

a) Pedro/en el bar/hablar con don Juan.
b) usted/en el hotel/esperar una llamada.
c) tú/abajo/charlar con la vecina.
d) vosotros/arriba/escribir cartas.
e) tus hermanos/en el comedor/comer.
f) ustedes/delante de la catedral/ver una cosa muy interesante.

3. *Bilden Sie Dialoge nach dem Muster:*
¿Qué <u>va a comer usted</u>?
Nada. No voy a comer nada.

a) estar mirando.
b) tener ganas de hacer.
c) tener que hacer.
d) querer preguntar.
e) acabar de ver.
f) ir a responder.
g) estar bebiendo.
h) estar haciendo.

4. *Setzen Sie die richtige Form des Adjektivs ein:*
a) <u>alemán</u>: Mis amigas . . . . . están aquí para conocer la ciudad.
b) <u>joven</u>: Las . . . . . secretarias están aprendiendo inglés.
c) <u>español</u>: En muchas ciudades . . . . . falta agua.
d) <u>azul</u>: Las maletas . . . . . no tienen dueño.
e) <u>andaluz</u>: A las playas . . . . . va gente de toda Europa.
f) <u>feliz</u>: Hijos . . . . ., madres . . . . . .

5. *Übersetzungsübungen:*

A) Ich bin Deutscher. Meine Mutter ist Katalanin. Fräulein Meyer ist nicht Deutsche, sondern Argentinierin. Nicht alle Deutschen sind zuverlässig (ernsthaft). Nicht alle Andalusier haben dunkles Haar (sind dunkelhaarig).

B) Ich sehe nichts. Sie fehlt nie. Er fragt nie. Hier arbeitet niemand. Ich arbeite auch nicht hier. Niemand ist glücklich hier. Ich werde es niemals tun.

C) Das Wasser ist kalt. Ich bin nicht traurig. Der Tag ist schön heute. Die Schuhe sind dreckig. Wir sind guter Laune. Warum seid ihr so lustig? Der Rock ist schon trocken.

D) Ich telefoniere gerade. Ich habe gerade telefoniert. Der Chef ißt gerade. Der Chef hat gerade gegessen.

E) *(Jeweils im Singular und Plural!)*
Was suchen Sie? Was machen Sie? Sie verkaufen Ihren Wagen? Machen Sie Bilder vom Dom? Sie bereiten einen cocido zu? Rufen Sie gerade Doktor Pérez?

## 9A Text

### La cita

Mari Carmen mira el reloj otra vez. Las ocho y cinco. Hace media hora que espera a Leonor. El día ha sido largo y pesado. Y ahora empieza a llover. ¡Cómo pierde una el tiempo cuando espera! ¿Qué hacer? No divierte nada contar los coches que pasan por la Gran Vía. Ya son las ocho y media. Por fin aparece Leonor. Está sola y lleva varios paquetes. Levanta el paraguas y lo mueve para hacerse ver.

**Leonor:** Hola, Mari Carmen, ¡qué elegante! Esos zapatos van muy bien con esa falda marrón. Tengo ya las fotos del viaje a Portugal. Ah, Isabel salió para Toledo y no puede venir. No vuelve hasta las nueve. Una de esas ideas locas de su jefe. A ver qué hora es. Huy, ¡qué tarde!

**Mari Carmen:** La película empieza a las nueve y cuarto. Ya no alcanzamos el Metro de las nueve. Ya son las nueve menos cinco.

**Leonor:** Podemos ir andando. ¡No sé cómo ha pasado el tiempo!

**Mari Carmen:** Con tantos paquetes no es posible ir deprisa. Además, está lloviendo.

**Leonor:** Pues vamos a tomar un taxi. Lo pago yo.

**Mari Carmen:** Mujer, un taxi cuesta un ojo de la cara. Y vamos a tardar lo mismo. Lo dejamos. Es lo mejor.

**Leonor:** ¿Qué tal si vamos el miércoles o el jueves?

**Mari Carmen:** El miércoles no puedo. Y los jueves tengo mi clase de inglés. ¿No lo recuerdas?

**Leonor:** Lo siento mucho, chica. ¿Estás muy molesta? ¿Me perdonas?

**Mari Carmen:** Mujer, es igual. Vamos a aquella cafetería a tomar un chocolate. Tengo frío.

Un cuarto de hora más tarde, el camarero trae dos tazas de chocolate caliente y unos churros.

**Leonor:** Mmmm, esto tiene muy buena cara. ¿Cuál quieres? – pregunta Leonor.

**Mari Carmen:** Ese. No quiero engordar. ¿Qué es eso?

**Leonor:** Un juguete para mi sobrino Pepe. Es el último cumpleaños en este año, por suerte. Esto es un reloj de pared para mi cocina. ¿Quieres verlo?

*Mari Carmen:* Luego. Ahora prefiero mirar las fotos del viaje.
*Leonor:* Vale, de acuerdo. Mira, éstos son los padres de Federico.
Esta es la tía Eugenia. En ésta estás muy bien tú.
¿Recuerdas aquel viernes en el monasterio de Yuste?
*Mari Carmen:* Claro que lo recuerdo. Yo pienso mucho en aquel viaje.
Aquellos meses son inolvidables.
*Leonor:* Oye, yo todavía tengo hambre. Voy a pedir un pastel de
frutas.

| | | | |
|---|---|---|---|
| la cita | die Verabredung | menos | weniger |
| el reloj | die Uhr | las nueve menos cinco | fünf (Minuten) vor neun |
| otra vez | noch einmal | | |
| las ocho y cinco | acht Uhr fünf | ir andando | zu Fuß gehen |
| hace media hora que espera | sie wartet seit einer halben Stunde | pasar | vergehen |
| ha sido | er ist gewesen | cómo ha pasado el tiempo | wie die Zeit vergangen ist |
| largo, -a | lang | deprisa (Adv.) | schnell |
| pesado, -a | schwer; langweilig | costar (ue) | kosten |
| empezar (ie) | anfangen, beginnen | el ojo | das Auge |
| empieza a | es beginnt zu | la cara | das Gesicht |
| llover (ue) | regnen | costar un ojo de la cara | ein Heidengeld kosten |
| perder (ie) | verlieren | tardar | lange dauern, Zeit brauchen |
| uno, una | man | | |
| divertir (ie) | Spaß, Freude machen | lo (Artikel) | das |
| contar (ue) | zählen; erzählen | lo mismo | dasselbe |
| ya son las ocho y media | es ist schon halb neun | vamos a tardar lo mismo | wir brauchen genauso lange |
| aparecer (zc) | erscheinen | si | wenn, falls |
| solo, -a | allein | el miércoles | der Mittwoch |
| levantar | heben; aufheben | ¿qué tal si vamos el miércoles? | wie wäre es, wenn wir am Mittwoch gehen (würden)? |
| el paraguas | der Regenschirm | | |
| mover (ue) | bewegen | | |
| para hacerse ver | um sich bemerkbar zu machen | el jueves | der Donnerstag |
| | | los jueves | donnerstags |
| hola | hallo; guten Tag, Servus | recordar (ue) | (sich) erinnern (an) |
| | | sentir (ie) | fühlen; bedauern |
| elegante | elegant, schick, fesch | lo siento | es tut mir leid |
| ¡qué elegante! | wie schick! | molesto, -a | ärgerlich |
| ese, esa, eso | der, die, das da | perdonar | entschuldigen, verzeihen |
| ir bien con | gut passen zu | | |
| salió para Toledo | sie ist nach T. gefahren | aquel, aquella, aquello | jener, jene, jenes |
| volver (ue) | zurückkommen, -fahren, -gehen | la cafetería | das Café |
| | | el chocolate | die Schokolade (auch als Getränk) |
| no vuelve hasta las nueve | sie kommt erst um neun zurück | | |
| la idea | die Idee | el frío | die Kälte |
| loco, -a | verrückt | tengo frío | mir ist kalt, ich friere |
| la hora | die Uhrzeit | el cuarto de hora | die Viertelstunde |
| qué hora es | wie spät es ist | más tarde | später |
| huy | o Gott! | traer | (her)bringen |
| tarde | spät | la taza | die Tasse |
| ¡qué tarde! | wie spät! | caliente | heiß |
| el cuarto | das Viertel | el churro | der Ölkringel (typisches Gebäck) |
| a las nueve y cuarto | um Viertel nach neun | | |
| alcanzar | erreichen | tener buena cara | gut aussehen |
| el Metro | die U-Bahn | engordar | dick werden |
| | | el juguete | das Spielzeug |

| | | | |
|---|---|---|---|
| el sobrino | *der Neffe* | pensar (ie) en | *denken an* |
| último, -a | *letzte(r, -s)* | el mes | *der Monat* |
| este, esta, esto | *dieser, diese, dieses (hier)* | inolvidable | *unvergeßlich* |
| | | oye | *du hör mal* |
| por suerte | *zum Glück* | pedir | *bestellen* |
| la pared | *die Wand* | el pastel | *der Kuchen* |
| la cocina | *die Küche* | la fruta | *die Frucht; das Obst* |
| luego | *nachher, später* | | |
| preferir (ie) | *vorziehen* | *Grammatik und Übungen:* | |
| prefiero mirar las fotos | *ich sehe mir lieber die Fotos an* | dormir (ue) | *schlafen* |
| | | deber ( + Inf.) | *müssen, sollen* |
| el viernes | *der Freitag* | limitarse a | *sich beschränken auf* |
| claro que lo recuerdo | *natürlich weiß ich es noch* | el domingo | *der Sonntag* |
| | | los domingos | *sonntags* |

## 9B Grammatik

### 1. Präsens Indikativ der Verbgruppe e/ie; unregelmäßige Gerundio-Formen

| pensar *denken* | perder *verlieren* | sentir *fühlen* |
|---|---|---|
| pienso | pierdo | siento |
| piensas | pierdes | sientes |
| piensa | pierde | siente |
| pensamos | perdemos | sentimos |
| pensáis | perdéis | sentís |
| piensan | pierden | sienten |

Bei einer Reihe von Verben wird in den **stammbetonten** Formen (also im Singular und in der 3. Person Plural) der Stammvokal **e** in **ie** verwandelt. Im Lehrbuch werden diese Verben mit (ie) gekennzeichnet. Von den bisher vorgestellten Verben gehört encender *anzünden* zu dieser Verbgruppe (Muster: perder).

Das Gerundio von sentir heißt sintiendo, es findet also bei dieser Verbgruppe auf -ir ein Wechsel des Stammvokals **e** zu **i** statt.

### 2. Präsens Indikativ der Verbgruppe o/ue; unregelmäßige Gerundio-Formen

| contar *zählen* | volver *zurückkommen* | dormir *schlafen* |
|---|---|---|
| cuento | vuelvo | duermo |
| cuentas | vuelves | duermes |
| cuenta | vuelve | duerme |
| contamos | volvemos | dormimos |
| contáis | volvéis | dormís |
| cuentan | vuelven | duermen |

79

Bei einer Reihe von Verben wird in den **stammbetonten** Formen der Stammvokal **o** in **ue** verwandelt. Im Lehrbuch werden diese Verben mit (ue) gekennzeichnet. Von den bisher vorgestellten Verben gehen almorzar *frühstücken* und encontrar *finden* nach dem Muster von contar; soler *(zu tun) pflegen* geht nach dem Muster von volver.

Das Gerundio von dormir heißt durmiendo, es findet also bei dieser Verbgruppe auf -ir ein Wechsel des Stammvokals **o** zu **u** statt.

### 3. Der Artikel lo

| | |
|---|---|
| **lo** bueno | *das Gute* |
| **lo** primero | *das erste* |
| **lo** típico | *das Typische* |

Der bestimmte Artikel **lo** steht vor Adjektiven, die als Substantive gebraucht werden. Andere Wortarten erhalten bei substantivischer Verwendung den Artikel **el**: el sí *das Ja;* el mañana *das Morgen;* el por qué *das Warum.*

### 4. Plural der Substantive auf -s

| |
|---|
| el mes – los mes**es** |
| *der Monat* |
| el autobús – los autobus**es** |
| *der Bus* |
| el paraguas – los paraguas |
| *der Regenschirm* |
| el jueves – los jueves |
| *der Donnerstag* |

Einsilbige oder auf der letzten Silbe betonte Substantive auf -**s** bilden den Plural auf -**es**. Die Pluralform wird nicht mit Akzent geschrieben, da die Betonung auf der vorletzten Silbe liegt.

Substantive auf -**s**, die nicht auf der letzten Silbe betont werden, bleiben im Plural unverändert (Plural = Singular).

### 5. Infinitivanschluß mit und ohne Präposition

| | |
|---|---|
| no divierte esperar | *es macht keinen Spaß, zu warten* |
| no me gusta esperar | *es gefällt mir nicht, zu warten* |
| no es posible ir deprisa | *es ist nicht möglich, schnell zu gehen* |

Nach unpersönlichen Ausdrücken wird der Infinitiv ohne Präposition angeschlossen.

| | |
|---|---|
| no puedo esperar | *ich kann nicht warten* |
| no quiero ir | *ich will nicht gehen* |
| suele llegar tarde | *er kommt meistens spät an* |
| no sé nadar | *ich kann nicht schwimmen* |
| debes ir | *du sollst gehen* |

Sind das Subjekt des konjugierten Verbs und das Subjekt des Infinitivs gleich, dann wird der Infinitiv bei den Modalverben (poder, querer, soler, saber, deber) ohne

Präposition angeschlossen; ebenso bei folgenden Verben: creer *glauben*, necesitar *müssen*, conseguir/lograr *es fertigbringen*, decidir *beschließen*, desear *wünschen*, esperar *hoffen*, intentar *versuchen*, parecer *scheinen*, pensar *gedenken, beabsichtigen*, prometer *versprechen*, preferir *vorziehen, lieber wollen*, temer *fürchten*, sentir *bedauern*.

empiezo a comprender          *ich beginne zu verstehen*
aprende a nadar               *er lernt schwimmen*

Nach Verben des Beginnens wird der Infinitiv mit a angeschlossen. Das Subjekt des konjugierten Verbs und das Subjekt des Infinitivs sind gleich. Man merke sich auch: dedicarse a *sich widmen*, limitarse a *sich beschränken auf*.

## 6. Die Demonstrativpronomen

Die Demonstrativpronomen werden im Spanischen immer mit Bezug auf den Standort des jeweils Sprechenden verwendet. Man unterscheidet danach drei Bereiche (die auch für zeitliche Verhältnisse gelten):

A) Bereich des Sprechenden: **este, esta, esto** *dieser, diese, dieses (hier)* weisen auf etwas hin, was in greifbarer Nähe des Sprechenden liegt.

|          | *männlich*    | *weiblich*    | *sächlich* |
|----------|---------------|---------------|------------|
| *Singular* | **este** libro | **esta** carta | **esto**  |
| *Plural*   | **estos** libros | **estas** cartas | –      |

B) Bereich des Angesprochenen: **ese, esa, eso** *dieser, diese, dieses (da)* weisen auf etwas hin, was in greifbarer Nähe des Gesprächspartners liegt.

|          | *männlich*    | *weiblich*    | *sächlich* |
|----------|---------------|---------------|------------|
| *Singular* | **ese** libro | **esa** carta | **eso**   |
| *Plural*   | **esos** libros | **esas** cartas | –       |

C) Entfernter Bereich: **aquel, aquella, aquello** *jener, jene, jenes* weisen auf etwas hin, was in der Ferne bzw. bei einem Dritten liegt.

|          | *männlich*       | *weiblich*        | *sächlich*  |
|----------|------------------|-------------------|-------------|
| *Singular* | **aquel** libro | **aquella** carta | **aquello** |
| *Plural*   | **aquellos** libros | **aquellas** cartas | –        |

Männliche und weibliche Demonstrativpronomen erhalten den Akzent, wenn sie allein stehen: ésta es la tía Eugenia *das ist Tante Eugenia*. Die sächlichen Formen erhalten jedoch niemals den Akzent.

Auf **esto, eso** und **aquello** kann niemals ein Substantiv folgen (Substantive sind männlich oder weiblich!). Sie stehen immer allein. Diese Wörter weisen hin:

81

– auf etwas, was nicht näher bezeichnet wird: esto es un reloj *dies ist eine Uhr;* ¿qué es eso? *was ist das?;* ¿ve usted aquello? *sehen Sie das da drüben?;*
– auf einen Satzinhalt. Sie werden als Ersatzformen für ello (vgl. Lekt. 7B4) verwendet. Ella sabe cocinar, eso es lo principal. *Sie kann kochen, das ist die Hauptsache.*

**esto, eso** und **aquello** beziehen sich nie auf Personen. Für „*Wer ist das?*" verwendet man Ausdrucksweisen wie z. B.: ¿Quién es ese señor? ¿Quién es esta chica?

In Aussagesätzen wie „Das ist X" stimmt das Demonstrativpronomen mit einem näher bestimmten Prädikatsnomen fast immer in Zahl und Geschlecht überein: ésta es la novela de mi hermano *das ist der Roman meines Bruders;* éstos son unos sobrinos de Pedro *das sind Neffen von Pedro.* Man merke sich den Unterschied: esto es un reloj *dies (dieses Ding in meiner Hand) ist eine Uhr;* éste es un reloj muy bueno *das (die Uhr an meinem Handgelenk) ist eine sehr gute Uhr.*

## 9C Sprachgebrauch – Landeskunde

**ha sido** er *(sie, es) ist gewesen* (vgl. Lekt. 8C): Die Formen des Hilfsverbs **haber** *(haben)* sind gegebenenfalls mit „sein" zu übersetzen; **sido** ist das Partizip Perfekt von **ser**.

**salió** (von **salir**): Zum historischen Perfekt (Pretérito indefinido) der Verben auf -ir vgl. Lekt. 17B2.

Im lebendigen Gespräch sind Anredewörter wie chico, chica, hombre, mujer von häufiger und nicht immer wörtlicher Verwendung hinsichtlich des Gesprächspartners. Ebenso häufige Anredewörter sind señor, señora, señorita oder Titel wie doctor, profesor. Mit señor, señora, señorita redet man Unbekannte an, z. B., wenn man sich nach dem Weg erkundigt: Señora, por favor, ¿para llegar a la catedral? *Entschuldigen Sie bitte, wie komme ich zum Dom?*

Der Imperativ von **oír** (oye, oiga, oíd, oigan, vgl. Lekt. 27B4) wird häufig verwendet, um die Aufmerksamkeit des Gesprächspartners auf die folgende Aussage zu lenken. Unbekannte kann man auch mit diesen Ausdrücken ansprechen; aber dieser überaus häufige Gebrauch gilt nicht überall als sozial angemessen.

**Die Uhrzeit**

Uhrzeitangaben beziehen sich immer auf **hora** und **horas**. Für *es ist* wird **es** oder **son** gesagt. Der Artikel **la, las** darf nicht fehlen.

¿**Qué hora es?** *Wie spät ist es?*

(es) la una | (es) la una y cinco | (es) la una y cuarto | (es) la una y veinte | (es) la una y media

(son) las dos menos veinticinco

(son) las dos menos cuarto

(son) las dos menos diez

(son) las dos

(son) las tres y diez

(son) las once menos cuarto

¿A qué hora empieza la película? *Wann (um wieviel Uhr) beginnt der Film?*
A las ocho y cuarto. *Um Viertel nach acht.*

Offizielle Zeitangaben (Rundfunk, Bahnhof usw.):

13.00 las trece

13.15 las trece y quince

19.48 las diecinueve y cuarenta y ocho

Allgemeinsprachliche Ergänzungen zur Uhrzeitangabe:

las tres en punto *genau/Punkt drei Uhr;* las tres de la tarde *drei Uhr nachmittags;* las cinco de la mañana *fünf Uhr morgens;* las diez de la noche *zehn Uhr abends.*

# 9D Übungen

1. Vivo en un barrio de los alrededores de Madrid. Viajo en Metro todos los días. Nunca encuentro asiento en el tren. Empiezo a trabajar a las diez y acabo a las ocho de la noche. Suelo comer en un bar que está junto al banco donde trabajo. Mi vida no es fácil. Duermo poco y mal. Pierdo mucho tiempo viajando de mi casa al trabajo. Los domingos no tengo ganas de hacer nada. Prefiero estar sola en el piso y no hablar con nadie.

   *Ändern Sie das Subjekt des Textes:* a) ella. b) nosotras. c) ellas.

2. A) *Ergänzen Sie mit* esto, éste, ésta *usw. und der richtigen Form von* ser:

   a) . . . . . . . . . mis hermanos.

   b) . . . . . . . . . una novela muy interesante.

   c) . . . . . . . . . la estación de Híjar.

   d) . . . . . . . . . el mes de los congresos.

   e) . . . . . . . . . unas vacaciones maravillosas.

   B) *Gleiche Übung mit* eso, ése *usw.:*

   a) . . . . . . . . . : una pregunta muy interesante.

b) ......... apellido muy español.
c) ......... perder el tiempo.
d) ......... no es típico del país.
e) ......... unos pañuelos muy bonitos.

C) *Gleiche Übung mit* aquello *usw.:*
a) ......... el parador.
b) ......... las torres de la catedral.
c) ......... la sierra de Gredos, ¿verdad?
d) ......... la costa del Sol.
e) ......... el coche de nuestro jefe.

3. *Setzen Sie den bestimmten Artikel ein:*
a) ..... vacaciones son maravillosas.
b) Sólo ..... difícil es interesante.
c) ..... paraguas ya está seco.
d) ..... agua está fría.
e) ..... idioma alemán es fácil para ..... alemanes.
f) ¿Cómo está ..... día hoy?
g) Alguien coloca ..... mano delante de ..... cámara.
h) ..... leche está caliente.

4. *Beantworten Sie die folgenden Fragen anhand der Bilder allgemeinsprachlich und offiziell:*
a) ¿Qué hora es?
b) ¿A qué hora llega el tren de Barcelona?

5. *Übersetzungsübungen:*

A) Das einzig Gute, das heiße Wasser, der lange Urlaub, der dritte Tag, die rechte Hand, die spanische Sprache, der deutsche Tourist, der junge Priester, die junge Journalistin, die deutsche Journalistin.

B) Ich komme um drei Uhr nachmittags an. Ich fange um Viertel vor eins an und bin um halb zwei fertig. Dieser Zug fährt nicht um drei Uhr, sondern eine halbe Stunde später. Sie müssen einen anderen Zug nehmen, gnädige Frau. Wie wäre es, wenn Sie mit dem Schiff fahren würden? Es gibt eins um fünf nach halb eins.

## 10A Text

**Amigos en un restaurante**

Carlos ha terminado sus estudios universitarios y está preparando oposiciones para profesor de bachillerato. Carlos es bajo y más bien gordo. Sus amigos le llaman Carlitos. Todo el mundo le quiere porque siempre está de buen humor y le admira porque es aplicado. Carlitos aguanta bastante. No le es difícil estudiar muchas horas sin descansar. Pero lo de las oposiciones no es ningún placer para nadie. Carlos tiene que estar en la biblioteca todo el día. Ha perdido algunos kilos y le duelen constantemente la cabeza, la espalda y los ojos. Pero Carlitos no olvida a los amigos por ello. Sus mejores amigas son Rosa María y Soledad. Los une una amistad de muchos años. Hoy va a verlas en el restaurante "Don Pepe". Ha sacado unos libros de la biblioteca para ellas.

| | |
|---|---|
| *Carlos:* | Hola, ¿qué tal? ¿vosotras habéis puesto ese disco? – pregunta Carlos a sus amigas. Se escucha una canción de Julio Iglesias en inglés. |
| *Soledad:* | ¿Tú crees que nos gusta eso? ¡Qué poco nos conoces! – dice Soledad. |
| *Carlos:* | ¿Me habéis esperado mucho rato? –pregunta Carlos tomando asiento. |
| *Soledad:* | Acabamos de llegar. Pero no podemos acompañarte. No vamos a almorzar. ¿Nos has traído todos los libros? |
| *Carlos:* | Sí, no falta ninguno. No ha habido ningún problema. Me han aceptado vuestras tarjetas sin preguntar nada. ¿Qué es de Piluca? |
| *Rosa María:* | No la hemos visto hoy. La mujer no tiene ningún tiempo para los amigos. ¿No os parece que ha adelgazado? –dice Rosa María. |
| *Carlos:* | Pues sí. Esto de las oposiciones no es ningún placer para nadie. Bueno, os veo a la noche en casa de Lola. ¿Le lleváis algún regalo? –pregunta Carlos. |
| *Soledad:* | Una botella de coñac, nada más –dice Soledad. |

Las chicas se van y Carlos llama al camarero.

| | |
|---|---|
| *Camarero:* | ¿Qué te pongo, Carlitos? |
| *Carlos:* | Lo de siempre. ¿Ha venido Adela hoy? |
| *Camarero:* | No, ni ayer tampoco. ¿Le quieres dejar algún recado? |
| *Carlos:* | No, voy a llamarla luego. ¡Hola, Federico! ¿qué hay? |

Acaba de entrar un compañero de estudios de Carlos. Se nota que no está tranquilo.

**Federico:** Traigo malas noticias. Adela ha tenido un accidente de tráfico.

**Carlos:** No estoy para bromas, Federico —dice Carlos.

**Federico:** Yo no hago bromas así nunca, hombre. La han ingresado en el hospital. Le han hecho una transfusión de sangre. Su estado es bastante crítico ...

| | |
|---|---|
| el restaurante | das Restaurant |
| terminar | beenden, abschließen |
| los estudios | das Studium |
| universitario, -a | Universitäts... |
| las oposiciones | (Auswahlprüfung für Beamte) |
| el profesor de bachillerato | der Gymnasiallehrer |
| bajo, -a | niedrig, klein |
| más bien | eher |
| gordo, -a | dick |
| llamar | nennen |
| le llaman | sie nennen ihn |
| Carlitos | Karlchen |
| querer a alguien | j-n mögen, lieben |
| admirar | bewundern |
| aplicado, -a | fleißig |
| aguantar | aushalten |
| bastante | ziemlich; ziemlich viel |
| descansar | sich ausruhen |
| ninguno, -a | keine(r, -s) |
| el placer | das Vergnügen |
| no es ningún placer para nadie | das ist für niemanden ein Vergnügen |
| la biblioteca | die Bibliothek |
| el kilo | das Kilo |
| doler (ue) | schmerzen, weh tun |
| constantemente | ständig |
| la espalda | der Rücken |
| por ello | deswegen |
| unir | verbinden; vereinigen |
| los une | es verbindet sie (Plur.) |
| la amistad | die Freundschaft |
| una amistad de muchos años | eine langjährige Freundschaft |
| ¿qué tal? | wie geht's? |
| poner | setzen, stellen, legen; (Platte) auflegen |
| puesto (von poner) | aufgelegt |
| el disco | die Schallplatte |
| se | man |
| la canción | das Lied |
| Julio Iglesias | (Name eines Schlagersängers) |
| en inglés | auf englisch |

| | |
|---|---|
| nos | uns |
| ¡qué poco! | wie wenig! |
| el rato | die Weile |
| mucho rato | lange Zeit, lange |
| acompañarte | dich begleiten |
| traido (von traer) | (mit)gebracht |
| no ha habido | es hat nicht gegeben |
| el problema | das Problem |
| aceptar | annehmen, anerkennen |
| la tarjeta | die Karte |
| sin preguntar nada | ohne etwas zu fragen |
| ¿qué es de ...? | was macht ...? |
| visto (von ver) | gesehen |
| la hemos visto | wir haben sie gesehen |
| os | euch |
| parecer (zc) | scheinen |
| adelgazar | abnehmen, schlank werden |
| pues sí | doch, ja |
| esto de | die Sache mit |
| a la noche | am (frühen) Abend |
| llevar | (hin)bringen, mitnehmen |
| el regalo | das Geschenk |
| la botella | die Flasche |
| el coñac | der Kognak |
| se van (von irse) | sie gehen weg |
| ¿qué te pongo? | was darf es sein? |
| lo de siempre | das Übliche |
| ayer | gestern |
| ni ayer tampoco | und gestern auch nicht |
| notar | merken, bemerken |
| se nota | man merkt |
| tranquilo, -a | ruhig |
| la noticia | die Nachricht |
| el accidente | der Unfall |
| el tráfico | der Verkehr |
| la broma | der Spaß, der Scherz |
| estar para bromas | zu Späßen aufgelegt sein |
| así | so, auf diese Weise |
| bromas así | solche Späße |
| ingresar | einliefern |
| el hospital | das Krankenhaus |
| hecho (von hacer) | gemacht, getan |

| la transfusión | die Transfusion | Übungen: | |
| la sangre | das Blut | en todo el día | (in verneinten Sätzen:) |
| el estado | der Zustand | | den ganzen Tag |
| crítico, -a | kritisch | | |

## 10B Grammatik

### 1. Präsens Indikativ von hacer, poner und traer

| hacer<br>*machen, tun* | poner<br>*setzen, stellen, legen* | traer<br>*(her)bringen* |
|---|---|---|
| hago | pongo | traigo |
| haces | pones | traes |
| hace | pone | trae |
| hacemos | ponemos | traemos |
| hacéis | ponéis | traéis |
| hacen | ponen | traen |

### 2. Partizip Perfekt und zusammengesetztes Perfekt (perfecto compuesto de indicativo)

| Regelmäßiges Partizip: | | | |
|---|---|---|---|
| *Infinitiv* | tomar | comer | subir |
| *Partizip* | tomado<br>*genommen* | comido<br>*gegessen* | subido<br>*gestiegen* |

| Drei umregelmäßige Formen: | | | |
|---|---|---|---|
| *Infinitiv* | hacer | poner | ver |
| *Partizip* | hecho<br>*gemacht* | puesto<br>*gesetzt, gestellt* | visto<br>*gesehen* |

| | |
|---|---|
| ya **he** pagado | *ich habe schon bezahlt* |
| **has** tenido suerte | *du hast Glück gehabt* |
| no **ha** habido problemas | *es hat keine Probleme gegeben* |
| la **hemos** visto arriba | *wir haben sie oben gesehen* |
| ¿dónde las **habéis** puesto? | *wo habt ihr sie hingestellt?* |
| ¿a qué hora **han** llegado? | *wann sind sie angekommen?* |

87

Das Perfekt wird immer mit dem Präsens Indikativ des Hilfsverbs **haber** und dem Partizip gebildet. Vollverb ist **haber** nur in der Form **hay** *es gibt* (3. Person Singular im Präsens Indikativ, vgl. Lekt. 11B2).
Hilfsverb und Partizip dürfen nicht getrennt werden. Das Partizip ist unveränderlich.

### 3. Die Personalpronomen im Akkusativ und Dativ: Personen

| | |
|---|---|
| Yo llego al bar. Pedro **me** saluda | *mich* |
| y **me** da algo. | *mir* |
| *(Ich komme in die Bar. Pedro begrüßt mich und gibt mir etwas.)* | |
| Tú llegas al bar. Pedro **te** saluda | *dich* |
| y **te** da algo. | *dir* |
| Él llega al bar. Pedro **le** saluda | *ihn* |
| y **le** da algo. | *ihm* |
| Ella llega al bar. Pedro **la** saluda | *sie* |
| y **le** da algo. | *ihr* |
| Nosotros llegamos al bar. Pedro **nos** saluda | *uns* |
| y **nos** da algo. | *uns* |
| Vosotros llegáis al bar. Pedro **os** saluda | *euch* |
| y **os** da algo. | *euch* |
| Ellos llegan al bar. Pedro **los** saluda | *sie (m/pl.)* |
| y **les** da algo. | *ihnen* |
| Ellas llegan al bar. Pedro **las** saluda | *sie (f/pl.)* |
| y **les** da algo. | *ihnen* |

Akkusativ und Dativ der Höflichkeitsformen müssen Geschlecht und Zahl der angeredeten Person(en) berücksichtigen.
Beispielsatz: *Ich bewundere Sie, ..., und schenke Ihnen diese Uhr.*

| | | | |
|---|---|---|---|
| Yo **la** admiro, señorita, | *Sie (f)* | Yo **le** admiro, señor, | *Sie (m)* |
| **le** regalo este reloj. | *Ihnen* | **le** regalo este reloj. | *Ihnen* |
| Yo **las** admiro, señoras, | *Sie (f/pl.)* | Yo **los** admiro, señores, | *Sie (m/pl.)* |
| **les** regalo este reloj. | *Ihnen* | **les** regalo este reloj. | *Ihnen* |

Die hier dargestellten Formen stehen immer beim Verb und werden darum „unbetonte" oder „verbundene" Personalpronomen genannt. Sie werden nicht bei Präpositionen (vgl. Lekt. 14B3) und nicht als Antwort auf die Fragen „wen?" oder „wem?" (vgl. Lekt. 16B4) verwendet. **a** als Zeichen des Personenakkusativs steht niemals vor dem verbundenen Personalpronomen.
Die Stellung im Satz folgt den Regeln für die Stellung von **lo, la, los, las** (vgl. Lekt. 7B4).

In weiten Teilen des spanischen Sprachgebietes wird für das männliche Personalpronomen des Akkusativs Singular **lo** statt **le** gebraucht; verbreitet ist auch die Verwendung des männlichen Pronomens **les** statt **los** für den Akkusativ Plural.

### 4. Verkürzung und Gebrauch von alguno und ninguno

¿Llevas **algún** regalo?
*Nimmst du ein Geschenk mit?*

¿Traes **alguna** noticia?
*Bringst du eine Nachricht?*

Tengo **algunos** duros.
*Ich habe einige 5-Peseten-Stücke.*

Tengo **algunas** pesetas.
*Ich habe ein paar Peseten.*

No falta **ningún** libro.
*Es fehlt kein Buch.*

**Ningún** disco es bueno.
*Keine Platte ist gut.*

¿Están todas?
Sí, no falta **ninguna**.
*Sind alle da?*
*Ja, es fehlt keine.*

Eso no es **ningún** placer.
*Das ist gar kein Vergnügen.*

No tengo tiempo **ninguno**.
*Ich habe überhaupt keine Zeit.*

Vor einem männlichen Substantiv wird alguno zu **algún**.

**alguno, alguna** bezeichnet einen Gegenstand oder eine Person auf ganz unbestimmte Weise. Im Deutschen steht dafür oft der unbestimmte Artikel.

algunos, algunas = *einige, ein paar*.

Vor einem männlichen Substantiv wird ninguno zu **ningún**.

Für **ninguno** gelten die Regeln der mehrfachen Verneinung, die keine Bejahung ist. Siehe Lekt. 8B4 und unten Abschnitt B5.

**ninguno, ninguna** steht für *kein*, wenn kein Element einer in Frage kommenden Menge vorhanden ist. Die Pluralform wird selten gebraucht.

**ninguno** steht manchmal als Negationsverstärkung: *keinerlei, überhaupt keiner*. Es wird dann oft nachgestellt.

### 5. Mehrfache Verneinung

Eso no es ningún placer para nadie.
*Das ist für niemanden ein Vergnügen.*

El hombre no habla nunca con nadie.
*Der Mann spricht nie mit irgend jemandem.*

El hombre no pregunta nunca nada a nadie.
*Der Mann fragt nie jemanden etwas.*

No ha venido hoy ni tampoco ayer.
*Heute ist er nicht gekommen und gestern auch nicht.*

Lo ha hecho sin preguntar a nadie.
*Er hat es gemacht, ohne jemanden zu fragen.*

Im bereits verneinten Satz und nach der Präposition sin *ohne* werden möglichst Verneinungsformen von Pronomen, Adverbien und Konjunktionen verwendet. Im Deutschen stehen dafür einfach verneinte Sätze.

**6. lo de**

lo de las oposiciones
esto del viaje a Italia
eso de la amistad
aquello del accidente

lo de = *das mit, die Sache mit.* In dieser
überaus häufigen Wendung ist der Artikel lo ein völlig unbetontes Wort.
Statt lo stehen auch häufig die Demonstrativpronomen esto, eso, aquello.

## 10C Sprachgebrauch – Landeskunde

Beachten Sie bitte: **traer** bedeutet *herbringen; hinbringen* heißt **llevar.**

**Oposiciones** sind wettbewerbsartige Prüfungen für Posten im öffentlichen Dienst,
dem Lehrberuf, dem Bankwesen und vielen anderen Sparten.

**Begrüßungsformeln**
Familiär: hola / hola, buenas / hola, muy buenas.

Formell:  am Vormittag: buenos días;
 am Nachmittag: buenas tardes;
 wenn es dunkel geworden ist: buenas noches.

Bei der Begrüßung sagt man oft:
¿Qué tal?/¿Qué hay? *Wie geht's?;* ¿Qué tal te va? ¿Qué tal le va? *Wie geht's dir? Wie
geht's Ihnen?*

Die Frage nach dem Gesundheitszustand lautet:
¿Cómo estás? ¿Cómo está usted? *Wie geht's dir? Wie geht's Ihnen?*

**Abschiedsgrußformeln:**
hasta luego / adiós / hasta la vista *auf Wiedersehen*
hasta pronto *bis später* / *bis bald*
hasta ahora *bis gleich.*

## 10D Übungen

1. Jorge ha terminado sus estudios y está preparando oposiciones para profesor de
bachillerato. Jorge es alto y más bien delgado. Sus amigos le llaman Jocho. Todo
el mundo le quiere porque siempre está alegre y le admira porque es aplicado.
Jocho no necesita descansar mucho y puede trabajar muchas horas sin comer.
Pero esto de las oposiciones no le gusta. Le deja poco tiempo para estar con sus
amigos. Sus mejores amigas son Alicia y Beatriz. Los une una amistad de muchos
años. Él las quiere como a sus propias hermanas. Les hace favores con el mayor
placer, sobre todo a Beatriz. Hoy va a verla, como todos los días, en el restaurante
donde él suele almorzar.
 *Ändern Sie das Subjekt:*  a) yo.  b) ella.  c) nosotras.

2. *Bilden Sie Dialoge nach dem Muster:*
A) ¿Dónde está la blusa? No la encuentro.
La he puesto allí. ¿No la ves?
a) discos.   b) botella.   c) vino.   d) coñac.   e) zapatos.   f) lápiz.   g) bolígrafo.   h) tarjetas.   i) pan.   j) regalo.

B) ¿Has visto a José?
No, no le he visto en todo el día.
a) Luis.   b) Ramón.   c) Leonor.   d) las chicas.   e) mis hermanos.   f) los periodistas.   g) el doctor García.   h) doña María.

3. *Bilden Sie Dialoge nach dem Muster:*
A) Hay alguna blusa azul?
No, no hay ninguna blusa azul.
a) vestido verde.   b) pañuelo amarillo.   c) hombre feliz.   d) pregunta difícil.   e) idioma fácil.   f) grave problema.

B) ¿Están todos?
Sí, no falta ninguno.
*Dies ist ein Dialog mit Bezug auf los chicos. Bilden Sie ähnliche Dialoge mit Bezug auf:*
a) las chicas.   b) las botellas.   c) los señores.   d) las estudiantes.   e) los turistas.   f) los compañeros.

4. *Bilden Sie Sätze nach dem Muster:*
todos/trabajar bien/excepción
Todos han trabajado bien, sin ninguna excepción.
a) la abuela/llegar bien/dificultad.
b) Gloria y Alfonso/venir a Madrid/equipaje.
c) nosotros/hacer eso/problema.
d) yo/llamar allí varias veces/respuesta.
e) vosotros/salir/prisa.

5. *Übersetzungsübungen:*
A) Ich habe ein Geschenk gekauft. Du hast keine neue Idee vorgebracht (angeboten). Wir haben die Großmutter nach Hause begleitet. Seid Ihr in Italien gewesen? Diese Männer sind Bauern gewesen. Sie ist jetzt nicht zu Hause; wir haben sie mehrmals angerufen und niemand hat abgenommen (geantwortet).

B) Ich will euch meine Freundschaft anbieten. Die Leute hören ihm zu, ohne etwas zu verstehen. Es macht mir keinen Spaß, auf ihn zu warten. Sie lieben dich nicht. Die Stadt gefällt uns sehr.

C) *Mit señoras und señor als Anrede:*
Ich bringe Sie nach Hause. Ich will Sie etwas (eine Sache) fragen. Gefallen Ihnen diese Blumen? Tut Ihnen der Kopf weh? Ich bringe Ihnen ein Geschenk. Ich werde Sie nie vergessen.

## 11A Text

**Querida abuelita: ...**

Santo Domingo de la Calzada, 4-IV-1988

Querida abuelita:

Aprovecho que Moncho se está bañando para contestar a tu cariñosa carta del día 1. Te agradezco mucho los consejos que me das sobre la vida conyugal. Me escribes que el tío Julio os ha presentado a su novia y me alegro mucho de ello. Yo creo que nunca es tarde para casarse.

Yo estoy ahora en el vestíbulo del parador. Es una sala muy grande, de paredes muy altas, llena de muebles antiguos. Las sillas y sillones son del siglo XVI. Son muy duros e incómodos. En las paredes hay unas armas que están llenas de polvo. Ahora son las doce del día, pero aquí hay poca luz porque las ventanas dan a un patio interior sin sol. Una se siente aquí como en la época de Carlos Quinto o Alfonso Doce. En el pasillo del primer piso hay un mapa de la isla de Cuba con la fecha: a 3 de abril de 1620. Nosotros dormimos en una cama de madera tallada. Bueno, aquí se acaba lo antiguo. Las habitaciones tienen todas las comodidades modernas. Nosotros estamos en la planta baja. Tenemos teléfono e incluso un televisor de color. Moncho puede afeitarse con su nueva maquinilla eléctrica. Pero también son modernos los precios. Comer aquí sale bastante caro. Un café cuesta doscientas pesetas, un desayuno completo sale a mil quinientas y una cena a cuatro mil ochocientas. Estamos gastando mucho en comer y beber. También gastamos mucho en gasolina, ya que salimos de excursión todos los días. Dentro de unos minutos salimos para Bilbao.

Lo estamos pasando muy bien. ¡Qué bien te sientes cuando te levantas y te acuestas a la hora que quieres! Hemos decidido quedarnos unos días más. Hay por aquí lugares muy bonitos. A ver si llegamos hasta los Pirineos. Quisiera ver nieve de cerca. En el parador hemos hecho amistad con una pareja alemana. Ellos también están haciendo su viaje de bodas. Nos entendemos muy bien a pesar de que no hablan bien el español. Hemos cenado juntos dos veces. Se marchan pasado mañana y pensamos encontrarnos una vez más para despedirnos y cambiar direcciones.

Bueno, Moncho ha aparecido en la puerta y me está señalando el reloj. Se ha puesto una corbata muy elegante. Yo tengo que arreglarme un poco. Apenas me he lavado las manos y no me he peinado aún. Es hora de decirte adiós, abuelita.

Muchos recuerdos a todos y un abrazo y un beso cariñoso de tus nietos

Moncho y Fátima

| | |
|---|---|
| querido, -a | lieb, geliebt |
| la abuelita | die Oma |
| aprovechar | (aus)nutzen, benutzen |
| Moncho (Kosename von Ramón) | Raimund |
| bañarse | baden |
| contestar a | antworten auf |
| cariñoso, -a | liebevoll |
| agradecer (zc) algo a alguien | j-m für etw. danken |
| el consejo | der Ratschlag |
| conyugal | Ehe..., ehelich |
| presentar | vorstellen |
| la novia | die Braut, die Verlobte |
| alegrar | freuen, erfreuen |
| alegrarse de | sich freuen über |
| casarse | heiraten |
| el vestíbulo | die Eingangshalle |
| de paredes altas | mit hohen Wänden |
| lleno, -a | voll |
| el mueble | das Möbel(stück) |
| antiguo, -a | alt, altertümlich |
| la silla | der Stuhl |
| el sillón | der Sessel |
| el siglo | das Jahrhundert |
| duro, -a | hart |
| incómodo, -a | unbequem |
| el arma f | die Waffe |
| el polvo | der Staub |
| la luz | das Licht |
| la ventana | das Fenster |
| dar a | gehen auf |
| el patio | der Hof |
| interior | Innen... |
| la época | das Zeitalter, die Epoche |
| Carlos Quinto | Karl der Fünfte |
| Alfonso Doce | Alfons der Zwölfte |
| el pasillo | der Flur |
| el mapa | die Landkarte |
| la isla | die Insel |
| la fecha | das Datum |
| abril m | April |
| a 3 de abril de 1620 | am 3. April 1620 |
| la cama | das Bett |
| la madera | das Holz |
| tallado, -a | geschnitzt |
| acabarse | enden, aufhören |
| la comodidad | die Bequemlichkeit |
| moderno, -a | modern |
| la planta | die Pflanze; das Stockwerk |
| la planta baja | das Erdgeschoß |
| incluso (Adv.) | sogar |
| el televisor | der Fernseher |
| de color | Farb... |
| afeitar | rasieren |
| la maquinilla eléctrico, -a | der Rasierapparat elektrisch |
| caro, -a | teuer |
| salir caro, -a | teuer kommen |
| el desayuno | das Frühstück |
| completo, -a | vollständig, komplett |
| sale a ... (pesetas) | kommt auf ... (Peseten) |
| cuatro mil ochocientas (pesetas) | 4 800 (Peseten) |
| gastar en | ausgeben für, verbrauchen für |
| la gasolina | das Benzin |
| ya que | denn |
| la excursión | der Ausflug |
| salir de excursión | einen Ausflug machen |
| lo estamos pasando muy bien | wir haben eine sehr schöne Zeit |
| levantarse | aufstehen |
| acostarse (ue) | sich hinlegen, schlafen gehen |
| a la hora que quieres | wann du willst |
| decidir | beschließen; entscheiden |
| quedarse | bleiben |
| más | mehr |
| unos días más | noch ein paar Tage |
| por aquí | hier, in dieser Gegend |
| el lugar | der Ort, der Platz, die Stelle |
| los Pirineos | die Pyrenäen |
| quisiera | ich möchte, ich würde gern |
| la nieve | der Schnee |
| de cerca | aus der Nähe, von nahem |
| hacer amistad | sich anfreunden |
| las bodas | die Hochzeit |
| el viaje de bodas | die Hochzeitsreise |
| entenderse bien | sich gut verstehen |
| a pesar de que | obwohl |
| cenar | zu Abend essen |
| marcharse | abreisen; weggehen |

93

| | | | |
|---|---|---|---|
| pasado mañana | *übermorgen* | lavar | *waschen* |
| pensar (ie) | *vorhaben zu, wollen* | peinar | *kämmen* |
| encontrar (ue) a al-guien | *j-n treffen* | aún | *noch* |
| | | es hora de | *es ist Zeit zu* |
| una vez más | *noch einmal* | el recuerdo | *die Erinnerung; der* |
| despedirse | *sich verabschieden* | | *Gruß* |
| cambiar | *tauschen, austauschen* | el abrazo | *die Umarmung* |
| la puerta | *die Tür* | el beso | *der Kuß* |
| señalar | *zeigen* | el nieto | *der Enkel* |
| ponerse | *sich anziehen; umbin-den* | | |
| la corbata | *die Krawatte* | Grammatik und Übungen: | |
| arreglarse | *sich fertigmachen, sich herrichten* | el capítulo | *das Kapitel* |
| | | el marco | *die D-Mark* |
| apenas | *kaum* | la provincia | *die Provinz* |
| | | la vendedora | *die Verkäuferin* |

## 11B Grammatik

### 1. Präsens Indikativ der reflexiven Verben

**lavarse** *sich waschen*

| | | | | |
|---|---|---|---|---|
| **me** lavo | *ich wasche mich* | **nos** lavamos | *wir waschen uns* |
| **te** lavas | *du wäschst dich* | **os** laváis | *ihr wascht euch* |
| **se** lava | *er, sie, es wäscht sich* | **se** lavan | *sie waschen sich* |

Der Infinitiv der reflexiven Verben endet auf **-arse, -erse** oder **-irse**.

Die Reflexivpronomen **me, te, se, nos, os** sind auch Dativformen; sie sind also im Akkusativ und Dativ gleich: me lavo las manos *ich wasche mir die Hände*.

Die reflexive Form eines Verbs kann – wie im Deutschen – auch Wechselseitigkeit bedeuten: se ven todos los días *sie sehen sich ( = einander) jeden Tag*.

Die folgenden reflexiven Verben sind in einzelnen Formen bereits im Lehrbuch vorgekommen: dedicarse *sich widmen,* apearse *aussteigen,* alojarse *sich einquartieren,* llamarse *heißen,* llevarse bien *sich vertragen,* irse *weggehen,* quedarse *bleiben.*

Im Wörterverzeichnis wird die reflexive Form auf -arse, -erse, -irse nur dann gesondert angegeben, wenn gegenüber der Grundform auf -ar, -er, -ir ein Bedeutungsunterschied besteht.

### 2. Die unpersönliche Form von haber

¿Hay algún bar por aquí?
*Gibt es hier irgendwo eine Bar?*

Hay una botella en la mesa.
*Eine Flasche steht auf dem Tisch.*

Hay un hombre en la puerta.
*Da ist ein Mann an der Tür.*

Mañana hay una fiesta.
*Morgen gibt es ein Fest.*

Als unpersönliches Verb hat **haber** im Präsens Indikativ die Form **hay** (= 3. Person Singular und Plural). Mit **hay** wird angegeben, daß etwas vorhanden ist, vorkommt oder sich ereignet bzw. daß sich jemand irgendwo befindet. Im Deutschen wird **hay** je nach dem Sinn des Satzes mit *es ist, es sind* oder *es gibt* wiedergegeben.

94

Hay nieve en la montaña.
*Es liegt Schnee auf dem Berg.*
Hay gente en el patio.
*Es sind Leute im Hof.*

wiedergegeben; manchmal ist es auch mit der 3. Person Singular oder Plural eines Verbs wie *sitzen, liegen, stehen, hängen* zu übersetzen.

### 3. Zum Gebrauch der Präposition de

la chica del bolso verde
*das Mädchen mit der grünen Tasche*
las habitaciones del primer piso
*die Zimmer im ersten Stock(werk)*

**de** dient zur Angabe eines kennzeichnenden Merkmals. Das gilt auch für eine Standortbestimmung.

la provincia de Toledo
*die Provinz Toledo*
el mes de abril
*der Monat April*
a nombre de Jorge Braun
*auf den Namen Jorge Braun*
la ciudad de Burgos
*die Stadt Burgos*
un mapa de la isla de Cuba
*eine Landkarte der Insel Kuba*
el 2 de abril de 1988
*der 2. April 1988*

**de** verbindet Substantive – wie provincia, mes, nombre, ciudad – mit Namen. In **Datumsangaben** steht de sowohl vor dem Monatsnamen als auch vor der Jahreszahl.

| | |
|---|---|
| de pronto | *plötzlich* |
| de momento | *im Moment* |
| de acuerdo | *einverstanden* |
| de vacaciones | *auf/in Urlaub* |
| salir de excursión | *einen Ausflug machen* |
| estar de buen humor | *gut gelaunt sein* |

**de** ist Bestandteil zahlreicher Wendungen, die man sich einprägen muß.

### 4. Die Grundzahlen von 200 bis 999

| | |
|---|---|
| 200 doscientos, -as | 600 seiscientos, -as |
| 300 trescientos, -as | 700 setecientos, -as |
| 400 cuatrocientos, -as | 800 ochocientos, -as |
| 500 **quini**entos, -as | 900 novecientos, -as |

Vor einem männlichen Substantiv enden diese Zahlwörter auf **-os**, vor einem weiblichen Substantiv auf **-as**. Die folgenden Beispiele beziehen sich auf „pesetas" (zu den Zahlen mit *mil* vgl. Lekt. 6B6):

200 doscientas
1.340 mil trescientas cuarenta
35.452 treinta y cinco mil cuatrocientas cincuenta y dos

95

99.599 noventa y nueve mil quinientas noventa y nueve
600.600 seiscientas mil seiscientas
720.468 setecientas veinte mil cuatrocientas sesenta y ocho
841.591 ochocientas cuarenta y un mil quinientas noventa y una
999.999 novecientas noventa y nueve mil novecientas noventa y nueve.

## 5. Die Ordnungszahlen und ihre Ersatzformen

Von den Ordnungszahlen sind nur die Formen von 1 bis 10 gebräuchlich:

| | |
|---|---|
| 1. primero, -a | 6. sexto, -a |
| 2. segundo, -a | 7. séptimo, -a |
| 3. tercero, -a | 8. octavo, -a |
| 4. cuarto, -a | 9. noveno, -a |
| 5. quinto, -a | 10. décimo, -a |

Bei höheren Zahlen werden die Grundzahlen verwendet: lección once *elfte Lektion.*

Bei der Benennung von Buchkapiteln, den Jahrhunderten vor und nach Christi Geburt sowie bei Herrschernamen werden die Ordnungszahlen und ihre Ersatzformen **nachgestellt.** Bei Herrschernamen steht – im Gegensatz zum Deutschen – kein Artikel vor der Ordnungszahl, nach dieser steht nie ein Punkt. Beispiele:

capítulo primero
*erstes Kapitel*

el siglo cuarto (el siglo IV)
*das vierte Jahrhundert (das 4. Jahrhundert)*

Carlos Quinto (Carlos V)
*Karl der Fünfte (Karl V.)*

Alfonso Trece (Alfonso XIII)
*Alfons der Dreizehnte (Alfons XIII.)*

In den übrigen Fällen werden die echten Ordnungszahlen meistens vorangestellt, die Ersatzformen dagegen meistens nachgestellt:

mis primeros viajes
*meine ersten Reisen*

la tercera puerta
*die dritte Tür*

su segunda obra
*sein zweites Werk*

el piso dieciséis
*das sechzehnte Stockwerk*

## 6. Übereinstimmung von Substantiv und Adjektiv

**La** silla y **el** sillón son incómod**os.**
*Der Stuhl und der Sessel sind unbequem.*

**una** silla y **un** sillón incómod**os**
*ein unbequemer Stuhl und ein unbequemer Sessel*

**muchas** mujeres y niños
*viele Frauen und Kinder*

Ein Adjektiv, das sich auf mehrere Substantive bezieht, steht immer im Plural. Es muß im Plural der **männlichen** Form stehen, wenn ein männliches Substantiv dabei ist. Das gilt sowohl für den prädikativen Gebrauch (la silla y el sillón son incómodos) als auch für den attributiven Gebrauch (una silla y un sillón incómodos) des Adjektivs. Ein vorangestelltes Adjektiv stimmt jedoch meistens im Geschlecht nur mit dem ersten Substantiv überein (muchas mujeres y niños).

## 11C Sprachgebrauch – Landeskunde

Zu **quisiera** *ich möchte* (Konjunktiv Imperfekt von querer) vgl. Lekt. 24C.

**Santo Domingo de la Calzada** ist eine Kleinstadt in Altkastilien.

**Carlos Quinto:** Karl V., König von Spanien und Kaiser von Deutschland (1500 bis 1558); in Spanien regierte er ab 1516 als Carlos Primero.

**Alfonso Doce:** Alfons XII., König von Spanien (1857–1885).

**Das Datum**

Santo Domingo de la Calzada: Kathedrale

Für die Datumsangabe verwendet man die **Grundzahlen**; nur für den Monatsersten kann die Ordnungszahl (primero) gebraucht werden. Für die deutschen Wendungen mit *am, den* oder *der* steht im Spanischen **el**: hoy es el doce de abril *heute ist der 12. April;* se marchan el doce de abril *sie reisen am 12. April ab.*

Zur Angabe des Tagesdatums wird häufig **estar a** verwendet: ¿a cuántos estamos? *den Wievielten haben wir heute?;* estamos a doce de abril *wir haben heute den 12. April.*

Im **Brief** steht als Datumsangabe: Burgos, (viernes,) 12-IV-1988 *Burgos, (Freitag) den 12.4.1988.* Zu lesen ist diese Angabe: Burgos, doce de abril de mil novecientos ochenta y ocho, also ohne Artikel.

Die **Jahreszahlen** ab 1000 werden als Tausender gesprochen: hoy es el doce de abril de mil novecientos ochenta y uno *heute ist der 12. April 1988.*

Die Namen der **Monate** sind männlich. Sie lauten:

| | | | | | |
|---|---|---|---|---|---|
| enero | *Januar* | mayo | *Mai* | septiembre | *September* |
| febrero | *Februar* | junio | *Juni* | octubre | *Oktober* |
| marzo | *März* | julio | *Juli* | noviembre | *November* |
| abril | *April* | agosto | *August* | diciembre | *Dezember* |

Vor dem Monatsnamen steht nie der bestimmte Artikel: la boda es en julio *die Hochzeit ist im Juli.*

## 11D Übungen

1. *Ändern Sie in den folgenden Sätzen das Subjekt:*
   A) No me siento bien. Me duele la espalda.
   a) ella.   b) nosotros.   c) ellas.

B) Pedro no se peina nunca. No le gusta peinarse.
   a) yo.  b) tú.  c) mis hermanos.  d) vosotros.  e) nosotros.

2. 255, 564, 1.358, 1.944, 16.814, 321.781, 2.678.921.
   a) *Schreiben Sie die Zahlen aus.*
   b) *Lesen Sie die Zahlen mit* marcos *und* pesetas *laut.*

3. *Setzen Sie die fehlende Präposition ein:*
   a) Ya estamos . . . . . la provincia . . . . . Álava.
   b) ¿Qué es . . . . . tus hermanos?
   c) La ventana . . . . . mi habitación da . . . . . la calle.
   d) Nosotras pensamos mucho . . . . . aquel viaje.
   e) Me alegro mucho . . . . . verle, don Pedro.
   f) Hemos gastado cien mil pesetas . . . . . gasolina.
   g) Los restaurantes . . . . . el centro son caros.
   h) El señor . . . . . la corbata amarilla es mi profesor . . . . . español.
   i) En el andén hay una señorita . . . . . un bolso . . . . . cuero.
   j) ¿ . . . . . qué te dedicas ahora?

4. *Setzen Sie die richtige Form des Adjektivs ein:*
   a) un chico y una chica (difícil).  b) un hotel y una iglesia bastante (antiguo).
   c) un hombre y una mujer muy (gordo).  d) (alguno) cartas y paquetes.  e) una
   camarera y una vendedora (joven).  f) el vino y la cerveza (alemán).  g) (último)
   días y semanas.

5. *Übersetzungsübungen:*

A) Zwei Bücher liegen auf dem Tisch. Hier liegt viel Staub. In diesem Museum hängt
   kein Bild von Picasso. Auf dem Bahnsteig stehen fünf Polizisten. Heute ist kein
   Unterricht und morgen auch nicht. Ist hier in der Gegend ein gutes Restaurant?

B) Am ersten Tag haben wir die ganze erste Lektion durchgenommen (gemacht).
   Seine zweite Frau hat ihm drei Kinder geboren (gegeben). Herrn Pérez' Frau ist
   die Dame mit der Sonnenbrille. Wir wohnen nicht im dreizehnten, sondern im
   vierzehnten Stockwerk. Juan Carlos I. ist der Enkel von Alfons XIII.

C) *(Alle Verben werden reflexiv gebraucht!)*
   Ich gehe jetzt. Wie heißt du? Ich bin gerade aufgestanden. Ich gehe meistens um
   halb zwölf ins Bett (. . . pflege zu . . .). Wir müssen hier aussteigen. Ich bade nicht
   gern in kaltem Wasser (mir gefällt es nicht . . .). Bleibt Ihr noch eine Weile?

D) *(Jeweils in Singular und Plural!)*
   Wie fühlen Sie sich heute? Freuen Sie sich nicht über diese Nachricht? Wann
   stellen Sie sich Ihren Kollegen vor? Treffen Sie sich am Abend mit Herrn García?
   Warum vertragen Sie sich nicht mit Ihren Nachbarn? Wo werden Sie in Madrid
   wohnen? (In Madrid wo . . . sich einquartieren?)

## 12A Text

### En Santillana del Mar

En Santillana del Mar se puede tomar leche fresca con bizcocho por treinta pesetas. Pero la vieja ciudad cántabra es famosa por otra razón. Santillana es un recuerdo vivo de épocas muertas. Cuatro siglos han pasado sin dejar huellas en su arquitectura. El edificio más reciente es del siglo XVII. No se ven coches ni motos por sus calles, sino caballos, vacas y gallinas. El aire no huele a gasolina quemada, sino a establo y a paja fresca. Aquí se siente uno en otra España: en la España de la Reconquista o en la España de la Conquista de América.

Lucía y Gerardo, una joven pareja en viaje de vacaciones, van andando despacio hacia el aparcamiento que se encuentra fuera de la ciudad. Han dormido la siesta después de recorrer Santillana. Lo han visto todo y ahora están listos para visitar las cuevas de Altamira.

| | |
|---|---|
| *Lucía:* | El tiempo está más agradable que por la mañana. Ya no hace viento –dice Lucía. |
| *Gerardo:* | Pero hace más frío. Por suerte tenemos calefacción central –dice Gerardo. |
| *Lucía:* | Este parador es mejor que el de Santo Domingo de la Calzada. |
| *Gerardo:* | Bueno, la comida no es mejor ni peor. Y los precios son iguales. |
| *Lucía:* | Pero los camareros son más atentos. |
| *Gerardo:* | En todos los paradores nos han atendido bien. No podemos quejarnos. |
| *Lucía:* | ¿Qué me dices del paisaje? En ningún lado es tan bonito como aquí. |
| *Gerardo:* | Eso sí. Santillana está en la región más hermosa de España. |
| *Lucía:* | Eso lo ha dicho ya aquel escritor francés que es tan famoso. Yo soy de la misma opinión. |
| *Gerardo:* | Santillana no le gusta a todo el mundo. A Ortega, por ejemplo, le parece una cursilería. |
| *Lucía:* | Bueno. Oye, a propósito de escribir, no hemos mandado aún ninguna tarjeta. No debemos olvidar al tío Carlos ni a la tía Antonia. Ellos nos han escrito siempre en las vacaciones. |

99

| Gerardo: | ¿Ya ha vuelto Fernando de Sevilla? No lo recuerdo. |
|---|---|
| Lucía: | Claro que ha vuelto. Al tío Felipe hay que mandarle un saludo por su santo. Es el seis, o sea dentro de tres días. |
| Gerardo: | Mira allá arriba, a la izquierda. Han puesto una bandera de Cantabria en aquel balcón. Voy a sacar una foto. |
| Lucía: | Ay, no he traído la cámara. |
| Gerardo: | No importa. ¿Me dejas el folleto de las cuevas? Quiero mirar la carretera que recomiendan para llegar allí. |
| Lucía: | Tampoco lo llevo. Te digo que en las vacaciones una vive en las nubes. |
| Gerardo: | Voy por el folleto al hotel. ¿Me das las llaves? |
| Lucía: | La cámara la he puesto en la maleta negra, bien en el fondo. El folleto lo he puesto entre los planos y las guías. Yo voy a mirar tarjetas mientras, cariño. |

Gerardo da media vuelta y Lucía se dirige al quiosco que está enfrente del aparcamiento. En pocos minutos escoge unas cuantas tarjetas.

| Lucía: | ¿Me da los sellos también? Ésta va a la Argentina, ésta va a México y las demás van a Europa. |
|---|---|
| Dependienta: | Son cuatrocientas ochenta y una –dice la dependienta. |
| Lucía: | ¿Tiene "Cambio Dieciséis"? |
| Dependienta: | Sólo el de la semana pasada. Las revistas llegan aquí con cierto retraso, señorita. |

| | | | |
|---|---|---|---|
| el mar | das Meer, die See | la reconquista | die Wiedereroberung |
| fresco, -a | frisch | la conquista | die Eroberung |
| el bizcocho | der Kuchen, trockenes Gebäck | América f | Amerika |
| | | despacio (Adv.) | langsam |
| cántabro, -a | kantabrisch | hacia | in Richtung auf, nach, |
| vivo, -a | lebendig, lebend | | zu ... hin |
| muerto, -a | tot | el aparcamiento | der Parkplatz |
| la huella | die Spur | encontrarse (ue) | sich befinden |
| la arquitectura | die Architektur; das Stadtbild | fuera de | außerhalb (von) |
| | | la siesta | der Mittagsschlaf |
| reciente | neu | dormir la siesta | Mittagsschlaf halten |
| el edificio más reciente | das neueste Gebäude | recorrer | besichtigen; durchwan- |
| la moto | das Motorrad | | dern |
| el caballo | das Pferd | después de recorrer | nachdem sie besichtigt |
| la vaca | die Kuh | | haben |
| la gallina | die Henne | lo han visto todo | sie haben alles gesehen |
| oler (ue) a | riechen nach | listo, -a | fertig, bereit |
| huele | er (sie, es) riecht | la cueva | die Höhle |
| quemar | verbrennen, brennen | el tiempo | das Wetter |
| el establo | der Stall | agradable | angenehm |
| la paja | das Stroh | más agradable que | angenehmer als |

100

| | | | |
|---|---|---|---|
| el viento | der Wind | importar | wichtig sein, ausmachen |
| hace viento | es ist windig | no importa | das macht nichts |
| decir | sagen | el folleto | die Broschüre |
| hace más frío | es ist kälter | la carretera | die (Land-)Straße |
| la calefacción | die Heizung | recomendar (ie) | empfehlen |
| central | Zentral... | vivir en las nubes | sehr zerstreut sein |
| mejor | besser | ir por | (ab)holen |
| peor | schlechter | la llave | der Schlüssel |
| atento, -a | aufmerksam; höflich | el fondo | der Grund, der Boden |
| atender (ie) | bedienen | bien en el fondo | ganz unten |
| quejarse | klagen; sich beklagen | entre | zwischen |
| ¿qué me dices de ...? | was sagst du zu ...?, | el plano | der Stadtplan |
| | wie gefällt dir ...? | la guía | der Führer (Buch) |
| el paisaje | die Landschaft | mientras (Adv.) | inzwischen |
| el lado | die Seite; die Gegend | el cariño | die Liebe, die Zunei- |
| en ningún lado | nirgends, nirgendwo | | gung |
| eso sí | das allerdings, das | ¡cariño! | (mein) Schatz! |
| | schon; das stimmt | dar media vuelta | kehrtmachen |
| la región | die Gegend, die Region | dirigir | lenken, führen, richten |
| hermoso, -a | schön | dirigirse a | sich wenden zu (nach; |
| dicho | gesagt | | an); zugehen auf |
| tan | so, so sehr | el quiosco | der Kiosk |
| la opinión | die Meinung | enfrente de | gegenüber |
| el ejemplo | das Beispiel | escoger | auswählen |
| por ejemplo | zum Beispiel | unos cuantos, unas | einige, ein paar |
| la cursilería | der Kitsch | cuantas | |
| oye (von oír) | hör mal | el sello | die Briefmarke |
| el propósito | das Vorhaben | los, las demás | die übrigen |
| a propósito | apropos, zum Thema | la dependienta | die Angestellte, die Ver- |
| mandar | schicken | | käuferin |
| deber | sollen, müssen | el cambio | die Veränderung; der |
| no debemos | wir dürfen nicht | | Wechsel |
| escrito | geschrieben | Cambio 16 | (Name eines spanischen |
| vuelto | zurückgekehrt | | Nachrichtenmagazins) |
| el saludo | der Gruß | la semana pasada | die vorige Woche |
| o sea | das heißt | la revista | die Zeitschrift |
| mira | sieh mal | cierto, -a | gewiß |
| allá | dort, da | | |
| a la izquierda | links | Grammatik und Übungen: | |
| la bandera | die Fahne, die Flagge | romper | (zer)brechen |
| Cantabria | Kantabrien | roto | gebrochen, zerbrochen |
| ay | o weh! | morir (ue) | sterben |

# 12B Grammatik

## 1. decir sagen

| Präsens Indikativ | | Gerundio: diciendo |
|---|---|---|
| digo | decimos | |
| dices | decís | Partizip Perfekt: |
| dice | dicen | dicho |

## 2. Unregelmäßige Formen des Partizips/Das Partizip als Adjektiv

| Infinitiv | | Partizip Perfekt | |
|---|---|---|---|
| escribir | schreiben | escrito | geschrieben |
| romper | (zer)brechen | roto | gebrochen, zerbrochen |
| volver | zurückkommen | vuelto | zurückgekommen |
| morir | sterben | muerto | gestorben |

Wenn das Partizip als Adjektiv verwendet wird, stimmt es – wie ein Adjektiv – mit dem Substantiv in Geschlecht und Zahl überein: una ventana rota *ein zerbrochenes Fenster;* cosas mal hechas *schlecht gemachte Sachen.*

## 3. Vergleich und Steigerung des Adjektivs

Ella es **tan** aplicada **como** él.
*Sie ist (eben)so fleißig wie er.*

**tan ... como**
*so od. ebenso ... wie*

Ella es **más** aplicada **que** él.
*Sie ist fleißiger als er.*
Él es **menos** aplicado **que** ella.
*Er ist weniger fleißig als sie.*

Der höhere Grad (Komparativ) wird durch **más**, der niedrigere Grad durch **menos** ausgedrückt. „Als" heißt **que**.

Rosa es **mayor** que Gloria.
*Rosa ist älter als Gloria.*
Ella es **menor** que yo.
*Sie ist jünger als ich.*
Su nueva novela no es **mejor** ni **peor** que la primera.
*Sein neuer Roman ist nicht besser und nicht schlechter als der erste.*

**Unregelmäßige** Steigerungsformen: Statt „más bueno" heißt es **mejor**, statt „más malo" **peor**. Für „más grande" steht **mayor**, für „más pequeño" **menor**. In bezug auf den Altersunterschied zwischen Personen hat **mayor** die Bedeutung *älter,* **menor** bedeutet *jünger.* Die Komparative mayor, menor, mejor und peor haben nur eine Endung.

Este hotel es **el más caro** de todos.
*Dieses Hotel ist das teuerste von allen.*
Ésta es **la** región **más hermosa** de España.
*Dies ist die schönste Gegend Spaniens.*
**Mi hermana mayor** es profesora.
*Meine älteste Schwester ist Lehrerin.*

Zum Ausdruck des höchsten Grades (Superlativ) wird der bestimmte Artikel vor das gesteigerte Adjektiv gesetzt. In attributiver Verwendung werden **mejor**, **peor**, **mayor** und **menor** dabei meist vorangestellt; **mayor** und **menor** in der Bedeutung *ältest-* bzw. *jüngst-* werden jedoch immer nachgestellt.

Lo hago con **el mayor placer**.
*Ich tue es mit dem größten Vergnügen.*

Statt des Artikels kann auch das Possessivpronomen stehen.

### 4. Das unpersönliche Subjekt

Ahora **se** ve el cielo.
*Jetzt sieht man den Himmel.*

No **se** ven las casas.
*Man sieht die Häuser nicht.*

Nos **han atendido** muy bien.
*Man hat uns sehr gut bedient.*

Aquí me **quieren** mucho.
*Hier hat man mich sehr gern.*

**Han roto** la ventana.
*Man hat das Fenster zerbrochen.*

**Uno** se siente bien allí.
*Man fühlt sich dort wohl.*

**Uno** no puede vivir así.
*Man kann so nicht leben.*

Das deutsche „man" wird durch **se** ausgedrückt. Das Prädikat des Satzes steht in der 3. Person Singular oder Plural.

„Man" wird durch die 3. Person Plural ausgedrückt, wenn der Urheber einer Handlung ein Kollektiv ist (die Leute, das Personal einer Einrichtung, die Nachbarn usw.).

Die 3. Person Plural wird verwendet, wenn der Urheber einer Handlung unbekannt ist.

Bei reflexiven Verben wird **uno** (auch **una**) gebraucht.

Meint man bei einer Aussage sich selbst, wird „man" durch **uno, una** ausgedrückt.

### 5. Das redundante Personalpronomen

Los folletos **los** he puesto encima de la cama.
*Die Broschüren habe ich auf das Bett gelegt.*

**Lo** sé todo.
*Ich weiß alles.*

**Las** hemos visto todas.
*Wir haben alle gesehen.*

A todos **les** traemos algo.
*Allen bringen wir etwas mit.*

¿Qué **le** regalamos al tío Pepe?
*Was schenken wir Onkel Pepe?*

No **le** ha gustado a nadie.
*Es hat niemandem gefallen.*

Steht das Akkusativobjekt vor dem Prädikat, so muß es durch das entsprechende Personalpronomen wieder aufgenommen werden. Dieses Pronomen ist redundant, d. h. es fügt dem Satzsinn nichts Neues hinzu.

Bei **todo** und **todos** steht das redundante Personalpronomen auch dann, wenn sie als Akkusativobjekt nachgestellt sind. (Vgl.: Ich kenne **sie** alle.)

Steht das Dativobjekt vor dem Prädikat, wird es ebenfalls durch das redundante Personalpronomen wieder aufgenommen. Dieses tritt sehr oft auch dann auf, wenn das Dativobjekt dem Prädikat folgt.

Das redundante Personalpronomen steht stets für das Dativobjekt, wenn der Dativ das einzige Objekt ist.

## 6. Bestimmter Artikel + de

no el periódico de hoy, sino **el de** ayer
*nicht die Zeitung von heute, sondern die von gestern*

¿la chica rubia o la de gafas?
*das blonde Mädchen oder das mit der Brille?*

Éstos son los juguetes de Paco, los de Pepe son ésos.
*Das sind die Spielsachen von Paco, die von Pepe sind die da.*

las fotos de París y las de Roma
*die Fotos von Paris und die von Rom*

Bei der nochmaligen Erwähnung bereits genannter Substantive stehen vor der Präposition **de** normalerweise die Artikelformen **el, la, los, las**; es ergeben sich also die Wendungen **el de, la de, los de, las de.** Dieser Gebrauch der Artikelwörter entspricht im Deutschen der Verwendung der Artikelformen der, die, das, dem usw. in der Bedeutung derjenige, dasjenige usw. **el, la, los, las** sind völlig unbetonte Wörter.

Altamira: Höhlenmalerei

Santillana del Mar

## 12C Sprachgebrauch – Landeskunde

**oye** vgl. die Anmerkung Lekt. 9C.

**aún** *noch* wird vorwiegend in negativen Sätzen verwendet (. . . y no me he peinado aún . . . *und ich habe mich noch nicht gekämmt;* no hemos mandado aún ninguna tarjeta *wir haben noch keine Karte verschickt*).

**Santillana del Mar:** Kleinere Stadt im Norden Spaniens (Provinz Santander).

In der herkömmlichen Geschichtsschreibung wird mit **Reconquista** die Wiedergewinnung der arabisch beherrschten Gebiete auf der Iberischen Halbinsel durch die Christen während des ganzen Mittelalters bezeichnet.

Unter dem Begriff **Conquista** versteht man das Zeitalter der Besitznahme Amerikas durch die Spanier.

In Redewendungen über das **Wetter** wird die dritte Person Singular von **hacer** bzw. **estar** verwendet. Auf hacer folgt ein Substantiv, auf estar ein Adjektiv: hace frío *es ist kalt*, hace calor *es ist warm*, hace sol *es ist sonnig*, hace viento *es ist windig*, hace buen tiempo *es ist schön*, hoy está bonito el día *es ist schön heute*.

**Ortega:** José Ortega y Gasset, spanischer Philosoph (1883–1955).

**Länder- und Städtenamen** auf -a sind weiblich, sonst sind sie männlich. Bei näherer Bestimmung kann der bestimmte Artikel vor dem Namen stehen: la España de Carlos Quinto *das Spanien Karls V.* Vor einigen Länder- und Städtenamen steht der Artikel auch ohne nähere Bestimmung: la Argentina *Argentinien*, el Perú *Peru*. Die Verwendung des Artikels ist jedoch nicht zwingend vorgeschrieben. Man merke sich: Suiza *die Schweiz*, Turquía *die Türkei*.

# 12D Übungen

1. *Fragen und antworten Sie nach dem Muster:*
   ¿Se ve el cielo?
   No, no se ve.
   a) entender/explicaciones.   b) saber/respuesta.   c) conocer/nombre.
   d) notar/sangre.   e) escuchar/preguntas.   f) necesitar/planos.

2. *Bilden Sie Sätze nach dem Muster:*
   A) ciudad/bonito: Hay ciudades más bonitas que ésta.
      a) idioma/difícil.   b) dependienta/atento.   c) lugar/interesante.   d) sillón/incómodo.   e) problema/importante.   f) región/seco.

   B) Jorge/alto/tú: Jorge es más alto que tú.
      a) vosotros/alto/mis hermanas.
      b) María/delgado/Leonor.
      c) nosotras/gordo/ellas.
      d) Gloria/aplicado/su novio.
      e) ella/serio/él.
      f) Sevilla/grande/Toledo.
      g) ellas/cariñoso/ellos.
      h) los alemanes/serio/los españoles.

   C) parador/bonito/Santillana:
      Este parador no es tan bonito como el de Santillana.
      a) tu moto/bueno/Jorge.
      b) estas habitaciones/oscuro/planta baja.
      c) los alemanes del sur/serio/norte.

105

d) esta carretera/peligroso/Barcelona.
e) tus zapatos/bonito/Rosa.
f) su estado/crítico/Juan.

D) ella/estudiante/aplicado/clase
Ella es la estudiante más aplicada de la clase.
a) Extremadura/región/pobre/España.
b) tú/chica/cariñoso/barrio.
c) Santiago/ciudad/hermoso/Galicia.
d) la iglesia/edificio/alto/pueblo.
e) su jefe/abogado/famoso/país.
f) nosotras/chica/tranquilo/mundo.

3. *Beginnen Sie jeden Satz mit dem Akkusativobjekt und setzen Sie dann das redundante Pronomen ein:*
a) Dejo aquí las llaves.
b) No conozco a ese señor.
c) He olvidado eso.
d) Hay que terminar este trabajo mañana.
e) Podemos poner los planos en otro sitio.
f) Tienes que mandar las tarjetas hoy.

4. *Übersetzungsübungen:*

A) Wie sagt man das auf spanisch? Man hat uns dieses Hotel empfohlen. Man hat uns gesagt, daß man hier baden kann. Man hat unseren Wagen auf der Fernstraße nach Barcelona gefunden. Man sagt, daß es in Deutschland immer kalt ist. Hier kann man leben, wie man will. Arbeitet man, um zu leben, oder lebt man, um zu arbeiten?

B) Ihre schönste Bluse, die teuersten Geschenke, der beste Wein, die besten deutschen Biere, die schwierigsten Probleme, die schlimmsten Nachrichten, meine älteste Schwester, meine beste Freundin.

C) Das Prado-Museum ist eines der schönsten der Welt. Dies ist eines der ältesten Gebäude in unserer Stadt. Das ist einer der besten Filme, die ich gesehen habe. Diese Waffe ist eine der modernsten, die es gibt. Das ist einer der höchsten Berge Europas. Wir sind in einer der schönsten Landschaften angekommen, die ich kenne.

D) Was sagen Sie gerade? Sie sind aus dem Urlaub zurück(gekommen)? Haben Sie das alles geschrieben? Sie haben die Tasse kaputtgemacht. Warum haben Sie alle begrüßt, wenn Sie nur Herrn García kennen? Was haben Sie gesagt? Ich sage, daß meine Katze gestorben ist.

E) Dieser Zeitung glauben wir nichts. Den Kindern macht das Wetter nichts aus. Wem hat die Reise nicht gefallen? Meine Mutter hat Rückenschmerzen (Meiner Mutter schmerzt . . .).

## 13A Text

### Después de la fiesta

Beatriz e Inés han estado en el cumpleaños de Felipe Salinas. Ha sido la fiesta más divertida del año. Pero a Inés le parece que había demasiados invitados.

*Inés:* Había más gente que el año pasado –le dice a su hermana.

*Beatriz:* Claro, estaba toda la familia de Ana María. Más de la mitad eran parientes suyos. Había tanta gente que era imposible moverse.

*Inés:* Bueno, cada uno tenía su pareja y eso está muy bien. ¿Qué te parecen las primas de Ana María?

*Beatriz:* La menor es encantadora. La mayor es un poco parlanchina.

*Inés:* ¿Cuántos años le echas?

*Beatriz*: Me figuro que no es mucho mayor que nosotras.

*Inés:* Te equivocas de medio a medio. Tiene la misma edad que Eugenio Muñoz.

*Beatriz:* ¡Vaya! A propósito de los Muñoz: me cuesta trabajo creer que son hermanos. ¡Son tan diferentes! Jaime fuma una barbari-

107

dad y Jorge odia el tabaco. Ignacio juega al fútbol y Javier piensa que el fútbol es cosa de imbéciles.

*Inés:* ¿Recuerdas cómo era Ignacio de chaval? Aprendía a tocar el piano, ayudaba a misa los domingos. A todo el mundo le decía que quería ser cura. Iba a misa todos los días. Cuando yo iba a comprar pan, le veía salir de la iglesia. No nos llevábamos bien. Era un niño muy serio. Sólo le gustaba la música clásica. Hoy canta sólo canciones populares.

*Beatriz:* Me gusta mucho su voz y me gusta cómo toca la guitarra. ¡Cómo me emociono cuando le oigo cantar flamenco!

*Inés:* Igual que yo. Toca mejor que algunos guitarristas profesionales. ¿Es cierto que escribe poesías?

*Beatriz:* Es cierto. Yo he leído algunas. Pero sus cuentos me gustan más. Son muy graciosos.

*Inés:* ¿Tanto como los chistes de Jorge?

*Beatriz:* No tanto. Jorge es el más gracioso de todos. ¿Estudia o trabaja?

*Inés:* Ha abandonado sus estudios de arquitectura. Es un holgazán. Ahora está de obrero en una empresa constructora. Lo único que le interesa es la fotografía. Dice que hacer dinero es cosa de imbéciles.

*Beatriz:* Eso va contra su hermano Jaime. Jaime es el más trabajador de los hermanos. Está ganando tanto como todos los hermanos juntos, y eso a los veinticinco años. Es un empresario con mucho futuro.

*Inés:* Pese a todo, es el menos simpático. No le aguanto la mirada de seductor cuando baila ni la sonrisa burlona cuando discute de política.

*Beatriz:* Es un reaccionario. Es miembro de una asociación defensora de lo español. Tiene las mismas opiniones que papá. Una cree estar en el siglo XV cuando le oye hablar. Lo peor es que habla más deprisa que un tren.

*Inés:* En cambio, Eugenio no es hablador, sino todo lo contrario. Es el chico más callado que he visto.

*Beatriz:* Un chico inteligente sólo dice lo necesario. ¿Sabes que es el mejor alumno de la facultad de Medicina? Además, tiene gran facilidad para los idiomas. Pronuncia el inglés sin acento ninguno.

*Inés:* Yo le he oído hablar muy poco. Los chicos listos son aburridos, es un hecho. Pese a todo, me gusta. Es guapo.
*Beatriz:* ¿Qué te parece si le invitamos un día a tomar el té?
*Inés:* Me parece muy bien. A ver si me enseña a decir "¿tienes novia?" en inglés.

| | |
|---|---|
| divertido, -a | unterhaltsam; vergnügt |
| había | es gab |
| demasiado, -a | zuviel |
| el invitado | der Gast, der Eingeladene |
| la mitad | die Hälfte |
| más de la mitad | mehr als die Hälfte |
| el pariente | der Verwandte |
| suyo, -a | von ihr, von ihm |
| imposible | unmöglich |
| cada uno | jeder einzelne |
| la pareja | der Partner |
| ¿qué te parecen ...? | wie gefallen dir ...? |
| el primo, la prima | der Cousin, die Cousine |
| encantador, -a | bezaubernd |
| parlanchín, -ina | geschwätzig |
| ¿cuántos años le echas? | für wie alt hältst du sie? |
| figurarse | vermuten, glauben |
| equivocarse | sich irren |
| de medio a medio | total |
| la misma edad que | so alt wie |
| ¡vaya! | na so was! |
| costar trabajo | Mühe bereiten |
| diferente | verschieden |
| fumar | rauchen |
| la barbaridad | die Ungeheuerlichkeit |
| fuma una barbaridad | er raucht sehr viel, wie verrückt |
| odiar | hassen |
| el tabaco | der Tabak; das Rauchen |
| jugar (ue) | spielen |
| el fútbol | der Fußball |
| jugar al fútbol | Fußball spielen |
| imbécil | schwachsinnig |
| cosa de imbéciles | etwas für Schwachsinnige |
| de | als |
| el chaval | der Junge |
| tocar | berühren; spielen |
| el piano | das Klavier |
| tocar el piano | Klavier spielen |
| ayudar | helfen |
| la misa | der Gottesdienst, die Messe |
| ayudar a misa | ministrieren |
| quería ser | er wollte werden |
| ir a misa | in die Kirche, zur Messe gehen |
| la música | die Musik |
| clásico, -a | klassisch |
| cantar | singen |
| popular | Volks... |
| la voz | die Stimme |
| la guitarra | die Gitarre |
| emocionarse | ergriffen werden |
| oír | hören |
| el flamenco | der Flamenco |
| igual que yo | genau wie ich |
| el (la) guitarrista | der (die) Gitarrenspieler(in) |
| ¿es cierto? | stimmt es? |
| leído | gelesen |
| el cuento | die Erzählung; das Märchen |
| gustar más | besser gefallen |
| gracioso, -a | witzig |
| tanto (Adv.) | so, ebenso |
| el chiste | der Witz |
| abandonar | aufgeben, verlassen |
| holgazán, -ana | faul, träge |
| el holgazán | der Faulpelz |
| estar de ... | als ... arbeiten |
| el obrero | der Arbeiter |
| la empresa | die Firma, das Unternehmen |
| constructor, -a | Bau... |
| único, -a | einzig |
| interesar | interessieren |
| la fotografía | die Fotografie |
| hacer dinero | Geld verdienen |
| contra | gegen |
| trabajador, -a | arbeitsam, fleißig |
| a los 25 años | mit 25 Jahren |
| el empresario | der Unternehmer |
| el futuro | die Zukunft |
| mucho futuro | große Zukunft |
| pese a todo | trotz allem |
| simpático, -a | nett, sympathisch |
| la mirada | der Blick |
| no le aguanto la mirada | ich kann seinen ... Blick nicht ausstehen |
| el seductor | der Verführer |
| bailar | tanzen |
| la sonrisa | das Lächeln |

| burlón, -ona | spöttisch |
| discutir | diskutieren |
| la política | die Politik |
| el reaccionario | der Reaktionär |
| el miembro | das Mitglied |
| la asociación | die Vereinigung, der Verband |
| defensor, -a | Verteidigungs..., Schutz... |
| el papá | der Papa |
| en cambio | dagegen |
| hablador, -a | redselig |
| lo contrario | das Gegenteil |
| todo lo contrario | ganz im (od. das) Gegenteil |
| callado, -a | schweigsam, ruhig, still |
| inteligente | intelligent |
| necesario, -a | nötig, notwendig |
| el alumno | der Schüler; der Student |
| la facultad | die Fakultät |
| la facilidad | das Geschick, das Talent |

| la facilidad para los idiomas | die Sprachbegabung |
| pronunciar | (aus)sprechen |
| el acento | der Akzent |
| oído | gehört |
| listo, -a | klug, schlau |
| aburrido, -a | langweilig |
| el hecho | die Tatsache |
| es un hecho | das steht fest |
| guapo, -a | hübsch, gutaussehend |
| ¿qué te parece si ...? | was hältst du davon, wenn ...? |
| invitar | einladen |
| el té | der Tee |
| invitar a tomar el té | zum Tee einladen |
| me parece muy bien | das finde ich sehr gut |
| enseñar | lehren, beibringen |
| Grammatik und Übungen: | |
| el defensor | der Verteidiger |
| el extranjero | der Ausländer |
| antes | früher |
| la pieza | das Stück |
| hace un momento | vorhin |

# 13B Grammatik

## 1. Präsens Indikativ von jugar und oír

| jugar (ein Spiel) spielen | | oír hören | |
|---|---|---|---|
| juego | jugamos | oigo | oímos |
| juegas | jugáis | oyes | oís |
| juega | juegan | oye | oyen |

## 2. Besonderer Gebrauch des bestimmten Artikels

In Aussagen allgemeiner Art steht im Spanischen – im Gegensatz zum Deutschen! – vor dem Substantiv der bestimmte Artikel: el alemán es difícil Deutsch ist schwer; los caballos son inteligentes Pferde sind klug; ¿te gusta el vino blanco? schmeckt dir Weißwein?

Sprachenbezeichnungen (= die männliche Form des „Gentilicio") werden in Verbindung mit den folgenden Verben oft ohne den bestimmten Artikel gebraucht: aprender lernen, enseñar lehren, hablar sprechen, saber können, entender verstehen (aprender inglés Englisch lernen, hablar español Spanisch sprechen, saber alemán Deutsch können).

Das Objekt der Verben **jugar** und **tocar** erhält den bestimmten Artikel: jugar a = ein Spiel spielen, tocar = ein Instrument spielen (juega al fútbol er spielt Fußball; toca la guitarra er spielt Gitarre).

110

### 3. Adjektive auf -dor, -tor, -sor, -ín, -án, -ón

Adjektive mit diesen Endungen bilden die weibliche Form durch Anhängen eines -a an die maskuline Form; dabei entfällt der Akzent (alem**án** – alem**ana**).

chica trabajadora *fleißiges Mädchen*        mujer parlanchina *geschwätzige Frau*
empresa constructora *Baufirma*              chica holgazana *faules Mädchen*
asociación defensora *Schutzvereinigung*     sonrisa burlona *spöttisches Lächeln*

Diese Adjektive werden sehr oft substantiviert: el defensor *der Verteidiger,* un holgazán *ein Faulpelz.*

### 4. Vergleichssätze

Llega **tan** tarde **como** tú.
*Er kommt so spät wie du.*
No canta ni **mejor** ni **peor** que sus hermanos.
*Er singt nicht besser und nicht schlechter als seine Brüder.*

Había **más** gente **que** ayer.
*Es waren mehr Leute da als gestern.*
**Más de** la mitad eran extranjeros.
*Mehr als die Hälfte waren Ausländer.*

El alemán me **gusta más** que el inglés.
*Deutsch gefällt mir besser als Englisch.*
Había **tantos** hombres **como** mujeres.
*Es waren ebenso viele Männer wie Frauen da.*
Ella trabaja **tanto como** su marido.
*Sie arbeitet (eben)soviel wie ihr Mann.*

Yo pienso **lo mismo que** tú.
*Ich denke dasselbe wie du.*
Tiene **las mismas** opiniones **que** yo.
*Er hat dieselben Meinungen wie ich.*

Lo hace con **igual** facilidad **que** yo.
*Er macht es mit dem gleichen Geschick wie ich.*
Yo pienso **igual que** tú.
*Ich denke (genauso) wie du.*

Wie beim Adjektiv (vgl. Lekt. 12B3), wird auch beim Adverb die Gleichheit durch **tan ... como** ausgedrückt. Adverbien werden wie Adjektive gesteigert; die Steigerungsform von **bien** *(gut)* ist **mejor** *(besser),* die von **mal** *(schlecht)* ist **peor** *(schlechter).*

„Mehr als" heißt **más que.** Bei nachfolgender Mengenbezeichnung ist „als" jedoch mit **de** zu übersetzen.

Man merke sich: *besser gefallen* heißt **gustar más.**
Neben **tan ... como** wird die Gleichheit auch durch **tanto ... como** ausgedrückt. Als Adjektiv ist **tanto** veränderlich (tanta, tantos, tantas).

Beim Vergleich *der-, die-, dasselbe wie* wird „wie" durch **que** ausgedrückt.

Vor dem Adjektiv **igual** *(gleich)* steht kein Artikel. Als Adverb heißt **igual** *so, ebenso, genauso.* „Wie" ist mit **que** wiederzugeben.

111

**5. Bildung und Gebrauch des Imperfekts Indikativ** (pretérito imperfecto de indicativo)
Regelmäßige Verben:

| tomar | comer | subir |
|---|---|---|
| **tomaba** *ich nahm* | comía *ich aß* | subía *ich stieg* |
| **tomabas** | comías | subías |
| **tomaba** | comía | subía |
| **tomábamos** | comíamos | subíamos |
| **tomabais** | comíais | subíais |
| **tomaban** | comían | subían |

Unregelmäßige Verben:

| ser | ir | ver |
|---|---|---|
| era *ich war* | iba *ich ging* | veía *ich sah* |
| eras | ibas | veías |
| era | iba | veía |
| éramos | íbamos | veíamos |
| erais | ibais | veíais |
| eran | iban | veían |

Nur **ser, ir** und **ver** sind unregelmäßig. Die Verben auf **-er** und **-ir** haben die gleichen Endungen.

Pepe canta muy bien.
Antes cantaba mejor.
*Pepe singt sehr gut.*
*Früher sang er besser.*
¿Era aplicado Pepe?
Sí, iba a la biblioteca todos los días.
*War Pepe fleißig?*
*Ja, er ging jeden Tag in die Bibliothek.*
¿Conocías a ese señor?
Sí, pero no sabía su nombre.
*Kanntest du diesen Herrn?*
*Ja, aber ich wußte seinen Namen nicht/*
*ich habe seinen Namen nicht gewußt.*
¿Donde están los sellos?
No lo sé, hace un momento estaban aquí.
*Wo sind die Briefmarken?*
*Ich weiß es nicht, vorhin waren sie hier.*

Mit dem Imperfekt werden Gewohnheiten und Zustände in der Vergangenheit geschildert. Es gibt an, *wie es war* – z. B. vor 20 Jahren, aber auch vor wenigen Minuten. (Vgl. hierzu auch Lekt. 17B5 und 18B3).

Das spanische „Imperfecto de indicativo" wird im Deutschen mit dem Imperfekt oder mit dem Perfekt wiedergegeben.

**6. Der Gebrauch von haber und estar**

| | |
|---|---|
| Hay un coche delante del hotel. | Mi coche está delante del hotel. |
| *Vor dem Hotel steht ein Wagen.* | *Mein Wagen steht vor dem Hotel.* |
| Hay dinero en la maleta. | El dinero está en la maleta. |
| *Im Koffer ist Geld.* | *Das Geld ist im Koffer.* |
| No había nadie. | No estaba Pedro. |
| *Niemand war da.* | *Pedro war nicht da.* |
| ¿Hay una estación por aquí? | Esa estación está por aquí. |
| *Ist ein Bahnhof in der Nähe?* | *Dieser Bahnhof ist in der Nähe.* |

Die 3. Person Singular von **haber** (hay, había) dient der Angabe, daß etwas irgendwo vorhanden oder nicht vorhanden ist bzw. war; ferner dient sie der Angabe, daß jemand (oder niemand) irgendwo anzutreffen ist bzw. war.

Mit **estar** wird angegeben, daß eine näher bestimmte bzw. bekannte Sache oder Person sich an einem Ort befindet.

# 13C  Sprachgebrauch – Landeskunde

Von Familiennamen wird in der Regel kein Plural gebildet: los García *die Garcías* (d. h. „Familie García").

**„Mögen"** im Sinne von *gern haben* wird im Spanischen durch das Verb **gustar** ausgedrückt, das in der 3. Person Singular oder Plural steht. Ein Personalpronomen im Dativ bezeichnet die Person, die gern hat: no **me gusta** la cerveza *ich mag kein Bier;* ¿**te gusta** bailar? *tanzt du gern?;* no me gustan los hoteles grandes *große Hotels mag ich nicht.*

In subjektiven Äußerungen einer Meinung oder einer Vermutung wird **parecer** verwendet, z. B.: ¿qué te parece la ciudad? *wie gefällt dir die Stadt?;* me parece que se llama Pedro *ich glaube, er heißt Pedro;* esas preguntas me parecen interesantes *diese Fragen finde ich interessant.*              *glauben, gefallen, finden*

Entsprechend den Lautgesetzen des Spanischen wird **i** am Wortanfang vor einem Vokal oder im Wortinneren zwischen Vokalen zu **y**, gesprochen [j]: ya, ayer, ayudar. Diese Regel ist wichtig für die Aussprache und Schreibung einiger Formen der Verben auf **-uir, -aer** und **-eer** (vgl. Lekt. 17B1 und B2) sowie für die Formen von **oír**. Nach dieser Regel lautet das **Gerundio** von traer: trayendo, von leer: leyendo, von creer: creyendo, von oír: oyendo, von ir: yendo.

# 13D  Übungen

1. *Setzen Sie die richtige Form des Adjektivs ein:*
    a) burlón: Tenía una mirada . . . . .
       joven: Esta planta es . . . . .

113

b) popular: Sólo canta canciones . . . . .
encantador: Tiene unas hermanas . . . . .
c) mejor: Ellas son mis . . . . . amigas.
hablador: Tus amigas son muy . . . . .

2. *Bilden Sie anhand der Satzbautafeln möglichst viele sinnvolle Sätze:*

A)

| los hombres las mujeres los españoles los alemanes | no ser | más menos tan | callado trabajador holgazán alegre difícil parlanchín | que como | las mujeres los hombres los franceses los ingleses |
|---|---|---|---|---|---|

B)

| el vino la cerveza usted el francés mi pueblo el español los perros | no me gustar | mucho | más tanto igual menos | que como | el alemán Julio Iglesias el vino la cerveza Munich los gatos el inglés |
|---|---|---|---|---|---|

3. *Bilden Sie Dialoge nach dem Muster:*

A) Julio canta bien.
   Antes cantaba mejor.
   a) tú/nadar.   b) Pedro/tocar el piano.   c) vosotros/bailar.   d) tu abuelita/oír.   e) tus hermanas/arreglarse.   f) tu hermano/aprender.

B) ¿Quería usted preguntar algo?
   No, quería pagar.
   a) saber mi dirección/sólo su número de teléfono.
   b) ir a decir algo/nada (!).
   c) estar en casa/en el banco.
   d) estar hablando de política/de música.
   e) querer ver el museo/sólo la catedral.
   f) estar saliendo/entrando.

4. *Setzen Sie* hay *oder* está/están *und dann* había *oder* estaba/estaban *ein:*
   a) Allí . . . . . la casa de mis padres.
   b) Encima de la mesa . . . . . unos cigarrillos.
   c) Mi casa . . . . . detrás de la iglesia.
   d) . . . . . unos guardias en el andén.
   e) El té y el pan . . . . . aquí.
   f) En el aparcamiento . . . . . varios camiones.

114

g) Todos hay. en el aparcamiento.

h) Aquí .hay. pan y té.

i) En el bolso está. un mapa de la isla.

j) ¿Cuántos mapas están en el bolso?

k) Junto a la ventana . . . . . dos hombres y una mujer.

l) ¿Qué .hay. en la maleta?

m) ¿Dónde .hay. el hombre y las mujeres?

n) Los cigarrillos hay. aquí.

5. *Übersetzungsübungen:*

A) Die Deutschen spielen Fußball besser als die Spanier. Können Sie Gitarre spielen? Ich höre selten klassische Musik. Ich habe noch nie Fußball gespielt (ich habe nie . . .). Ich kann nur klassische Stücke (piezas) spielen.

B) Deutsch ist die schwierigste Sprache, die ich kenne. Pferde sind klüger als Kühe. Schwierige Fragen sind mir lieber als leichtfertige (leichte) Antworten. Warum mögen Kinder Märchen?

C) *Immer mit dem Imperfekt Indikativ übersetzen:*
Früher habe ich mehr als dreißig Zigaretten pro (por) Tag geraucht. Früher haben wir besser geschlafen als heute (jetzt). Früher hast du nicht soviel getrunken. Früher hast du ihn jeden Abend (alle Abende) besucht. Früher sind meine Nachbarn jedes Jahr (alle Jahre) nach Spanien gefahren.

D) *Immer mit dem Imperfekt Indikativ übersetzen:*
Früher haben hier Spanier gewohnt. Der Mann war Arbeiter. Die Frau hat nicht gearbeitet. Sie hatten zwei Kinder, einen Jungen und ein Mädchen. Die Tochter trug eine Brille und war nicht sehr hübsch. Aber sie war ein gutmütiges (ein gutes) Mädchen. Sie hat für ihren Vater und ihren Bruder gekocht, wenn die Mutter im Krankenhaus war. Diese war oft krank. Es war eine sehr sympathische Familie. Die Eltern konnten sehr wenig Deutsch, aber der Sohn sprach (es) ohne jeden Akzent. Er hat sich sehr gut mit unserem Jüngsten verstanden.

## 14A Text

**Durante la cena**

Mari Tere y Alfonso son viejos amigos. Mari Tere es intérprete y traductora. Alfonso trabaja en una agencia de viajes. Los dos son solteros y no tienen planes de matrimonio. Esta noche han ido a cenar a un restaurante gallego. Alfonso le está contando a Mari Tere que todos los días sale a correr por el bosque durante una hora.

*Alfonso:* Salgo para la Casa de Campo muy temprano, general-mente a las seis. Cuando hace buen tiempo, cojo la bicicleta.

*Mari Tere:* Ir en bicicleta por Madrid es peligroso.

*Alfonso:* Lo sé, pero yo voy con mucho cuidado. Y la bicicleta es buena. Acabo de comprarme una nueva.

*Mari Tere:* ¿Sí? No lo sabía. ¿Cuánto has pagado por ella?

*Alfonso:* Cien mil. De momento es mi único medio de transporte – dice Alfonso sirviendo vino en las copas.

*Mari Tere:* Gracias, así está bien. ¿Qué pasa con tu coche, Alfonso?

*Alfonso:* Lo he tirado. Estaba harto de él. En los últimos meses se paraba nada más salir del garaje. Tenía que pedir ayuda a los vecinos y ello era un jaleo espantoso. ¡Y los miles que he gastado en arreglar las averías! Tú sabes que yo no

*ausgeben   reparieren   Schaden*

conduzco mal, pero como mecánico soy una calamidad. Soy muy feliz sin coche.

Mari Tere:	A lo mejor me compro yo también una bicicleta. ¿Cuál es la mejor marca?

Alfonso:	Las holandesas son buenas. ¿No viajas tú a Holanda pronto?

Mari Tere:	Sí, por una semana el mes que viene. A ver si consigo una barata.

Alfonso:	Ahí viene el camarero, por fin.

Mari Tere ha pedido una sopa marinera y Alfonso, un asado de ternera y una ensalada de lechuga.

Mari Tere:	¡Buen provecho! ¡Qué bien huele esto! —exclama Mari Tere.

Alfonso:	Igualmente. Señor, ¿puede traer aceite y vinagre? Estos recipientes están vacíos —le dice Alfonso al camarero.

Mari Tere:	¡Qué rica está la sopa! Aquí sirven la mejor merluza de Madrid —dice Mari Tere.

Alfonso:	Bueno, a mi asado le falta sal y la carne no está blanda. Pero la salsa está buena. ¿Me pasas la pimienta?

Mari Tere:	Toma. Los gallegos son buenos para preparar pescados y mariscos, pero sus carnes dejan bastante que desear.

Alfonso:	Bueno, yo una vez en Santiago . . . ¿A quién le has hecho señas?

Mari Tere:	Acaba de entrar Conchita Velázquez con el novio. Los ves en aquel espejo si miras a la derecha.

Alfonso:	Conchita se viste siempre a la moda. El novio mide por lo menos un metro noventa. No le conocía. ¿Por qué no se han acercado a saludarnos? Son un poco mal educados.

Mari Tere:	El tiene celos de ti, pero ello no tiene nada que ver contigo. El hombre tiene celos de todos los amigos de Conchita. La quiere exclusivamente para sí. Ahora la ha tomado conmigo. Conchita y yo estamos trabajando juntas y eso le molesta una barbaridad.

Alfonso:	No sabía que estabais trabajando juntas.

Mari Tere:	Es por necesidad. Tenemos que traducir unos textos técnicos. Ninguna de nosotras es capaz de hacer esas traducciones sola.

*Alfonso:* ¿A qué se dedica él?

*Mari Tere:* Es jugador de baloncesto. Está muy enamorado de ella y quiere estar a su lado todo el tiempo. Incluso la sigue al extranjero.

*Alfonso:* El amor no conoce fronteras. ¿Quiere casarse con ella?

*Mari Tere:* Cuanto antes, pero Conchita no se ha decidido aún. El matrimonio con un celoso trae consigo grandes problemas. El novio sufre mucho y dice que yo tengo la culpa de su desgracia. *Unglück*    *Schuld*

*Alfonso:* Ese hombre está enfermo. ¡Por Dios, en qué mundo vive cierta gente!    *Krank   Mein Gott   Welt*

*Mari Tere:* La cosa es muy molesta, pero yo no pienso amargarme la vida por semejante tontería. ¿Pedimos postre?    *Nachspeise*

*Alfonso:* De acuerdo. A ver la lista. Hay flan, natillas y helado.

*Mari Tere:* Un helado de fresa para mí.    *Erdbeere*

*Alfonso:* Camarero, por favor, ¿nos pone dos helados de fresa?

*Mari Tere:* Y nos trae la cuenta, por favor, cada cual paga lo suyo.    *Rechnung   jeder   das Seine*

| | | | |
|---|---|---|---|
| durante | *während* | servir (i) | *(be)dienen; servieren, einschenken* |
| el (la) intérprete | *der (die) Dolmetscher(in)* | la copa | *das (Wein-)Glas* |
| el (la) traductor(a) | *der (die) Übersetzer(in)* | pasar | *geschehen; lossein* |
| | | tirar | *werfen; wegwerfen* |
| la agencia de viajes | *das Reisebüro* | harto, -a | *satt* |
| los (las) dos | *beide* | estaba harto de él | *ich hatte ihn satt* |
| soltero, -a | *ledig* | pararse | *stehenbleiben* |
| el matrimonio | *die Ehe* | el garaje | *die Garage* |
| esta noche | *heute abend* | nada más salir del garaje | *kaum daß ich aus der Garage herausgefahren war* |
| gallego, -a | *galicisch* | | |
| correr | *laufen, rennen* | | |
| el bosque | *der Wald* | pedir (i) | *(er)bitten; bestellen* |
| salgo para ... | *ich mache mich nach ... auf den Weg* | la ayuda | *die Hilfe* |
| | | pedir ayuda a alguien | *j-n um Hilfe bitten* |
| Casa de Campo | *(Wald im Westen Madrids)* | el jaleo | *der Trubel, das Durcheinander* |
| el campo | *das Land* | espantoso, -a | *furchtbar, entsetzlich* |
| temprano *(Adv.)* | *früh* | los miles | *die Tausende* |
| generalmente | *meistens* | arreglar | *reparieren* |
| coger | *nehmen* | la avería | *der Schaden, die Panne* |
| la bicicleta | *das Fahrrad* | conducir (zc) | *lenken, fahren; führen* |
| el cuidado | *die Vorsicht* | el mecánico | *der Mechaniker* |
| con mucho cuidado | *sehr vorsichtig* | la calamidad | *das Unglück, die Katastrophe* |
| por ello, -a | *dafür* | | |
| el medio | *das Mittel* | como mecánico soy una calamidad | *als Mechaniker bin ich eine Null* |
| el transporte | *der Transport* | | |

118

| | |
|---|---|
| de veras | *wirklich, im Ernst* |
| la marca | *die Marke* |
| el mes que viene | *nächsten Monat* |
| conseguir (i) | *bekommen* |
| la sopa | *die Suppe* |
| marinero, -a | *seemännisch; hier: nach Matrosenart* |
| el asado | *der Braten* |
| la ternera | *das Kalb* |
| la ensalada | *der Salat* |
| la (ensalada de) lechuga | *der grüne Salat, der Kopfsalat* |
| el provecho | *der Nutzen, der Gewinn* |
| ¡buen provecho! | *guten Appetit!* |
| exclamar | *(aus)rufen* |
| igualmente | *gleichfalls* |
| el aceite | *das Öl* |
| el vinagre | *der Essig* |
| el recipiente | *das Gefäß* |
| vacío, -a | *leer* |
| rico, -a | *reich; schmackhaft* |
| la merluza | *der Seehecht* |
| la sal | *das Salz* |
| la carne | *das Fleisch* |
| blando, -a | *weich* |
| la salsa | *die Soße* |
| pasar | *(herüber)reichen* |
| la pimienta | *der Pfeffer* |
| toma | *hier bitte* |
| el gallego | *der Galicier* |
| el pescado | *der Fisch* |
| los mariscos | *die Meeresfrüchte* |
| las carnes | *die Fleischsorten; -gerichte* |
| desear | *wünschen* |
| dejar que desear | *zu wünschen übriglassen* |
| una vez | *einmal, einst* |
| Santiago (de Compostela) | *(Stadt in Galicien, im Nordwesten Spaniens)* |
| hacer señas | *(zu)winken* |
| el espejo | *der Spiegel* |
| a la derecha | *rechts* |
| vestirse (i) | *sich kleiden* |
| la moda | *die Mode* |
| a la moda | *nach der Mode* |
| medir (i) | *messen; ausmessen* |
| por lo menos | *wenigstens* |
| el metro | *der Meter* |
| mide un metro noventa | *er ist ein(en) Meter neunzig groß* |
| acercarse | *(näher)kommen, sich nähern* |
| educado, -a | *erzogen* |
| mal educado | *ungezogen* |
| los celos | *die Eifersucht* |
| tener celos de alguien | *auf j-n eifersüchtig sein* |
| tener que ver con | *zu tun haben mit* |
| contigo | *mit dir* |
| exclusivamente | *ausschließlich* |
| para sí | *für sich* |
| tomarla con alguien | *sich mit j-m anlegen* |
| conmigo | *mit mir* |
| molestar | *belästigen; ärgern* |
| molestar una barbaridad | *maßlos ärgern* |
| no sabía que estabais trabajando juntas | *ich wußte nicht, daß Ihr zusammen arbeitet* |
| la necesidad | *die Notwendigkeit* |
| es por necesidad | *es ist notwendig* |
| traducir (zc) | *übersetzen* |
| el texto | *der Text* |
| técnico, -a | *technisch* |
| capaz de | *fähig zu* |
| la traducción | *die Übersetzung* |
| el jugador | *der Spieler* |
| el baloncesto | *der Korbball (Spiel)* |
| enamorado, -a de | *verliebt in* |
| a su lado | *bei ihr, bei ihm* |
| seguir (i) | *folgen* |
| el extranjero | *das Ausland* |
| el amor | *die Liebe* |
| la frontera | *die Grenze* |
| casarse con alguien | *j-n heiraten* |
| cuanto antes | *so schnell wie möglich* |
| decidirse | *sich entschließen* |
| celoso, -a | *eifersüchtig* |
| consigo | *mit sich* |
| sufrir | *leiden* |
| la culpa | *die Schuld* |
| tener la culpa de algo | *an etwas schuld sein* |
| enfermo, -a | *krank* |
| Dios *m* | *Gott* |
| ¡por Dios! | *mein Gott!* |
| amargar | *bitter machen; verbittern* |
| amargarse la vida | *sich das Leben schwermachen* |
| semejante | *solche(r, -s)* |
| la tontería | *die Dummheit* |
| el postre | *die Nachspeise* |
| la lista | *die Liste; die Speisekarte* |
| el flan | *der Pudding* |
| las natillas | *(eine Art Cremespeise)* |
| el helado | *das (Speise-)Eis* |
| la fresa | *die Erdbeere* |
| de fresa | *Erdbeer...* |
| para mí | *für mich* |
| la cuenta | *die Rechnung* |
| cada cual | *jeder* |
| lo suyo | *das Seine* |

Grammatik und Übungen:

| | |
|---|---|
| exigir | *fordern, verlangen* |
| internacional | *international* |
| el italiano | *Italienisch (Sprache)* |
| decir que no | *nein sagen* |

## 14B Grammatik

**1. Präsens Indikativ von salir und conducir**

| salir *hinausgehen, abfahren* | conducir *lenken, fahren* |
|---|---|
| salgo    salimos | conduzco    conducimos |
| sales    salís | conduces    conducís |
| sale    salen | conduce    conducen |

Alle Verben auf -ducir gehen wie conducir.

**2. Präsens Indikativ und Gerundio der Verbgruppe e/i**

| Muster: | pedir *bitten* | |
|---|---|---|
| *Präsens* Indikativ: | pido | pedimos |
| | pides | pedís |
| | pide | piden |
| Gerundio: | pidiendo | |

Bei einer Reihe von Verben wird in den stammbetonten Formen des Präsens Indikativ sowie im Gerundio der Stammvokal e in i verwandelt. Im Wörterverzeichnis werden diese Verben mit (i) gekennzeichnet. Ein Verb dieser Gruppe ist im Lehrbuch bereits vorgekommen: despedirse.

**3. Die Personalpronomen nach Präpositionen**

¿Piensas **en mí**?
*Denkst du an mich?*
Tiene celos **de ti**.
*Er ist auf dich eifersüchtig.*
Lo desean **para sí**.
*Sie wünschen es für sich.*

Im Deutschen steht das Personalpronomen nach einer Präposition im Akkusativ oder im Dativ. Im Spanischen steht nach Präpositionen (a, de, en, por, sin, para, hacia, sobre, contra, hasta, ante):

**mí** *mir, mich* für die 1. Person Singular
**ti** *dir, dich* für die 2. Person Singular
**sí** *sich* für die reflexive Form der 3. Person Singular und Plural.

¿Qué tiene que ver **conmigo**?
*Was hat es mit mir zu tun?*
Quiero hablar **contigo**.
*Ich will mit dir reden.*
Siempre lleva **consigo** tu foto.
*Er hat dein Bild immer bei sich.*
Hablaban consigo mismas.
*Sie sprachen mit sich selbst.*

Die Präposition **con** verbindet sich mit den Personalpronomen zu den Formen:
**conmigo** *mit mir* für die 1. Person Singular
**contigo** *mit dir* für die 2. Person Singular
**consigo** *mit sich* für die reflexive Form der 3. Person Singular und Plural.

El vino es **para nosotros**.
*Der Wein ist für uns.*
No tengo nada **contra usted**.
*Ich habe nichts gegen Sie.*

Für alle anderen Personen stehen nach Präpositionen Formen des Personalpronomens, die mit dem jeweiligen Nominativ identisch sind: él (z. B. para él *für ihn*), ella (z. B. con ella *mit ihr*), usted, nosotros, nosotras, vosotros, vosotras, ellos, ellas, ustedes.

Ha vendido **el coche** y es feliz **sin él**.
*Er hat den Wagen verkauft und ist glücklich ohne ihn.*
Las bicicletas son buenas, ¿habéis pagado mucho **por ellas**?
*Die Fahrräder sind gut, habt ihr viel dafür (für sie) bezahlt?*
Ha sacado malas notas; su padre quiere hablar **sobre ello** con él.
*Er hat schlechte Noten bekommen; sein Vater will darüber mit ihm sprechen.*

Die Pronomen **él, ella, ellos, ellas** sowie **sí** und die Verbindung **consigo** können auch Sachen vertreten.

Das Pronomen **ello** vertritt einen Satzinhalt. Statt ello werden ebensohäufig die Demonstrativpronomen **eso** oder **esto** verwendet.

**4. Der Gebrauch von qué und cuál, cuáles**

| | |
|---|---|
| ¿qué dices? *was sagst du?*  ¿qué es eso? *was ist das?* | ¿qué casa? *welches Haus?, was für ein Haus?*  ¿en qué casa? *in welchem Haus?* |

| | |
|---|---|
| ¿en qué piensas? *woran denkst du?*  ¿de qué hablas? *wovon sprichst du?*  ¿para qué lo hace? *wozu macht er es?* | ¡qué hombre! *was für ein Mann!*  ¡qué verde! *wie grün!*  ¡qué bien! *wie gut!* |

– In Fragesätzen fragt **¿qué?** nach Sachen und Satzinhalten.
– In Ausrufesätzen steht **¡qué!** vor Substantiven, Adjektiven und Adverbien.

| | |
|---|---|
| ¿**Cuál** es el coche de Pedro? | Traigo dos flores para cada uno. |
| El rojo. | ¿**Cuáles** son para mí? |
| *Welches ist Pedros Auto?* | *Ich habe zwei Blumen für jeden.* |
| *Das rote.* | *Welche sind für mich?* |

Das Fragewort **cuál** (Plural: **cuáles**) wird nur als Pronomen verwendet. Es fragt nach Sachen oder Personen aus einer begrenzten Anzahl.

### 5. Die Präpositionen por und para

In Verbindung mit einem Ausdruck der **Bewegung** bezeichnet **por** den Ort oder den Punkt

– über den diese Bewegung hinwegführt: salir por la puerta *durch die Tür hinausgehen;* tirar algo por la ventana *etwas zum Fenster hinauswerfen;* hay que mirar por aquí *man muß hier durchsehen;* ir a Bilbao por Burgos *über Burgos nach Bilbao fahren;*

– an dem die Bewegung vorbeiführt: el coche pasa por el museo *der Wagen fährt am Museum vorbei;* un hombre pasa por delante de la casa *ein Mann geht am Haus vorbei;*

– an dem sich die Bewegung abspielt: correr por el bosque *im Wald (herum) laufen;* ir por la calle *auf der Straße gehen;* un viaje por el norte *eine Reise im/durch den Norden;* hay que ir por aquí *man muß hier gehen.*

**Por** führt die **Ursache**, den **Beweggrund** ein: no se puede ir por el mal tiempo *man kann wegen des schlechten Wetters nicht hingehen;* lo hace por amor *er tut es aus Liebe;* lo hago por ti *ich tue es deinetwegen;* ¿por qué? *warum?;* porque *weil;* por eso *deshalb;* muchas gracias por todo *vielen Dank für alles.*

**Por** dient zur Angabe von **Zeitbestimmungen**. Es dient häufig (und zwar in denselben Fällen wie *für*) zur Angabe einer Zeitspanne: viene por una semana *er kommt für eine Woche.* Man merke sich besonders die Angaben der Tageszeiten: por la mañana *am Vormittag;* por la tarde *am Nachmittag;* por la noche *am Abend.* Eine regelmäßige Wiederholung wird durch den Plural ausgedrückt: la visitaba por las tardes *er besuchte sie (immer) nachmittags.*

**Por** wird in Wendungen gebraucht, die einen **Preis**, einen **Tausch** oder eine **Stellvertretung** bezeichnen: he pagado poco por la bicicleta *ich habe für das Fahrrad wenig bezahlt;* lo ha comprado por un millón *er hat es für eine Million gekauft;* cambio mi moto por una bicicleta *ich tausche mein Motorrad gegen ein Fahrrad;* he venido por mi hermana *ich bin für meine Schwester ( = statt meiner Schwester) gekommen.*

Die Präposition **para** dient zur Angabe der **Richtung**, in die eine Bewegung geht: salgo para el hotel ahora *ich fahre jetzt zum Hotel;* ¿puedes mirar para arriba? *kannst du nach oben sehen?* (Im Gegensatz zu para betont die Präposition **a** das Ziel einer Bewegung.)

Para dient zur Angabe des **Zwecks** und der **Bestimmung**: lo hace para molestarnos *er tut es, um uns zu ärgern;* esto es para ti *dies ist für dich;* trabaja para una empresa alemana *er arbeitet für eine deutsche Firma.*

**Para** wird verwendet zur Angabe des **Standpunkts**, den jemand einnimmt, und des **Bezugs** auf jemanden oder etwas: para Julio, Rosa es la más guapa *für Julio ist Rosa die Hübscheste;* eso es peligroso para usted *das ist gefährlich für Sie.*

**6. Das prädikative Adjektiv mit ser oder estar**

| | |
|---|---|
| El tiempo **está** bonito. | La ciudad **es** bonita. |
| *Das Wetter ist schön.* | *Die Stadt ist schön.* |
| **Estamos** tristes. | Sus canciones **son** tristes. |
| *Wir sind traurig.* | *Seine Lieder sind traurig.* |
| ¡Qué cariñoso **estás**! | ¡Qué cariñoso **es**! |
| *Wie lieb du bist!* | *Wie freundlich er ist!* |

Beim Adjektiv steht **ser**, wenn es ein Merkmal für die nähere Kennzeichnung einer Person oder einer Sache angibt.

Beim Adjektiv steht **estar**, wenn es einen Zustand bezeichnet, in dem sich eine Person oder eine Sache befindet bzw. in den sie geraten oder versetzt worden ist.

Einige Adjektive haben in der Verbindung mit **ser** meistens eine andere Bedeutung als in der Verbindung mit **estar**:

| | | | |
|---|---|---|---|
| ser listo | *klug sein* | estar listo | *bereit sein* |
| ser malo | *böse sein* | estar malo | *krank sein* |

# 14C Sprachgebrauch – Landeskunde

Orthographische Veränderungen in der Konjugation der Verben:

– Verben auf **-ger** und **-gir** verwandeln das g in der 1. Person Präsens Indikativ in **j**, da sich ja die Aussprache [x] nicht ändert: coger *nehmen* – cojo; exigir *fordern* – exijo.

– Verben auf **-guir** enden in der 1. Person Singular des Präsens Indikativ auf **-go**: seguir *folgen* – sigo. Die Aussprache [g] bleibt unverändert.

Höfliche **Bitten** werden oft in der **Frageform** ausgedrückt, und dabei werden häufig die Verben **querer** oder **poder** verwendet: ¿me pasas la sal? *gibst du mir bitte das Salz?;* ¿me quiere usted pasar la sal? *würden Sie mir bitte das Salz herüberreichen?* (Vgl. hierzu auch Lekt. 23B1 über den Gebrauch des Konditionals.)

Beim Bestellen im Restaurant und beim Einkaufen kann der Kunde seinen Wunsch durch den Imperativ ausdrücken (vgl. Lekt. 27B4); es werden jedoch häufig Wendungen im Indikativ gebraucht: me pone un café, por favor *ich möchte (bitte) einen Kaffee;* me pone un kilo de carne de ternera, por favor *ich möchte (bitte) ein Kilo Kalbfleisch;* ¿me da un plano de Madrid, por favor? *ich möchte einen Stadtplan von Madrid, bitte.*

Das deutsche „bitte" beim Überreichen einer Sache wird durch Wendungen mit **tener** wiedergegeben: aquí tienes, aquí tiene usted, auch mit dem Imperativ (vgl. Lekt. 27B4): ten, tenga usted. Ebenso häufig ist beim Überreichen der Gebrauch des Imperativs von tomar: toma, tome usted.

Zu nada más + Infinitv vgl. Lekt. 24B6

Zu lo suyo vgl. Lekt. 20B1

no sabía que estabais trabajando juntas; hier wird estabais aufgrund der Zeitenfolgeregeln verwendet, vgl. Lekt. 20B5.

# 14D Übungen

1. Rosa Gallegos es intérprete y traductora. Trabaja para congresos internacionales y traduce textos técnicos para una empresa alemana. Habla alemán sin acento ninguno. Sabe, además, inglés y francés, y de momento está aprendiendo el italiano *(Italienisch)*. Rosa sale al extranjero con mucha frecuencia. Conoce la mayoría de los países de Europa. Su trabajo es interesante y agradable. Todo el mundo la quiere y la admira. Siempre se viste a la última moda. Muchos quieren casarse con ella, pero ella a todos les dice que no. Es feliz con las cosas que tiene. Conduce un SEAT 127, para ella, el mejor coche del mundo. Le gustan los niños, los gatos, las flores rojas.

   *Ändern Sie das Subjekt des Textes:* a) yo. b) las mellizas González. c) nosotras. *Bringen Sie den Text zunächst im Präsens Indikativ und dann im Imperfekt Indikativ.*

2. *Setzen Sie* por *oder* para *ein:*

   a) . . . . . mí, una sopa marinera, por favor.
   b) Muchas gracias . . . . . todo, señores.
   c) Necesito sellos . . . . . estas tarjetas.
   d) Si hacemos esto, lo hacemos . . . . . ti.
   e) Salimos . . . . . Málaga mañana . . . . . la mañana.
   f) Vamos a aprovechar que hace sol . . . . . sacar unas fotos.
   g) ¿ . . . . . quién has comprado ese disco?
   h) ¿ . . . . . qué lo haces?
   i) Correr . . . . . el bosque todos los días no es bueno.
   j) Le han pagado mucho . . . . . ese trabajo.
   k) . . . . . llegar a la catedral tenemos que pasar . . . . . el parador.
   l) El museo está . . . . . aquí.

3. *Setzen Sie das fehlende Pronomen ein:*
   a) Tiene muchos juguetes, pero no . . . . . gusta jugar con . . . . .
   b) Hemos hecho muchos viajes y . . . . . gusta hablar de . . . . .
   c) Nuestros amigos alemanes van a la fiesta con . . . . .
   d) Estoy muy molesto. . . . . . hablas de algo que no tiene nada que ver con . . . . .
   e) Tú eres muy tranquila. Por eso . . . . . gusta viajar con . . . . .
   f) Rosa y Julio son una pareja muy simpática. Él . . . . . quiere mucho. Está muy enamorado de . . . . .
   g) ¿Por qué estáis molestos? ¿ . . . . . hemos molestado con tantas preguntas? Hombre, ya no se puede hablar de nada con . . . . .
   h) Doctor García, hay un paquete para . . . . .

4. *Setzen Sie die richtigen Formen von* ser *oder* estar *ein, zunächst im Präsens Indikativ, dann im Imperfekt Indikativ:*
   a) El coche de mi amigo . . . . . azul.
   b) El . . . . . capaz de hacer una barbaridad.
   c) (Nosotros) . . . . . hartos de sus preguntas.
   d) Las calles . . . . . llenas de gente.
   e) (Vosotros) . . . . . un poco mal educados.
   f) Me parece que el tabaco alemán no . . . . . mejor que el español.
   g) La novia . . . . . joven. Tiene 17 años.
   h) El postre . . . . . muy rico.
   i) Yo ya . . . . . listo para salir.
   j) ¿Por qué . . . . . tan callado tú?
   k) La merzula . . . . . muerta.
   l) Me gustan sus películas porque . . . . . graciosas.

5. *Übersetzungsübungen:*

A) Ich verstehe nichts davon. Darüber will ich nicht reden. Davon weiß ich sehr wenig. Daran habe ich noch nie gedacht. Dazu braucht man Salz und Pfeffer. Ich habe damit nichts zu tun.

B) Womit macht man das? Wozu dient dies? Woran denkst du jetzt? Wovon lebt der Mensch? Worüber habt ihr gesprochen?

C) In welchem Stockwerk wohnen Sie? Welche Politik ist die beste? Welche ist Ihre Tochter? Welches Kleid ziehst du an? Welches ist das älteste Gebäude in dieser Stadt? Welche sind deine besten Schülerinnen?

# 15A

## 15A Text

**En el mercado**

Hoy está fea la mañana. El cielo está cerrado y hace frío. Ha llovido toda la noche y sigue lloviendo. Doña Eulalia y doña Rosa se encuentran a la entrada del mercado.

*Dª. Eulalia:* Buenos días, doña Rosa, ¿cómo le va?

*Dª. Rosa:* Vamos tirando, doña Eulalia, y usted, ¿cómo está?

*Dª. Eulalia:* Bien, pero si el tiempo sigue así, voy a coger pronto un catarro.

*Dª. Rosa:* Hay que cuidarse mucho, doña Eulalia. La salud es lo primero. ¿Sigue usted durmiendo con las ventanas abiertas?

*Dª. Eulalia:* Pero qué ocurrencia, doña Rosa. Madrid no es Mallorca. ¿Ha venido usted por carne?

*Dª. Rosa:* No. La carne la he comprado ya en la carnicería de enfrente. Vengo de allí.

*Dª. Eulalia:* ¿Qué va a preparar hoy usted de comida, doña Rosa?

*Dª. Rosa:* Asado de ternera según una receta uruguaya. Me la ha pasado la vecina de al lado. Me parece que usted no la conoce. Es una familia nueva en el barrio. El marido es médico. Acaba de abrir consultorio. Son una pareja muy simpática, muy cultos, pero también muy sufridos. Les han ocurrido cosas horribles en su país, según lo que cuenta Conchita.

*Dª. Eulalia:* ¿Cómo está Conchita, doña Rosa? ¿Sigue en cama?

*Dª. Rosa:* Ya no. La chica se siente muy bien y quiere venir a hacer la compra, pero no es posible aún.

*Dª. Eulalia:* ¿Se lo ha prohibido el médico?

*Dª. Rosa:* No, pero la gripe ha sido fuerte y la chica está débil aún. No le conviene mucho ejercicio. ¿Cómo está su marido, doña Eulalia?

*Dª. Eulalia:* Seguimos esperando los resultados del análisis. Ha mejorado algo, eso sí. Ya no tiene fiebre. Pero esta mañana le dolían los brazos y las piernas. Bueno, una gripe no se cura en dos semanas. Pero, ¿por qué está perdiendo el apetito? No me lo explico.

*Dª. Rosa:* Doña Eulalia, lo mejor para despertar el apetito son las frutas ácidas. Cuando mis hijas no tienen apetito, les doy una toronja. Se la doy con azúcar. Se lo recomiendo, doña Eulalia.

*Dª. Eulalia:* A mi marido no le gusta la toronja, doña Rosa. Pero sí le gusta el limón. Voy a prepararle un zumo y voy a dárselo con miel.

*Dª. Rosa:* Un zumo de limón con miel es algo muy sano, doña Eulalia.

Las señoras pasan por delante de un puesto de ropa.

*Dª. Eulalia:* ¿Ha acabado ya el pijama que estaba cosiendo para su marido? –pregunta doña Eulalia.

*Dª. Rosa:* Sí. Me ha sobrado bastante tela. Voy a hacer unas fundas de almohada con ella.

*Dª. Eulalia:* ¿Me deja usted el modelo del pijama, doña Rosa?

*Dª. Rosa:* Ay, doña Eulalia, la revista se la he dejado a mi suegra y no me la ha devuelto todavía.

Las señoras llegan al puesto de don Pepe, el verdulero. No está despachando don Pepe, sino el hijo menor. Doña Eulalia compra patatas, tomates y cebollas. Paga y se despide de doña Rosa.

*Dª. Eulalia:* Adiós, doña Rosa, a ver si le queda lomo a don Rosendo.

*Dª. Rosa:* Adiós, doña Eulalia, recuerdos a todos –dice doña Rosa y se dirige luego al vendedor.

*Dª. Rosa:* Esta lechuga me la envuelves en papel, por favor. ¿Cuánto vale la col?

*Federico:* Hay que pesarla, doña Rosa. A ver . . . cien.

*Dª. Rosa:* Está bien. ¿A cuánto están las aceitunas?

*Federico:* A doscientas el kilo.

*Dª. Rosa:* Me pones medio kilo, por favor. Eso es todo, ¿cuánto te debo?

*Federico:* Quinientas cincuenta y cinco.

*Dª. Rosa:* Bueno, ¿qué es de tu padre, Federico?

*Federico:* Ha salido para Lugo esta mañana. ¿No se ha enterado usted de la riada? La radio está informando en programas especiales. Se han roto algunos diques y el agua ha cubierto muchos pueblos. Están cortadas todas las comunicaciones . . .

| | | | |
|---|---|---|---|
| feo, -a | häßlich | el zumo | der Saft |
| cerrado, -a | bedeckt (v. Himmel) | la miel | der Honig |
| sigue lloviendo | es regnet weiter | sano, -a | gesund |
| a la entrada | am Eingang | pasan por delante de | sie gehen an ... vorbei |
| vamos tirando | es geht so | el puesto | der Stand |
| el catarro | der Schnupfen, die Erkältung | la ropa | die Wäsche; die Kleidung |
| coger un catarro | e-n Schnupfen bekommen | el pijama | der Schlafanzug |
| cuidar | pflegen | coser | nähen |
| la salud | die Gesundheit | sobrar | übrigbleiben; zu viel sein |
| con las ventanas abiertas | bei offenen Fenstern | la tela | der Stoff |
| la ocurrencia | der Einfall | la funda | der Bezug |
| ¡qué ocurrencia! | was für eine Idee! | la almohada | das Kissen |
| venir por | holen; abholen | el modelo | das Modell; das Schnittmuster |
| la carnicería | die Metzgerei | el suegro, la suegra | der Schwiegervater, die Schwiegermutter |
| de enfrente | gegenüber, drüben | devolver (ue) | zurückgeben |
| según | nach, gemäß | devuelto | zurückgegeben |
| uruguayo, -a | uruguayisch | el verdulero | der Gemüsehändler |
| al lado | nebenan | la patata | die Kartoffel |
| abrir | öffnen, aufmachen; eröffnen | el tomate | die Tomate |
| el consultorio | die (Arzt-)Praxis | la cebolla | die Zwiebel |
| culto, -a | gebildet, kultiviert | quedar | noch dasein |
| sufrido, -a | leidgeprüft | si le queda ... | ob er noch ... hat |
| ocurrir | geschehen, passieren | el lomo | die Lende |
| horrible | schrecklich | luego | dann; (so)gleich |
| según lo que | nach dem, was | envolver (ue) | einpacken, einwickeln |
| la compra | der Kauf, der Einkauf | el papel | das Papier |
| hacer la compra | die (täglichen) Besorgungen machen | valer | wert sein; kosten |
| se (Dativ) | ihm, ihr, Ihnen | la col | der Kohl, das Kraut |
| prohibir | verbieten | pesar | wiegen |
| se lo ha prohibido | er hat es ihr verboten | está bien | ist gut, in Ordnung |
| la gripe | die Grippe | ¿a cuánto están ...? | wie teuer sind ...?, was kosten ...? |
| fuerte | stark; schwer | la aceituna | die Olive |
| débil | schwach | enterarse de | erfahren |
| convenir | zuträglich sein, ratsam sein | la riada | die Überschwemmung |
| el ejercicio | die Übung; die Bewegung | la radio | der Rundfunk; das Radio |
| no le conviene mucho ejercicio | sie darf sich nicht anstrengen | informar | informieren |
| el resultado | das Ergebnis | el programa | das Programm; die Sendung |
| el análisis | die Untersuchung | especial | Sonder... |
| mejorar | besser werden | romperse | (zer)brechen, (zer)reißen |
| la fiebre | das Fieber | el dique | der Damm; der Deich |
| el brazo | der Arm | cubrir | bedecken, zudecken |
| la pierna | das Bein | ha cubierto | hier: es hat überschwemmt |
| curarse | heilen | cortar | (ab)schneiden; unterbrechen |
| el apetito | der Appetit | la comunicación | die Verbindung |
| explicar | erklären, erläutern | Grammatik und Übungen: | |
| no me lo explico | das kann ich mir nicht erklären | descubrir | entdecken |
| despertar (ie) | (auf)wecken; anregen | resolver | lösen |
| ácido, -a | sauer | resuelto | gelöst |
| la toronja | die Pampelmuse | enviar | schicken |
| el azúcar | der Zucker | ponerse sombrero | den Hut aufsetzen |
| el limón | die Zitrone | mostrar (ue) | zeigen |

# 15B Grammatik

### 1. Präsens Indikativ von venir und valer; Gerundio von venir

| venir *kommen* | | valer *wert sein* | |
|---|---|---|---|
| *ven*go | venimos | valgo | valemos |
| vienes | venís | vales | valéis |
| viene | vienen | vale | valen |
| Gerundio: viniendo | | | |

### 2. Unregelmäßige Formen des Partizips

| *Infinitiv* | | *Partizip Perfekt* | |
|---|---|---|---|
| *abrir* | *öffnen* | abierto | *geöffnet* |
| *cubrir* | *bedecken* | cubierto | *bedeckt* |
| *descubrir* | *entdecken* | descubierto | *entdeckt* |
| *envolver* | *einpacken* | envuelto | *eingepackt* |
| *devolver* | *zurückgeben* | devuelto | *zurückgegeben* |
| *resolver* | *lösen* | resuelto | *gelöst* |

### 3. Gebrauch von seguir statt estar todavía

Seguimos esperando.
*Wir warten immer noch.*
Sigue lloviendo.
*Es regnet weiter.*
Seguían enfermas.
*Sie waren noch krank.*
Sigues de mal humor.
*Du hast (immer) noch schlechte Laune.*

Mit **seguir** + **Gerundio** wird das Nichtaussetzen bzw. die Fortsetzung einer Tätigkeit oder eines Vorgangs ausgedrückt.

**Seguir** wird statt **estar** als Kopula verwendet, um das Fortbestehen eines Zustandes oder einer Lage auszudrücken.

### 4. Der Unterschied zwischen si und cuando = *wenn*

**Si** hace buen tiempo, vamos a dar un paseo.
*Wenn ( = falls) schönes Wetter ist, machen wir einen Spaziergang.*

Bei **si** steht ein Bedingungsverhältnis zwischen zwei Vorgängen im Vordergrund: *wenn/falls . . ., dann . . .*

129

Cuando acaba Gloria, empieza Rosa.
*Wenn Gloria fertig ist, fängt Rosa an.*

Bei **cuando** steht das zeitliche Zusammenfallen von zwei oder mehr Vorgängen im Vordergrund: *wenn/immer wenn . . ., dann . . .*

### 5. Die Personalpronomen: Dativ + lo/la/los/las

Wenn zwei unbetonte Personalpronomen zusammentreffen (Dativ und Akkusativ), folgt der Akkusativ auf den Dativ. Dabei ergeben sich für die 1. und 2. Person Singular und Plural folgende Verbindungen:

> **me lo / me la / me los / me las**
> **te lo / te la / te los / te las**
> **nos lo / nos la / nos los / nos las**
> **os lo / os la / os los / os las**

Für die 3. Person Singular und Plural (reflexiv und nicht reflexiv) ergeben sich folgende Verbindungen:

> **se lo / se la / se los / se las**

Man beachte also, daß die Dativpronomen **le** und **les** vor lo/la/los/las zu **se** werden und mit dem Reflexivpronomen „se" lautlich zusammenfallen.

**Stellung im Satz:**

a) **Vor** dem konjugierten Verb:
   Te doy el reloj: **te lo doy.**
   *Ich gebe dir die Uhr: ich gebe sie dir.*

b) **Nach** der Negation no:
   No te doy el reloj: **no te lo** doy.
   *Ich gebe dir die Uhr nicht: ich gebe sie dir nicht.*

c) An den Infinitiv **angehängt**:
   Aprovecho la ocasión para darte el reloj. Aprovecho la ocasión para **dártelo.**
   *Ich benutze die Gelegenheit, um dir die Uhr zu geben. Ich benutze die Gelegenheit, um sie dir zu geben.*

Beispiele für **Verbindungen mit se** *(ihm, ihr, Ihnen):*
Juan da la carta al señor: le da la carta: **se la** da.
*Juan gibt dem Herrn den Brief: er gibt ihm den Brief: er gibt ihn ihm.*
Juan da la carta a la señora: le da la carta: **se la** da.
*Juan gibt der Dame den Brief: er gibt ihr den Brief: er gibt ihn ihr.*
Juan da la carta a los señores: les da la carta: **se la** da.
*Juan gibt den Herren den Brief: er gibt ihnen den Brief: er gibt ihn ihnen.*

130

Juan da la carta a las señoras: les da la carta: **se la** da.
*Juan gibt den Damen den Brief: er gibt ihnen den Brief: er gibt ihn ihnen.*
Juan le da la carta, señor: Juan **se la** da.
*Juan gibt Ihnen den Brief, mein Herr: Juan gibt ihn Ihnen.*
Juan le da la carta, señora: Juan **se la** da.
*Juan gibt Ihnen den Brief, meine Dame: Juan gibt ihn Ihnen.*
Juan les da la carta, señores: Juan **se la** da.
*Juan gibt Ihnen den Brief, meine Herren: Juan gibt ihn Ihnen.*
Juan les da la carta, señoras: Juan **se la** da.
*Juan gibt Ihnen den Brief, meine Damen: Juan gibt ihn Ihnen.*

Beispiele für die **Verwendung des redundanten Personalpronomens** (vgl. Lekt. 12B5):

Este reloj me **lo** ha regalado mi abuelita.
*Diese Uhr hat mir meine Oma geschenkt.*
A mi hermana **se** lo ha dicho el profesor.
*Meiner Schwester hat es der Lehrer gesagt.*
Esto no **se lo** hemos mostrado a nadie todavía.
*Dies haben wir noch niemandem gezeigt.*

### 6. Nachstellen des Satzsubjekts

Das Satzsubjekt steht in folgenden Fällen nach dem Prädikat:
a) In Fragesätzen mit einem Fragewort:

¿Cuándo son los exámenes?   *Wann sind die Prüfungen?*
¿Por qué no viene Pedro?   *Warum kommt Pedro nicht?*

b) In Aussagesätzen mit einem intransitiven Verb, wenn das Subjekt eine unbestimmte Menge bezeichnet oder (wie im letzten Beispiel) aus mehreren Begriffen besteht:

Han ocurrido varios accidentes.   *Zahlreiche Unfälle sind geschehen.*
Salía gente del cine.   *Leute kamen aus dem Kino.*
Me ha sobrado esto.   *Dies ist mir übriggeblieben.*
Suben los curas y las muchachas.   *Die Geistlichen und die Mädchen steigen ein.*

c) Wenn das Subjekt die eigentliche Information enthält:

¿Quién ha venido hoy?   *Wer ist heute gekommen?*
Hoy ha venido Jorge.   *Heute ist Jorge gekommen.*
¿Quién tiene la carta?   *Wer hat den Brief?*
La carta la tengo yo.   *Den Brief habe ich/ich habe den Brief.*
¿Quién envía la carta a Luis?   *Wer schickt den Brief an Luis?*
A Luis le envía la carta Pedro.   *Pedro schickt den Brief an Luis.*

## 15C Sprachgebrauch – Landeskunde

Die Wendung **a ver** wird außer in der Bedeutung *mal sehen, laß mich sehen* häufig zum Ausdruck einer bestimmten Erwartung oder Befürchtung gebraucht: a ver si el tren trae retraso *ich bin gespannt, ob der Zug Verspätung hat;* a ver si coges un resfriado *du kriegst vielleicht noch eine Erkältung;* a ver si escribes pronto *hoffentlich schreibst du bald!*

Nach dem Preis von Waren wird mit den Verben **costar** oder **valer** gefragt: ¿cuánto cuesta esto?, ¿cuánto vale esto? *was kostet das?* Für Preisangaben wird auch sehr häufig **estar a** verwendet: ¿a cuánto están las patatas? *wie teuer sind die Kartoffeln?;* los tomates están a cien pesetas el kilo *die Tomaten kosten hundert Peseten das Kilo.*

Das deutsche Verb *holen* wird mit **ir por** wiedergegeben, wenn man geht, um etwas zu holen, und mit **venir por**, wenn man kommt, um etwas zu holen bzw. abzuholen: voy por vino *ich hole (jetzt) Wein;* vengo por los niños *ich komme die Kinder abholen.* In der Umgangssprache ist der Gebrauch von **ir a por** (statt: ir por) sehr verbreitet.

## 15D Übungen

1. *Setzen Sie die folgenden Sätze in das zusammengesetzte Perfekt:*
   a) El hombre es camarero.
   b) Vengo por la tela.
   c) Ya abren las carnicerías.
   d) Se rompe la copa.
   e) No me devuelves la novela.
   f) Dice una barbaridad.
   g) Hago un viaje por el norte.
   h) Muere el rey.
   i) Veo a tus amigos.
   j) Te escribimos varias veces.
   k) Las nubes cubren el sol.
   l) ¿Por qué se pone usted sombrero?

2. *Setzen Sie die richtige Form von* estar *und* seguir *ein, und zwar zunächst im Präsens Indikativ, dann im Imperfekt Indikativ:*
   a) Nosotros . . . . . con fiebre.
   b) El cielo . . . . . cubierto.
   c) Ignacio . . . . . de obrero en una empresa.
   d) Don Juan . . . . . en cama.
   e) Las patatas . . . . . caras.
   f) ¿Por qué (tú) . . . . . de mal humor?
   g) ¿Vosotros . . . . . enfermos?
   h) Señores, ¿. . . . . con catarro?

3. *Ergänzen Sie die Sätze mit der entsprechenden Form von* seguir + Gerundio *und verwenden Sie dabei, soweit es möglich ist, die Personalpronomen:*
   a) El niño ha leído toda la noche y . . . . .
   b) Las chicas han dormido toda la mañana y . . . . .
   c) Era un buen chico y . . . . .
   d) Escribía cartas al periódico y . . . . .
   e) Bailaba muy bien de muchacho y . . . . .
   f) Habéis trabajado todo el día y . . . . .
   g) Los amigos han discutido todo el día y . . . . .

4. *Setzen Sie das Personalpronomen nach den Mustern ein:*
   A) Aquí tienes el <u>libro.</u>
      Gracias. Te lo devuelvo mañana.
      a) bolígrafo.   b) novela.   c) papeles.   d) revistas.   e) periódicos.   f) mapa.
      g) guías.   h) planos.

   B) ¿Para qué has traído esta <u>carta?</u>
      Para mostrártela.
      a) radio.   b) sombrero.   c) fundas.   d) relojes.   e) juguetes.   f) fotos.
      g) moto.   h) bicicleta.

   C) <u>El folleto de la cueva</u> se lo he dejado a Maruja.
      a) pañuelo verde.   b) guitarra.   c) bolso marrón.   d) maleta negra.
      e) llaves del coche.   f) lista.

5. *Vervollständigen Sie die Sätze:*
   a) Mi suegra se ha quedado en casa porque *(doler la cabeza)*.
   b) Conchita sigue débil y por eso *(no convenir demasiado ejercicio)*.
   c) Teresa no baila porque *(no gustar bailar)*.
   d) No puedo pagar el billete porque *(faltar cien pesetas)*.
   e) La abuelita no puede seguir cosiendo porque *(no quedar tela)*.
   f) No tiene discos de Julio Iglesias porque *(no interesar la música moderna)*.

6. *Übersetzungsübungen:*

A) *Übersetzen Sie die Sätze mit* seguir + Gerundio; *das Subjekt wird nachgestellt:*
   Es kommen immer noch Touristen. Die Preise steigen weiterhin. Fahrräder fahren weiterhin vorbei. Es gibt immer noch Überschwemmungen hier.

B) *Das Subjekt wird nachgestellt:*
   Ein neuer Tag beginnt. Ein Leben geht zu Ende. Der Frühling kommt. Nichts ist passiert (!). Ein Mann ist vorbeigegangen. Auch Katzen sind gestorben.

C) Natürlich können Sie kommen, ich kann es Ihnen nicht verbieten. Das Restaurant ist sehr gut, ich empfehle es Ihnen sehr. Ich habe ein neues Fahrrad, habe ich es Ihnen schon gezeigt? Meine Schwiegermutter hat einen Unfall gehabt, ich wollte es Ihnen heute abend sagen.

## 16A Text

**Días de descanso**

*Felipe:*   ¡Diga!

*Santiago:*   Hola, Felipe, soy yo, Santiago.

*Felipe:*   Hola, hombre, ¿qué hay?, ¿desde cuándo estás en Benidorm?

*Santiago:*   Desde anteayer. Acabé el trabajo antes de lo previsto y tomé el barco enseguida. Y vosotros, ¿qué tal?

*Felipe:*   Acabamos de llegar. Vamos a tomar una sopa caliente para entrar en calor. Nos morimos de frío.

*Santiago:*   ¿Qué tal está el tiempo en Madrid?

*Felipe:*   Peor que aquí. Continúan las nevadas. Nunca he visto tanta nieve en Madrid. Ayer nevó todo el día. Y el coche ha resultado ser una calamidad. Se quedó parado dos veces en el camino. Saliendo de Madrid, se estropeó la calefacción.

*Santiago:*   ¿No intentaste arreglarla?

*Felipe:*   Claro que lo intenté. Pero todo inútil. Hemos pasado diez horas metidos en una nevera. A ver si no nos hemos resfriado.

*Santiago:*   ¿Por qué ruta habéis venido?

*Felipe:*   Pues . . . dejamos Madrid por la cuatro, pero luego tiramos por la 301 para no tardar tanto. ¿Qué tal estás tú?

*Santiago:*   Muy bien. Estoy solo. Mis padres se marcharon hace una semana a Bogotá. Les ha ido muy bien. Se encontraron con un amigo en el avión y ahora están en su finca. Se encuentran bien.

*Felipe:*   Pues me alegro. En Colombia es verano cuando en España es invierno, ¿no?

*Santiago:*   Sí, pero allí no varían mucho las temperaturas. Se conocen sólo dos estaciones: la seca y la de lluvias.

*Felipe:*   A ver si aquí cambia el tiempo y llega la estación seca. ¿Te pongo con Pilar? Ella ya ha terminado de almorzar y yo no deseo tomar la sopa fría. Aquí está ella. Hasta luego, Santiago.

*Santiago:*   Bueno, a ella también puedo decirle lo que quería decirte a ti.

*Pilar:*   Dime Santiago, ¿qué haces? ¿Llevas mucho tiempo aquí?

*Santiago:*   Dos días. Me embarqué el miércoles y llegué a Alicante el jueves. Me crucé con Fernando en el puerto. Te manda saludos.

*Pilar:*   ¿Has terminado tu trabajo ya?

*Santiago:*   Lo acabé el miércoles y lo envié a Madrid el miércoles mismo por correo certificado. Puedo mostrarte el recibo si no me lo crees.

*Pilar:*   Te lo creo, muchacho. ¿Cómo te sientes ahora?

*Santiago:*   Pues bien, naturalmente. Bueno, de momento estoy cansado porque he trabajado todo el día.

*Pilar:*   ¿No has venido a descansar? Pareces de hierro. ¿Qué es de Manolo?

*Santiago:*   Está conmigo. Le he invitado a pasar unos días aquí. Le robaron el espejo de la moto el otro día. Anda de malas. Necesitaba cambiar de aire.

*Pilar:*   ¿Has dicho que has trabajado todo el día? ¿Qué has hecho?

*Santiago:*   Arreglar la casa y tirar un montón de cosas viejas a la basura. Manolo y yo hemos preparado una paella. Creo que ha salido muy bien.

*Pilar:*   Eso sí que no te lo creo.

*Santiago:*   Pues puedes comprobarlo a la noche. Hago una fiesta. Quedáis invitados Felipe y tú.

*Pilar:*   Vamos con mucho gusto, pero, ¿cuál es el motivo?

*Santiago:*   Por primera vez en mi vida tengo la casa para mí solo. Mis padres están de viaje y mis hermanas se quedan en Ibiza.

*Pilar:*   Eso sí que hay que celebrarlo. ¿Y por qué habéis hecho precisamente una paella?

*Santiago:*   En casa comemos rara vez paella porque no le gusta a nadie. A mí, en cambio, me gusta mucho. ¿Os gusta a vosotros la paella?

*Pilar:* A Felipe no, pero a mí sí, mucho. ¿A quiénes más has invitado?
*Santiago:* A todo el mundo. A Marta, a Jorge, a Milagros ...
*Pilar:* ¿Has invitado a Lucía y Pablo también?
*Santiago:* Sólo a ella. Pablo se ha quedado en Madrid por un asunto importante.
*Pilar:* El asunto es su profesora de alemán. Estoy enterada porque la alemana misma me lo ha dicho.
*Santiago:* A mí me lo ha dicho Lucía. La cosa no es grave. Nadie sufre por ello.
*Pilar:* Lucía sí sufre. Bueno, es mejor no hablar de ello. A otra cosa: ¿Te queda alguna copia de tu trabajo? Tengo ganas de leerlo.
*Santiago:* Pues tengo dos. Yo me voy a quedar con una. La otra me la han pedido Jorge y Marta.
*Pilar:* ¿A quién vas a dejársela? ¿A él o a ella?
*Santiago:* A él. Está trabajando sobre un tema parecido. Oye, Pilar, me está llamando Manolo desde la cocina. A ver si se ha quemado algo.
*Pilar:* ¿De veras que habéis preparado vosotros una paella?
*Santiago:* ¿Por qué creéis las mujeres que los hombres no somos capaces de desenvolvernos en la cocina?

| | |
|---|---|
| ¡diga! | *hallo! (am Telefon)* |
| desde | *seit* |
| anteayer | *vorgestern* |
| antes de | *vor ( + Zeitpunkt)* |
| lo previsto | *das Vorgesehene* |
| antes de lo previsto | *früher als vorgesehen* |
| tomar una sopa | *eine Suppe essen* |
| entrar en calor | *sich aufwärmen* |
| morirse (ue) | *sterben* |
| morirse de frío | *vor Kälte erstarren* |
| continuar (ú) | *weitergehen* |
| la nevada | *der Schneefall* |
| nevar (ie) | *schneien* |
| resultar | *sich ergeben* |
| resultar ser | *sich erweisen als* |
| quedarse parado | *stehenbleiben* |
| el camino | *der Weg* |
| saliendo de Madrid | *als wir Madrid verließen* |
| estropearse | *kaputtgehen* |
| intentar | *versuchen* |
| claro que lo intenté | *natürlich habe ich es versucht!* |
| inútil | *nutzlos, zwecklos* |

| | |
|---|---|
| pasar | *(Zeit) verbringen* |
| meter | *hineinstecken* |
| la nevera | *der Kühlschrank* |
| resfriarse (í) | *sich erkälten* |
| la ruta | *die Reiseroute* |
| dejar | *verlassen* |
| la cuatro = la carretera número cuatro | *die Fernstraße vier* |
| por la cuatro | *auf der Fernstraße vier* |
| tirar por | *(e-n Weg) einschlagen* |
| marcharse | *abreisen* |
| hace una semana | *vor einer Woche* |
| encontrarse (ue) con alguien | *j-n (zufällig) treffen* |
| la finca | in Spanien: *das Landgut;* in Lateinamerika: *die Plantage* |
| se encuentran bien | *es geht ihnen gut* |
| pues me alegro | *da freue ich mich aber* |
| el invierno | *der Winter* |
| variar (í) | *wechseln, sich ändern* |
| la temperatura | *die Temperatur* |
| la estación | *die Jahreszeit* |
| la lluvia | *der Regen* |

| la estación de lluvias | die Regenzeit |
|---|---|
| poner con | verbinden mit (telefonisch) |
| terminar de almorzar | zu Ende gegessen haben; mit dem Essen fertig sein |
| desear | mögen, wollen |
| dime | hallo (am Telefon) |
| ¿llevas mucho tiempo aquí? | bist du schon lange hier? |
| embarcarse | auf das Schiff gehen |
| el miércoles | der Mittwoch; am Mittwoch |
| el jueves | der Donnerstag; am Donnerstag |
| cruzar | kreuzen; überqueren |
| cruzarse con | zufällig treffen |
| el puerto | der Hafen |
| mandar saludos | grüßen lassen |
| enviar (í) | schicken |
| el miércoles mismo | noch am Mittwoch |
| por correo certificado | per Einschreiben |
| el recibo | die Quittung |
| naturalmente | natürlich |
| cansado, -a | müde |
| descansar | sich erholen |
| el hierro | das Eisen |
| pareces de hierro | du bist wie aus Eisen |
| robar | stehlen |
| el otro día | neulich |
| andar de malas | Pech haben |
| cambiar de aire | die Umgebung wechseln |
| arreglar | aufräumen, in Ordnung bringen |
| el montón | der Haufen |

| la basura | der Müll |
|---|---|
| la paella | die Paella (ein Reisgericht) |
| eso sí que no te lo creo | das glaube ich dir allerdings nicht! |
| comprobar (ue) | feststellen, prüfen |
| quedáis invitados | ihr seid eingeladen |
| el motivo | der Anlaß; das Motiv |
| por primera vez | zum ersten Mal |
| estar de viaje | verreist sein |
| celebrar | feiern |
| precisamente | ausgerechnet, gerade |
| ¿a quién? | wen?, wem? |
| más | noch, ferner |
| el asunto | die Angelegenheit, die Sache |
| estar enterado, -a | Bescheid wissen |
| mismo, -a | selbst |
| grave | schwer, ernst |
| Lucía sí sufre | L. (leidet) schon |
| a otra cosa | etwas anderes, ein anderes Thema |
| la copia | die Kopie |
| quedarse con | behalten |
| el tema | das Thema |
| parecido, -a | ähnlich |
| desde | von ... aus, von ... ab |
| quemarse | anbrennen |
| las mujeres creéis | ihr Frauen glaubt |
| desenvolverse (ue) | sich zurechtfinden |

| Grammatik und Übungen: | |
|---|---|
| averiguar | ermitteln, herausfinden |
| enseñar | zeigen |
| cerrado, -a | geschlossen, zu |

## 16B Grammatik

### 1. Präsens Indikativ der Verben auf -iar und -uar

| enviar *schicken* | odiar *hassen* | continuar *weitergehen* | averiguar *herausfinden* |
|---|---|---|---|
| envío | odio | continúo | averiguo |
| envías | odias | continúas | averiguas |
| envía | odia | continúa | averigua |
| enviamos | odiamos | continuamos | averiguamos |
| enviáis | odiáis | continuáis | averiguáis |
| envían | odian | continúan | averiguan |

Bei Verben, die dem Muster **enviar** folgen, wird das zum Stamm gehörende **i** im Singular und in der 3. Person Plural betont und erhält einen Akzent. Im

Wörterverzeichnis sind diese Verben mit (í) gekennzeichnet. Bei Verben, die dem Muster **odiar** folgen, bildet das zum Stamm gehörende **i** in den stammbetonten Formen mit der Personenendung einen Diphthong.

Bei den Verben auf -uar verhält es sich entsprechend. Bei Verben, die dem Muster **continuar** folgen, erhält das **u** in den stammbetonten Formen einen Akzent, und diese Verben sind im Wörterverzeichnis mit (ú) gekennzeichnet.

Bei allen Verben auf -iar und -uar liegt der Ton in der 1. und 2. Person Plural auf dem **a**.

## 2. Historisches Perfekt (pretérito indefinido) der Verben auf -ar

| tomar | pensar | contar | enviar | continuar |
|---|---|---|---|---|
| tomé | pensé | conté | envié | continué |
| *ich nahm* | *ich dachte* | *ich zählte* | *ich schickte* | *ich ging weiter* |
| tomaste | pensaste | contaste | enviaste | continuaste |
| tomó | pensó | contó | envió | continuó |
| tomamos | pensamos | contamos | enviamos | continuamos |
| tomasteis | pensasteis | contasteis | enviasteis | continuasteis |
| tomaron | pensaron | contaron | enviaron | continuaron |

In den Formen des historischen Perfekts wird nicht der Stamm, sondern die Endung betont. Die Vokalveränderungen im Präsens Indikativ bei Verben wie pensar, contar und die Akzentverschiebung bei Verben wie enviar, continuar treten hier nicht auf.

**Orthographische Veränderungen:** Bei den Verben auf **-car, -gar** und **-zar** ändert sich in der 1. Person Singular – also vor **é** – die Schreibung des Stammauslautes **c, g** und **z**: to**c**ar – to**qu**é; pa**g**ar – pa**gu**é; cru**z**ar – cru**c**é.

## 3. Gebrauch des historischen Perfekts / Unterschied zum zusammengesetzten Perfekt

Ayer me **levanté** a las seis.
*Gestern bin ich um sechs Uhr aufgestanden.*

Im **historischen Perfekt** steht ein Vorgang, der sich in der Vergangenheit ereignet hat und abgeschlossen ist.

Anteayer me **encontré** con Paco.
*Vorgestern habe ich Paco getroffen.*

Mis padres **llegaron** hace dos días.
*Meine Eltern sind vor zwei Tagen angekommen.*

¿Qué le **regalaste** por su cumpleaños?
*Was hast du ihm zum Geburtstag geschenkt?*

¿Por qué **has traído** eso?
Porque quiero enseñártelo.
*Warum hast du das mitgebracht?*
*Weil ich es dir zeigen will.*
¿**Habéis esperado** mucho rato?
*Habt ihr lange gewartet?*
**Hemos esperado** dos horas, y no podemos esperar más. Adiós.
*Wir haben zwei Stunden gewartet und können nicht mehr warten. Auf Wiedersehen.*
¿**Has estado** alguna vez en Francia?
*Bist du schon einmal in Frankreich gewesen?*
No, yo no **he salido** nunca al extranjero.
*Nein, ich bin noch nie ins Ausland gefahren.*

Im **zusammengesetzten Perfekt** steht ein Vorgang, der zwar in der Vergangenheit abgeschlossen wurde, aber noch einen starken Bezug zur Gegenwart hat. Das Geschehen liegt entweder unmittelbar vor der Gegenwart, oder der Zeitzusammenhang reicht bis in die Gegenwart hinein.

**4. Akkusativ und Dativ des betonten Personalpronomens**

Außer den unbetonten, mit dem Verb verbundenen Formen des Personalpronomens (me, te, le, la, nos, os, los, les und se) werden Verbindungen der Präposition a mit dem betonten Personalpronomen verwendet. (Vgl. hierzu Lekt. 14B3, in der die Personalpronomen nach Präpositionen bereits vorgestellt wurden.) Die betonten Personalpronomen im Akkusativ und Dativ sind:

| Singular | | Plural | |
|---|---|---|---|
| **a mí** | *mich, mir* | **a nosotros** **a nosotras** | *uns* |
| **a ti** | *dich, dir* | **a vosotros** **a vosotras** | *euch* |
| **a él** **a ella** | *ihn, ihm* *sie, ihr* | **a ellos** **a ellas** | *sie, ihnen* |
| **a usted** | *Sie, Ihnen* | **a ustedes** | *Sie, Ihnen* |
| **a sí** | *sich* | | |

*Die Verbindungen* a + **betontes Personalpronomen** werden verwendet:
a) Wenn der Satz kein Verb enthält, das Pronomen also **alleinstehend** gebraucht wird:
¿A quiénes han invitado?
A mí, a ti y a Pedro.

*Wen haben sie eingeladen?*
*Mich, dich und Pedro.*

139

A nadie le gusta esa música.　　　*Niemandem gefällt diese Musik.*
A mí sí.　　　*Mir schon.*

b) Wenn Akkusativ bzw. Dativ im Satz **hervorgehoben** werden; die unbetonten Formen (me, te, le usw.) treten dann als redundantes Personalpronomen hinzu (vgl. Lekt. 12B5 und 15B5):

¿Nos han invitado a nosotros también?　　　*Hat man auch uns eingeladen?*

No, me han invitado sólo a mí.　　　*Nein, man hat nur mich eingeladen.*

A él no se lo digo.　　　*Ihm sage ich es nicht.*

Si se lo dices a él, también tienes que decírselo a ella.　　　*Wenn du es ihm sagst, mußt du es auch ihr sagen.*

¿Por qué no se lo dices a ella también?　　　*Warum sagst du es nicht auch ihr?*

Sólo puedo decírselo a él.　　　*Ich kann/darf es nur ihm sagen.*

**5. Betontes mismo**

Pilar **misma** me lo ha dicho.
*Pilar selbst hat es mir gesagt.*

Lo hemos hecho nosotras **mismas**.
*Wir haben es selbst gemacht.*

Te escribo hoy **mismo**.
*Ich schreibe dir heute noch.*

Wird **mismo** einem Substantiv oder Pronomen nachgestellt, hat es die Bedeutung *selbst, selber.* Es stimmt mit dem Substantiv oder Pronomen stets in Geschlecht und Zahl überein.
Nach einem Adverb verstärkt **mismo** die Bedeutung; es ist dann unveränderlich.

**6. Zum Gebrauch des bestimmten Artikels**

Los hombres no entendéis eso.
*Ihr Männer versteht das nicht.*

A las mujeres no nos ocurren nunca esas cosas.
*Uns Frauen passieren solche Dinge nie.*

In Aussagen wie z. B. *wir Frauen, ihr Männer, wir Deutschen* wird im Spanischen der bestimmte Artikel verwendet: las mujeres, los hombres, los alemanes. Das Substantiv ist der 1. oder 2. Person Plural zugeordnet. Ein betontes Pronomen tritt nur bei besonderer Hervorhebung hinzu (nosotros los alemanes *wir Deutschen*).

# 16C Sprachgebrauch – Landeskunde

Beim Abnehmen des Telefonhörers meldet sich der Angerufene mit ¡**diga!** *(sagen Sie)* oder ¡**dígame!** *(sagen Sie mir).* **Diga** ist der Imperativ der Höflichkeitsform von decir. **Dígame** sagt man zu jemandem, den man siezt, dagegen **dime** *(sag mir)* zu jemandem, den man duzt.

Beispiele für den Gebrauch von **poner** beim Telefonieren: ¿me pone con el señor García, por favor? *können Sie mich bitte mit Herrn G. verbinden?;* ¿te pones, por favor, Federico? *kannst du bitte ans Telefon gehen, F.?;* le pongo con el señor Pérez *ich verbinde Sie mit Herrn P.*

Das Verb **continuar** wird häufig als Kopula in derselben Bedeutung wie **seguir** verwendet (vgl. Lekt. 15B3), insbesondere mit dem Gerundio.

Eine **paella** ist ein valencianisches Reisgericht mit Gemüse, Fleisch, Fisch und Muscheln.

Beispiele für die Verwendung von **sí** *(ja):*

| | |
|---|---|
| Lucía no sufre por ello. | *Lucía leidet deswegen nicht.* |
| Sí sufre. | *Doch, sie leidet.* |
| Nadie quiere ir al cine. | *Niemand will ins Kino.* |
| Yo sí. | *Ich schon./Doch, ich.* |
| Me han robado el reloj. | *Man hat mir die Uhr gestohlen.* |
| Tú sí que andas de malas. | *Du hast aber Pech!* |

# 16D Übungen

1. *Ersetzen Sie* mandar *durch* enviar:
   a) He mandado a los niños al campo.
   b) Te mando una copia de mi trabajo.
   c) Le mando flores con un chico.
   d) Yo le mandaba una carta cada semana.

2. *Ersetzen Sie* seguir *durch* continuar:
   a) Mis hermanas siguen con catarro.
   b) Siguen subiendo los precios.
   c) Sigo esperando tu respuesta.
   d) La ventana seguía cerrada.

3. *Bilden Sie Dialoge nach den Mustern:*
   A) ¿Has enviado la carta ya?
       Sí, la envié ayer.

   a) arreglar la radio.  b) tirar los zapatos viejos.  c) cambiar el dinero alemán.  d) encontrar la copia del trabajo.  e) mandar las fotos.  f) visitar a Pedro.  g) llevar a Pilar al hospital.

   B) ¿Qué es de Luis?
       Viajó a Colombia el otro día. ¿No te llamó para decírtelo?

   a) tus hermanos/viajar a Alemania.
   b) Fernando/casarse.
   c) tus amigos franceses/dejar España.

141

d) Ignacio/abandonar sus estudios.
e) el doctor Castro/marcharse a Burgos.
f) tus parientes argentinos/embarcarse para la Argentina.

4. *Setzen Sie den fehlenden Artikel ein. Schreiben Sie x, wenn nichts fehlt:*
   a) Anteayer llegó . . . . . doctor Castro.
   b) Le he visto hoy por . . . . . segunda vez en mi vida.
   c) Es peligroso dormir con . . . . . ventanas abiertas por . . . . . noche.
   d) No me gusta . . . . . carne de ternera.
   e) Ya son . . . . . dos de . . . . . tarde.
   f) Me embarqué . . . . . domingo, . . . . . dos de . . . . . abril.
   g) Jaime toca muy bien . . . . . guitarra.
   h) No me apetece jugar a . . . . . fútbol.
   i) Su trabajo es sobre . . . . . España de Felipe . . . . . Segundo.
   j) . . . . . mujeres sentimos . . . . . cosas que pensamos.

5. *Bilden Sie Dialoge nach den Mustern:*
   A) ¿A quién habéis <u>invitado?</u>
      Sólo te hemos invitado <u>a ti.</u>
      a) llamar/a él.  b) acompañar/a ellos.  c) ver/a ella.  d) telefonear/a vosotras.  e) encontrar/a ti.

   B) A nadie le <u>interesa el fútbol.</u>
      A mí sí me interesa.
      a) divertir/esperar.  b) quedar/tela.  c) importar/ese asunto.  d) sobrar/dinero.  e) gustar/las natillas.

   C) ¿A quién más se lo <u>has dicho?</u>
      Sólo te lo he dicho <u>a ti.</u>
      a) escribir/a vosotros.  b) preguntar/a ellas.  c) leer/a ellos.  d) enviar/a ustedes.  e) mostrar/a ella.

6. *Übersetzungsübungen:*

A) *(Immer mit dem historischen Perfekt übersetzen!)*
Ich bin gestern um acht weggegangen. Hast du gestern angerufen? Pedro stieg aus dem Zug und fragte einen Polizisten nach der U-Bahnstation „Puerta del Sol". Wir sind gestern um elf nach Hause gekommen (angekommen). Habt ihr euch mit Pilar in Benidorm getroffen? Gestern haben drei Kommilitonen (Kameraden) gefehlt.

B) In meiner Familie interessiert Fußball nur mich. Uns Angestellte haben sie nicht eingeladen. Ich sage das zuerst euch, dann sage ich es den anderen. Ihn finden wir nett, sie können wir nicht ausstehen. Das sage ich nicht nur ihm, sondern auch ihr.

C) Manche Menschen denken nur an sich selbst. Niemand macht es, wir müssen es selbst machen. Niemand tut etwas für uns, wir Frauen müssen uns selbst helfen. Das kann auch Ihnen selbst passieren, gnädige Frau.

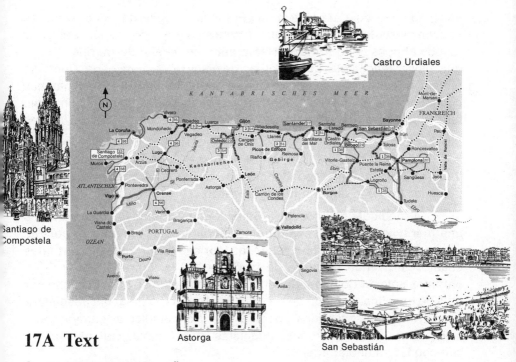

Castro Urdiales

Santiago de Compostela

Astorga

San Sebastián

## 17A Text

**Carta del norte de España**

Martes, 6-V-1988

Querido tío:

Estamos a punto de comenzar el viaje de vuelta a Madrid. Lo hemos pasado muy bien hasta ahora. Hemos tenido buen tiempo durante todo el viaje. Ahora el cielo está sin nubes y hace un sol resplandeciente. Pero el frío es intenso y por eso no nos hemos bañado ni una sola vez en el mar.

En San Sebastián hacía 16 grados a la sombra. A mí se me ocurrió comprobar la temperatura del agua personalmente. Me coloqué encima de una piedra y me agaché para meter el dedo en el agua. Pero perdí el equilibrio y por poco me caigo. No me caí porque Rodolfo me cogió del brazo a tiempo. Pero a él se le cayó la cámara al suelo y se rompió al chocar contra una piedra. Una desgracia, ya que la cámara no era de él, sino de su cuñado. Eso sucedió el sábado.

El domingo salimos para Francia. A Rodolfo no le permitieron la entrada porque no llevaba visado en el pasaporte. Los americanos necesitan visado para entrar en Francia. ¿Recuerdas que antes se pasaba la frontera casi sin control? Volvimos a San Sebastián y el lunes fuimos al consulado francés. Había allí una docena de marinos portugueses haciendo cola. Los atendían despacio y de mala gana. Como no teníamos ganas de regresar por la tarde al consulado, decidimos continuar el viaje a Bilbao, una ciudad con mucha contaminación como toda ciudad grande. Compramos una cámara japonesa. Es del mismo tamaño que la rota y de mejor calidad.

Aquel mismo día fui a ver al profesor Camacho, pero no estaba. Volví al día siguiente con Rodolfo, pero según la criada estaba con jaqueca. A ella le entregamos tu encargo.

A mediodía salimos para Galicia. El paisaje de la costa verde es una maravilla, aunque se ven demasiados árboles sin hojas y con las ramas rotas. Los gases que echan las fábricas de las zonas industriales están destruyendo el verde de la Costa Verde. Entre Bilbao y Gijón paramos sólo en Colunga. Saliendo de este pueblo se paró el coche por falta de gasolina. El bidón de reserva estaba vacío y no había gasolinera cerca. Nos vimos obligados a pedir ayuda. Nos remolcó un camión hasta Gijón. Han construído unas autopistas muy buenas con motivo del campeonato mundial aquí.

Las carreteras en Galicia son malas. Debe de ser terrible conducir por ellas en agosto. Se ve mucha pobreza en esta región y se notan en todas partes las huellas de la emigración. En un pueblo (se me ha olvidado el nombre) no vimos ni un alma en la calle, y eso que era de día. He leído que en 1970 se marcharon de la provincia de Orense 10 000 personas. Uno se pregunta por qué huye la gente de esta tierra maravillosa. Pregunta ingenua, dirás tú. Con Rodolfo discuto mucho sobre el asunto . . . cuando el coche nos deja en paz. Cerca de Santiago se nos reventó un neumático. Por suerte llevábamos rueda de recambio. Mientras hacíamos el cambio cayó una tormenta espantosa que nos dejó completamente mojados. A Santiago llegamos a la medianoche. Inmediatamente nos dirigimos a la catedral. Pronto verás las fotos que sacamos aquella noche. Hemos decidido volver por el camino de Santiago. A ver si la vuelta resulta tan agradable como la venida.

Me despido de ti y de tía Engracia con un fuerte abrazo.

Rafael

| | | | |
|---|---|---|---|
| el martes | der Dienstag | la calidad | die Qualität |
| el punto | der Punkt | aquel mismo día | am gleichen Tag, noch an dem Tag |
| estar a punto de | im Begriff sein zu | | |
| comenzar (ie) | beginnen | ir a ver a alguien | j-n besuchen |
| lo hemos pasado bien | es ist uns gutgegangen | siguiente | folgend |
| resplandeciente | strahlend | al día siguiente | am nächsten Tag |
| intenso, -a | sehr stark | la criada | das Dienstmädchen |
| solo, -a | einzig | la jaqueca | die Migräne |
| el grado | der Grad | estar con jaqueca | Migräne haben |
| hace 16 grados | es sind 16 Grad | entregar | übergeben, abgeben |
| la sombra | der Schatten | el encargo | der Auftrag |
| ocurrirse | einfallen | a mediodía | mittags |
| a mí se me ocurrió | mir fiel ein, ich kam auf die Idee | Galicia f | Galicien |
| | | la maravilla | das Wunder |
| personalmente | persönlich | es una maravilla | es ist wundervoll, herrlich |
| la piedra | der Stein | | |
| agacharse | sich bücken | el árbol | der Baum |
| el dedo | der Finger | la hoja | das Blatt |
| el equilibrio | das Gleichgewicht | la rama | der Zweig |
| por poco | beinahe, fast | el gas | das Gas |
| caer | (herunter)fallen; niederstürzen | echar | (ab)werfen; ausströmen |
| caerse | (hin)fallen, stürzen | la fábrica | die Fabrik |
| por poco me caigo | ich wäre beinahe gefallen | la zona | das Gebiet |
| | | industrial | industriell, Industrie... |
| coger del brazo | am Arm packen | destruir (y) | zerstören |
| a tiempo | rechtzeitig | el verde | das Grün |
| chocar | anstoßen, zusammenstoßen | parar | halten; anhalten; aufhalten |
| al chocar | beim Aufprallen | pararse | stehenbleiben |
| el cuñado | der Schwager | la falta | der Mangel |
| suceder | geschehen, sich ereignen | el bidón | der Kanister |
| | | la reserva | die Reserve |
| Francia f | Frankreich | la gasolinera | die Tankstelle |
| permitir | erlauben | obligar | zwingen |
| la entrada | die Einreise | verse obligado (-a) a | sich gezwungen sehen zu |
| el visado | das Visum | | |
| el pasaporte | der Paß | remolcar | abschleppen |
| entrar | einreisen | construir (y) | bauen, aufbauen |
| el control | die Kontrolle | la autopista | die Autobahn |
| el lunes | der Montag; am Montag | con motivo de | anläßlich |
| | | el campeonato | die Meisterschaft |
| el consulado | das Konsulat | mundial | Welt... |
| la docena | das Dutzend | deber de (mit Inf.) | müssen (Vermutung) |
| el marino | der Matrose | terrible | furchtbar, schrecklich |
| portugués, -esa | portugiesisch | agosto m | August (Monat) |
| la cola | der Schwanz | la pobreza | die Armut |
| hacer cola | Schlange stehen | en todas partes | überall |
| haciendo cola | ... die Schlange standen | la emigración | die Auswanderung |
| | | olvidársele algo a alguien | etwas vergessen |
| de mala gana | ungern | | |
| como | da (ja), weil | el alma f | die Seele |
| regresar | zurückkommen | y eso que | und dabei |
| por la tarde | nachmittags, am Nachmittag | ser de día | Tag sein |
| | | en 1970 | (im Jahre) 1970 |
| continuar (ú) el viaje | weiterreisen | huir (y) | fliehen, flüchten |
| la contaminación | die Verschmutzung | la tierra | die Erde; das Land |
| toda ciudad grande | jede Großstadt | ingenuo, -a | einfältig |
| japonés, -esa | japanisch | dirás (von decir) | du wirst sagen |
| el tamaño | die Größe | la paz | der Frieden |

| reventarse (ie) | *platzen* | la medianoche | *die Mitternacht* |
|---|---|---|---|
| el neumático | *der Reifen* | a la medianoche | *um Mitternacht* |
| la rueda | *das Rad* | inmediatamente | *unmittelbar danach, so-* |
| de recambio | *Ersatz...* | | *fort* |
| la tormenta | *das Unwetter; der* | verás (*von* ver) | *du wirst sehen* |
| | *Sturm* | el camino de Santiago | *der „Jakobsweg"* |
| completamente | *gänzlich, völlig* | la venida | *die Ankunft, das Kom-* |
| mojar | *naß machen* | | *men* |
| mojado, -a | *naß* | | |

## 17B Grammatik

### 1. Präsens Indikativ und Gerundio von caer und der Verben auf -uir

| | caer<br>*fallen* | huir<br>*fliehen* |
|---|---|---|
| Präsens<br>Indikativ | ca**i**go<br>caes<br>cae<br>caemos<br>caéis<br>caen | hu**y**o<br>hu**y**es<br>hu**y**e<br>huimos<br>huís<br>hu**y**en |
| Gerundio | ca**y**endo | hu**y**endo |

In der 1. Person Singular des Präsens Indikativ schiebt **caer** vor der Personenendung **ig** ein.

Bei allen Verben auf **-uir** schiebt sich im Singular und in der 3. Person Plural zwischen u und die Personenendung ein **i**, das zum Halbkonsonanten wird und deshalb mit y geschrieben wird. Vgl. Lekt. 13C (letzter Abschnitt).

Zum Gerundio mit eingeschobenem **y** vgl. Lekt. 13C (letzter Abschnitt).

### 2. Historisches Perfekt der Verben auf -er und -ir

Verben auf **-er**:

| comer | perder | volver | leer | caer |
|---|---|---|---|---|
| com**í**<br>*ich aß*<br>com**iste**<br>com**ió**<br>com**imos**<br>com**isteis**<br>com**ieron** | perd**í**<br>*ich verlor*<br>perd**iste**<br>perd**ió**<br>perd**imos**<br>perd**isteis**<br>perd**ieron** | volv**í**<br>*ich kam zurück*<br>volv**iste**<br>volv**ió**<br>volv**imos**<br>volv**isteis**<br>volv**ieron** | le**í**<br>*ich las*<br>le**íste**<br>le**yó**<br>le**ímos**<br>le**ísteis**<br>le**yeron** | ca**í**<br>*ich fiel*<br>ca**íste**<br>ca**yó**<br>ca**ímos**<br>ca**ísteis**<br>ca**yeron** |

Die Formen des historischen Perfekts der Verben auf -er weisen keine Vokalveränderung im Stamm auf. Bei den Verben auf -eer und -aer sind jedoch **orthographische Veränderungen** zu beachten: Das i der Endung erhält vor Konsonanten einen Akzent (2. Person Singular, 1. und 2. Person Plural); zwischen Vokalen wird es zu y (3. Person Singular und Plural). Vgl. hierzu Lekt. 13C (letzter Abschnitt).

Verben auf -ir:

| subir | oír | huir | ir |
|---|---|---|---|
| subí | oí | huí | fui |
| *ich stieg* | *ich hörte* | *ich floh* | *ich ging* |
| subiste | oíste | huiste | fuiste |
| subió | oyó | huyó | fue |
| subimos | oímos | huimos | fuimos |
| subisteis | oísteis | huisteis | fuisteis |
| subieron | oyeron | huyeron | fueron |

Die Verben auf -ir haben im historischen Perfekt die gleichen Endungen wie die Verben auf -er.

Das i der Endung vor Vokalen (also 3. Person Singular und Plural) unterliegt bei oír *hören* und bei den Verben auf -uir orthographischen Veränderungen. Vgl. Lekt 13C (letzter Abschnitt).

Das Verb ir hat im historischen Perfekt die gleichen Formen wie ser *sein* (vgl. Lekt. 18B1).

### 3. Das Reflexivpronomen se

se steht vor einem Dativ: se me cayó *es fiel mir herunter.*

Wendungen dieser Art kommen häufig vor. Verben, die im Spanischen reflexiv gebraucht werden, sind im Deutschen oft nicht reflexiv. (Vgl. hierzu auch Abschnitt C dieser Lektion.)

### 4. Zum Gebrauch von ser und estar

Wenn ausgedrückt werden soll, wie jemand oder etwas ist, wird ser gebraucht, wenn die innere Beschaffenheit gemeint ist: Santiago **es** como su padre *Santiago ist wie sein Vater* (d. h., er hat den gleichen Charakter wie sein Vater). Dagegen wird estar gebraucht, wenn das bloße Verhalten oder Aussehen gemeint ist: Santiago **está** como su padre *Santiago ist wie sein Vater* (d. h., was er jetzt tut, erinnert an seinen Vater, er verhält sich oder wirkt wie sein Vater).

¿Por qué eres/estás así? *Warum bist du so?* Diese Frage wird sinngemäß entweder mit ser oder mit estar gestellt.

147

Estoy cansado.
*Ich bin müde.*
Eso no está bien.
*Das ist nicht gut.*
Yo no soy de aquí.
*Ich bin nicht von hier.*
La cámara es del cuñado.
*Die Kamera gehört dem Schwager.*
Esta mesa es de hierro.
*Dieser Tisch ist aus Eisen.*
Es por el tiempo.
*Es ist wegen des Wetters.*

In Verbindung mit den Adverbien **bien** *gut* und **mal** *schlecht* wird nur **estar** verwendet.

Zur Angabe der Herkunft, des Besitzes, des Materials, der Bestimmung und des Grundes wird immer **ser** verwendet.

**5. Das historische Perfekt im Gegensatz zum Imperfekt Indikativ**

Das Imperfekt schildert eine Lage oder einen Zustand (wie es früher war), das historische Perfekt erzählt dagegen eine Begebenheit (was damals geschah):

La casa **era** de piedra.
*Das Haus war aus Stein.*
La cámara **estaba** aquí.
*Die Kamera war hier.*

**Entraron** en la casa.
*Sie gingen in das Haus.*
Se **estropeó** la cámara.
*Die Kamera ging kaputt/ist kaputtgegangen.*

Im Imperfekt steht ein Vorgang, der sich gewohnheitsmäßig wiederholt hat. Im historischen Perfekt steht ein Geschehen, das einmalig oder in ausdrücklich begrenzter Dauer oder Häufigkeit stattgefunden hat, sich also nicht gewohnheitsmäßig wiederholte:

Los jueves **visitaba** a mi padre.
*Donnerstags besuchte ich meinen Vater.*

El jueves **visité** a mi padre.
*Am Donnerstag habe ich meinen Vater besucht.*

En verano **íbamos** a la playa.
*Im Sommer fuhren wir ans Meer.*

Sólo **fuimos** a la playa dos veces.
*Wir sind nur zweimal ans Meer gefahren.*

**6. Zeitangaben**

en 1940 *1940*
en agosto *im August*
en verano *im Sommer*
esta mañana *heute morgen*
esta tarde *heute nachmittag*
esta noche *heute abend*
de día *tagsüber*

de noche *nachts*
aquel día *an jenem Tag*
aquella tarde *an jenem Nachmittag*
aquella noche *an jenem Abend*
el domingo *am Sonntag*
el verano pasado *letzten Sommer*
la semana pasada *letzte Woche*

# 17C  Sprachgebrauch – Landeskunde

Verschiedene Verben werden im Spanischen **reflexiv** gebraucht, im Deutschen jedoch nicht: llevarse *mitnehmen;* acabarse *zu Ende gehen;* morirse *sterben;* dormirse *einschlafen;* pararse *stehenbleiben;* caerse *hinfallen;* olvidarse de *vergessen;* romperse *zerbrechen;* irse *weggehen.*

Bei **por poco** *(beinahe)* steht das Verb meistens im Präsens Indikativ.

**dirás, verás:** Zur Bildung des Futurs vgl. Lekt. 21B2.

**Costa Verde** wird insbesondere die asturisch-galicische Küste am Kantabrischen Meer genannt. **Camino de Santiago** *(St. Jakobsweg)* nennt man die Pilgerstraße nach Santiago de Compostela, wo das Grab des Apostels Jakobus liegt.

**Orense:** Provinz mit gleichnamiger Hauptstadt in Galicien.

# 17D  Übungen

1. *Bilden Sie Dialoge nach den Mustern:*

   A) ¿Ya <u>ha pasado el autobús?</u>
   Sí, pasó hace media hora.

   a) salir el tren para Málaga.   b) abrir la carnicería.   c) irse don Felipe.
   d) volver tus hermanas de misa.   e) acabar la película.   f) aparecer las gafas.

   B) ¿<u>Has arreglado el coche?</u>
   Sí, lo arreglé la semana pasada.

   a) ver a Jorge.   b) escribir a tus padres.   c) leer la novela.   d) decidir lo del viaje.   e) entregar el encargo.   f) vender la moto.

2. *Setzen Sie die richtige Form von* ser *oder* estar *ein, zunächst im Präsens Indikativ, dann im Imperfekt:*

   a) El coche . . . . . sin gasolina.
   b) La película . . . . . sobre la vida de los campesinos mexicanos.
   c) Esta casa . . . . . de mis padres.
   d) Todos, todos . . . . . contra mí.
   e) Los exámenes . . . . . muy bien.
   f) La criada . . . . . de mal humor.
   g) Tú . . . . . como un niño pequeño.
   h) ¿ . . . . . para mí esos juguetes?
   i) Las carreteras . . . . . en mal estado.
   j) El parador de montaña . . . . . de ladrillo.

3. *Setzen Sie die richtige Form des Imperfekts oder des historischen Perfekts ein:*

   a) La cámara *(resultar)* ser una calamidad. Antes *(hacerse)* cámaras mejores.
   b) *(Huir)* una chica de su casa ayer. En mi época no *(huir)* nadie de su casa.

149

c) No nos *(ellos – permitir)* pasar la frontera porque no *(nosotros – llevar)* visado en el pasaporte. Hace un año no se *(necesitar)* visado para entrar en Francia.

d) Cuando *(nosotros – llegar)* a Santiago, *(ser)* de noche. Las calles *(estar)* llenas de gente, y eso que *(hacer)* mucho frío. *(Nosotros – ir)* a un bar que *(estar)* cerca de la catedral.

e) Ayer *(caer)* una tormenta horrible. Antes no *(caer)* tormentas por aquí.

4. *Setzen Sie das fehlende Wort ein. Schreiben Sie x, wenn nichts fehlt:*

a) Cuando llegué . . . . . San Sebastián todavía era . . . . . día.

b) . . . . . las mañanas la veía . . . . . clase y . . . . . las tardes la veía . . . . . misa.

c) . . . . . los domingos iba . . . . . misa . . . . . ocho.

d) Te llamo mañana . . . . . la mañana.

e) Mis hermanos mayores se fueron . . . . . Argentina . . . . . 1941.

f) . . . . . semana pasada ocurrió un accidente aquí.

g) El bar cierra . . . . . las doce . . . . . la noche.

h) . . . . . esta noche tengo una fiesta.

5. *Übersetzungsübungen:*

A) *Übersetzen Sie mit dem Präsens Indikativ:*
Ich wäre beinahe hingefallen. Ich hätte beinahe deine Schuhe mitgebracht. Ich hätte es ihm beinahe gesagt. Ich hätte beinahe eine Ungeheuerlichkeit begangen (getan). Ich wäre beinahe mit dem Fahrrad gekommen. Ich wäre beinahe vor drei Uhr abgefahren. Ich hätte es beinahe gehört. Ich hätte beinahe eine Krawatte umgebunden.

B) *Übersetzen Sie mit dem zusammengesetzten Perfekt (alle Verben sind reflexiv):*
Ihnen ist das Handtuch heruntergefallen. Uns ist das Benzin ausgegangen. Mir ist ein Reifen geplatzt. Mir sind die Schuhe kaputtgegangen. Mir ist Ihr Name entfallen (vergessen). Ihr ist die Großmutter gestorben. Dir ist die Uhr stehengeblieben. Euch ist nichts eingefallen.

C) *Übersetzen Sie mit dem historischen Perfekt:*
Wir sind am Montag abgefahren. Ich habe ihn letztes Jahr kennengelernt. Sie sind 1967 nach Deutschland gegangen. Meine Eltern haben das Haus 1939 gebaut. Die Brücke ist letztes Jahr im August eingestürzt. Das geschah am 3. August 1911.

## 18A Text

**Remigio García**

Una periodista de RTVE está recogiendo materiales para una emisión sobre la emigración andaluza. Hace poco le hizo una entrevista al dueño de un merendero en Nerja.

*Periodista:* ¿Dónde y cuándo naciste, Remigio?

*Remigio:* Yo nací aquí mismo, en 1935.

*Periodista:* ¿Cuántos hermanos sois?

*Remigio:* Seis, todos varones. Yo soy el quinto. Mis hermanos mayores murieron en la guerra civil. Mi padre murió en Rusia en enero de 1942. A mi hermano menor no le he visto desde 1950. Vive en el extranjero. O sea que de la familia sólo vivimos en Nerja mi madre y yo.

*Periodista:* ¿A qué se dedica tu hermano?

*Remigio:* Es mecánico. Se fue a Francia en el 55. Después pasó a Alemania. Lleva más de veinte años por allí.

*Periodista:* ¿A qué edad te marchaste de tu tierra?

*Remigio:* A los catorce años. La guerra nos dejó en la miseria. Pasábamos hambre. Nosotros no habíamos sido ricos, pero siempre habíamos tenido nuestro plato diario de garbanzos. Yo me fui para no morirme de hambre. Anduve por toda España. Trabajé de pastor, de albañil, de pescador. Quise entrar en la marina, pero no me aceptaron porque no sabía leer bien. Yo había hecho sólo dos cursos en la escuela. A los dieciocho años me fui a Cuba.

*Periodista:* ¿A qué te dedicaste allí?

*Remigio:* Tuve muchos oficios. Estuve de jardinero, de cocinero, de chófer. Hasta fui cantante de zarzuela. En la Habana conocí a un catalán que tenía una librería. Todo lo que sé lo aprendí de él. El hombre me contagió su afición por los libros. La vida era bonita en Cuba. Pero un día Castro hizo su revolución. Yo era dueño de dos taxis entonces. Acababa de comprar otro e iba a poner una gasolinera. Lo dejé todo y me trasladé a Panamá, donde pude echar raíces en poco tiempo. Fueron los años más felices de mi vida en América. Tenía una lavandería, tenía mi casa propia. En el 71 hubo un golpe militar. Lo vendí todo y me vine.

| | |
|---|---|
| *Periodista:* | ¿Fue aquel golpe de Estado tu único motivo para volver? |
| *Remigio:* | Bueno, la decisión vino cuando supe que mi madre sufría de ataques al corazón. Y además, yo echaba de menos a mi tierra. |
| *Periodista:* | ¿Fue difícil el comienzo aquí? |
| *Remigio:* | No tanto. Tenía lo que había ahorrado en Panamá y, además, gané algo en la lotería. Junté un buen capital y puse este merendero. Hace un año me casé con mi mujer. Ella es sueca. Vive en España desde hace veinte años. Es mi administradora. |
| *Periodista:* | ¿Anda bien el negocio? |
| *Remigio:* | No podemos quejarnos. Tenemos abierto todo el año. En Semana Santa y en Navidad esto se llena como en verano. Antes de agosto pondré un bar enfrente. |
| *Periodista:* | ¿Ha cambiado mucho tu pueblo? |
| *Remigio:* | Totalmente. El pueblo era antes desde la esquina hasta el muelle, nada más. Uno conocía a todo el mundo. Las gentes vivían de la pesca. Ahora vivimos casi todos del turismo. |
| *Periodista:* | ¿Qué te parece la situación actual? |
| *Remigio:* | No es buena. España ya no atrae a los turistas como hace cinco años. Yo creo que una razón es el aumento de la criminalidad. Todos los días hay un robo grande por aquí. El otro día se llevaron unos ladrones veinte millones de la casa de un árabe. ¿Se imagina? |

| | | | |
|---|---|---|---|
| RTVE = Radiotelevisión Española | *Spanischer Rundfunk und Spanisches Fernsehen* | el mecánico | *der Mechaniker* |
| | | irse a | *(weg)gehen nach* |
| | | en el 55 | *(im Jahre 19)55* |
| la televisión | *das Fernsehen* | pasar a | *gehen nach* |
| recoger | *sammeln; aufheben* | lleva más de 20 años | *er ist seit mehr als 20* |
| el material | *das Material* | por allí | *Jahren dort* |
| la emisión | *die Sendung* | ¿a qué edad? | *in welchem Alter?* |
| hace poco | *vor kurzem* | la tierra | *die Heimat* |
| la entrevista | *das Interview* | a los 14 años | *mit 14 Jahren* |
| el merendero | *das Eßlokal; das Ausflugslokal* | la miseria | *das Elend* |
| nacer (zc) | *geboren werden* | pasar hambre | *Hunger leiden* |
| aquí mismo | *hier, in dieser Stadt* | no habíamos sido | *wir waren nicht reich* |
| el varón | *der Mann* | ricos | *gewesen* |
| la guerra | *der Krieg* | el plato | *der Teller; das Gericht,* |
| civil | *Bürger...* | | *das Essen* |
| Rusia *f* | *Rußland* | diario, -a | *täglich* |
| el enero | *der Januar* | el garbanzo | *die Kichererbse* |
| | | morirse de hambre | *verhungern* |

| | | | |
|---|---|---|---|
| el pastor | der Hirt | no tanto | nicht so sehr |
| el albañil | der Maurer | lo que | was; das, was |
| el pescador | der Fischer | ahorrar | sparen |
| la marina | die Marine | ganar | gewinnen |
| el curso | die Klasse | la lotería | die Lotterie |
| la escuela | die Schule | juntar | zusammenbringen |
| el oficio | der Beruf | el capital | das Kapital |
| el jardinero | der Gärtner | desde hace | seit |
| el cocinero | der Koch | el (la) administra- | der (die) Geschäftsfüh- |
| el chófer | der Chauffeur, der Fah- | dor(a) | rer(in) |
| | rer | la Semana Santa | die Karwoche |
| hasta (Adv.) | sogar | la Navidad | Weihnachten |
| el (la) cantante | der (die) Sänger(in) | llenar | füllen |
| la zarzuela | das Singspiel | llenarse | voll werden |
| la Habana | Havanna | antes de agosto | (noch) vor August |
| la librería | die Buchhandlung | pondré (von poner) | ich werde einrichten |
| todo lo que sé | alles, was ich weiß | totalmente | ganz, völlig, total |
| contagiar | anstecken (mit) | la esquina | die Ecke |
| la revolución | die Revolution | el muelle | der Kai |
| entonces | damals | nada más | nichts weiter |
| poner | einrichten | las gentes | die Bevölkerung |
| trasladarse | umziehen | la pesca | die Fischerei |
| Panamá m | Panama | el turismo | der Fremdenverkehr |
| la raíz | die Wurzel | la situación | die Lage |
| echar raíces | Wurzel schlagen | actual | gegenwärtig |
| la lavandería | die Wäscherei | atraer | anzielen, anlocken |
| el golpe | der Schlag | el aumento | die Zunahme, der An- |
| militar | militärisch, Militär... | | stieg |
| el golpe militar | der Putsch | la criminalidad | die Kriminalität |
| venirse | kommen | el robo | der Diebstahl, der Raub |
| el golpe de Estado | der Staatsstreich | el robo grande | der schwere Diebstahl |
| la decisión | die Entscheidung | llevarse | mitnehmen |
| saber | erfahren | el ladrón | der Dieb |
| el ataque | der Angriff; der Anfall | el árabe | der Araber |
| el corazón | das Herz | imaginar | ausdenken, ersinnen |
| sufrir un ataque al | e-n Herzanfall erleiden | imaginarse | sich vorstellen |
| corazón | | ¿se imagina? | können Sie sich das vor- |
| el comienzo | der Anfang | | stellen? |

## 18B Grammatik

### 1. Unregelmäßige Formen des historischen Perfekts

| dormir | | morir | |
|---|---|---|---|
| dormí ich schlief | dormimos | morí ich starb | morimos |
| dormiste | dormisteis | moriste | moristeis |
| durmió | durmieron | murió | murieron |

Bei dormir und morir wird das o des Stammes in der 3. Person Singular und Plural des historischen Perfekts zu u. Man erinnere sich an die Formen des Gerundio: muriendo, durmiendo (vgl. Lekt. 9B2).

153

| ser | |
|---|---|
| fui *ich war* | fuimos |
| fuiste | fuisteis |
| fue | fueron |

Wie bereits in Lektion 17B2 erwähnt wurde, haben **ser** und **ir** im historischen Perfekt die gleichen Formen.

| estar | tener | andar |
|---|---|---|
| estuve | tuve | anduve |
| *ich war* | *ich hatte, ich bekam* | *ich ging* |
| estuviste | tuviste | anduviste |
| estuvo | tuvo | anduvo |
| estuvimos | tuvimos | anduvimos |
| estuvisteis | tuvisteis | anduvisteis |
| estuvieron | tuvieron | anduvieron |

| haber | poner | poder | saber |
|---|---|---|---|
| hube | puse | pude | supe |
| *ich hatte* | *ich setzte,* | *ich konnte* | *ich wußte,* |
| | *ich stellte* | | *ich erfuhr* |
| hubiste | pusiste | pudiste | supiste |
| hubo | puso | pudo | supo |
| hubimos | pusimos | pudimos | supimos |
| hubisteis | pusisteis | pudisteis | supisteis |
| hubieron | pusieron | pudieron | supieron |

| querer | venir | hacer |
|---|---|---|
| quise | vine | hice |
| *ich wollte* | *ich kam* | *ich machte* |
| quisiste | viniste | hiciste |
| quiso | vino | hizo |
| quisimos | vinimos | hicimos |
| quisisteis | vinisteis | hicisteis |
| quisieron | vinieron | hicieron |

Das historische Perfekt dieser zehn Verben hat jeweils einen eigenen Stamm:

| | | | |
|---|---|---|---|
| estar: | estuv- | poder: | pud- |
| tener: | tuv- | saber: | sup- |
| andar: | anduv- | querer: | quis- |
| haber: | hub- | venir: | vin- |
| poner: | pus- | hacer: | hic-/hiz- |

Die Personenendungen sind bei allen diesen Verben gleich. Sie lauten: -e, -iste, -o, -imos, -isteis, -ieron. Die Betonung liegt bei allen Formen auf der vorletzten Silbe; die 1. und 3. Person Singular sind also stammbetont.

Von den Formen zu **haber** ist nur die Form **hubo** von praktischer Bedeutung (vgl. Lekt. 24C, letzter Abschnitt). Man merke sich die Schreibweise **hizo** für die dritte Person Singular von **hacer**.

## 2. Das Plusquamperfekt (pretérito pluscuamperfecto de indicativo)

| abrir | venir |
|---|---|
| había abierto | había venido |
| *ich hatte geöffnet* | *ich war gekommen* |
| habías abierto | habías venido |
| había abierto | había venido |
| habíamos abierto | habíamos venido |
| habíais abierto | habíais venido |
| habían abierto | habían venido |

Das Plusquamperfekt wird mit dem Imperfekt von **haber** und dem Partizip Perfekt des jeweiligen Verbs gebildet. Das Partizip bleibt unverändert.

Das Plusquamperfekt bezeichnet einen Vorgang, der bereits abgeschlossen war, als ein anderes – ebenfalls vergangenes – Ereignis eintrat.

## 3. Historisches Perfekt (vollendeter Vorgang) und Imperfekt (unvollendeter Vorgang)

Ayer fue un día horrible.
*Gestern war ein schrecklicher Tag.*

No pudimos pasar la frontera.
*Wir konnten die Grenze nicht passieren*
(d. h., wir haben es versucht, aber es ist uns mißlungen).

Das **historische Perfekt** umfaßt Anfang und Ende eines Geschehens.

155

Me moría de hambre.
*Ich starb vor Hunger (gestorben bin ich nicht).*

No podíamos entrar.
*Wir konnten nicht hineinkommen (aber wir haben es weiter versucht).*

¿Adónde ibas?
*Wo wolltest du hin?*
(d. h., du warst unterwegs).

Das **Imperfekt** bezeichnet ein Geschehen, das nicht abgeschlossen ist.

Man merke sich:

| | |
|---|---|
| supe *ich erfuhr* | sabía *ich wußte* |
| le conocí *ich lernte ihn kennen* | le conocía *ich kannte ihn* |
| tuvo un hijo *sie bekam ein Kind* | tenía un hijo *sie hatte ein Kind* |

**4. Die Relativpronomen lo que** *(was)* **und todo lo que** *(alles, was)*

No me gusta **lo que** dice.
*Mir gefällt nicht, was er sagt.*

**Lo que** necesitamos es otra cosa.
*Was wir brauchen, ist etwas anderes.*

Esto es **todo lo que** tengo.
*Dies ist alles, was ich habe.*

In diesen Wendungen darf **lo** nicht weggelassen werden!

**5. Zur Übereinstimmung von Subjekt und Prädikat**

Sólo estuvimos Julio y yo.
*Nur Julio und ich waren da.*

Ni tú ni yo lo sabemos.
*Weder du noch ich wissen es.*

Schließt eine Aussage über mehrere Personen **yo** mit ein *(. . . und ich)*, steht das Verb in der 1. Person Plural.

Podéis venir tú y tus hermanos.
*Du und deine Geschwister, ihr könnt kommen.*

Bezieht sich der Satz auf mehrere Personen einschließlich der Anrede **tú** *(du und . . .)*, steht das Verb in der 2. Person Plural.

**6. Zeitangaben für „vor" und „seit"**

desde ayer
*seit gestern*

desde Semana Santa
*seit der Karwoche*

antes de Navidad
*vor Weihnachten*

Bezieht sich die Angabe auf einen Zeit**punkt** (z. B. ein bestimmter Tag, eine Uhrzeit), ist das deutsche *seit* mit **desde** zu übersetzen; *vor* heißt **antes de**.

desde hace medio año
*seit einem halben Jahr*
hace medio año
*vor einem halben Jahr*
Se había casado hacía un año.
*Er hatte vor einem Jahr geheiratet* oder
*ein Jahr vorher hatte er geheiratet* (d. h.
ein Jahr vor einem bestimmten Zeitpunkt in der Vergangenheit).
No se habían visto desde hacía un año.
*Sie hatten sich seit einem Jahr nicht gesehen.*

Hace ya medio año que se casó.
*Es ist schon ein halbes Jahr her, daß er geheiratet hat.*
Hace media hora que esperamos.
*Wir warten seit einer halben Stunde.*
¿Cuánto tiempo llevas en Nerja?
*Wie lange bist du jetzt in Nerja?*
Llevo media hora esperando.
*Ich warte seit einer halben Stunde.*

Bezieht sich die Angabe auf einen Zeit**raum** (mehrere Tage, Wochen usw.), ist *seit* mit **desde hace** wiederzugeben, *vor* heißt **hace**. Das ist die unpersönlich gebrauchte 3. Person Singular Präsens von **hacer**. Steht das Verb im Plusquamperfekt, heißt *vor* **hacía** ( = Imperfekt von hacer), *seit* **desde hacía**.

Statt **desde hace** heißt es häufig: **hace** (bzw. **hacía**) + Zeitraum + **que** oder **llevar** bzw. **llevar** + Gerundio. Gelegentlich tritt verstärkendes **ya** hinzu (vgl. unten 18C, erster Abschnitt).

## 18C Sprachgebrauch – Landeskunde

Die Verben **acabar de** (Ausdruck der nahen Vergangenheit) und **ir a** (Ausdruck der nahen Zukunft) stehen im Imperfekt, wenn die betreffende Handlung in der Vergangenheit stattgefunden hat: acababa de comprarse un coche *er hatte sich gerade einen Wagen gekauft;* iba a escribir una carta *er wollte einen Brief schreiben.* Ebenso steht **llevar** bei einer Zeitangabe im Imperfekt, wenn der angegebene Zeitraum in der Vorvergangenheit liegt: llevaba un año en Madrid *er war seit einem Jahr in Madrid.*

**pondré:** Zur Bildung des Futurs vgl. Lekt. 21B2.

Die Präposition **desde** kann sich auch auf die Zukunft beziehen: desde ahora *von jetzt an.* Statt desde heißt es oft **a partir de**: a partir de mañana *ab morgen, von morgen an.* **Desde** wird im räumlichen wie im zeitlichen Sinn oft mit **hasta** verbunden: desde aquí hasta la esquina *von hier bis zur Ecke;* desde las seis hasta las diez *von sechs bis zehn Uhr.*

**Nerja** ist eine Stadt an der Costa del Sol (Provinz Málaga).

**la zarzuela:** Name des spanischen Singspiels, in dem abwechselnd gesungen und gesprochen wird. Der Name kommt von dem königlichen Landsitz „la Zarzuela", in dem diese Singspiele im 17. Jahrhundert zuerst aufgeführt wurden.

Madrid:
altes Teatro de la Zarzuela

**La Habana** *(Havanna)* ist die Hauptstadt des mittelamerikanischen Staates Kuba.

Der letzte spanische Bürgerkrieg fand 1936–1939 statt. Er wurde ausgelöst durch den Putsch eines Teils der Generalität gegen die zweite spanische Republik. Der Führer der siegreichen Putschisten, General Francisco Franco Bahamonde (1892–1975), wurde spanischer Staatschef und blieb es bis zu seinem Tode. Im Zweiten Weltkrieg hat Spanien Deutschland unterstützt. An der Ostfront hat eine spanische Division (división azul) auf deutscher Seite gekämpft.

# 18D Übungen

1. Juan se fue de Andalucía a los quince años. Perdió a sus hermanos en la guerra civil. Su padre murió en Rusia, en 1942. Juan anduvo por toda España. Quiso entrar en la marina, pero no pudo. Se embarcó para América en 1946. Estuvo en muchos países y tuvo varios oficios. Incluso fue cantante de zarzuela. En Cuba vivió diez años. Fue la época más feliz de su vida. Tenía dinero y era amigo de personas importantes. Cuando Castro hizo la revolución, pasó a Puerto Rico. Puso una tienda en Santurce. No le iba mal, pero no se sentía bien porque no conocía a nadie. Decidió volver a su tierra cuando supo que su madre estaba enferma. Vino con muchos dólares. Se compró una casa y abrió en la planta baja un merendero.

*Ersetzen Sie* Juan *durch folgende Subjekte:* a) los vecinos. b) yo. c) mi hermano y yo. *Ändern Sie den restlichen Text entsprechend.*

2. *Setzen Sie die richtige Form des Plusquamperfekts ein:*
   a) Se paró el coche. *(Acabarse)* la gasolina.
   b) No podíamos pasar el río porque *(caerse)* el puente.
   c) Volvimos de las vacaciones con bastante dinero. *(Gastar)* muy poco.
   d) Estaba nerviosa. Yo no *(viajar)* nunca en avión.
   e) Llegamos tarde al cine. La película ya *(comenzar)*.

3. *Bilden Sie Sätze nach den Mustern:*
   A) <u>Mi hermano pasó</u> a <u>Alemania</u> en <u>1961</u>. Lleva 27 años por allí. *(Ausgangspunkt ist das Jahr 1988.)*
   a) mi hermana y su marido/irse/Argentina/1936.
   b) mi sobrino/pasar/Venezuela/1959.
   c) Jorge/trasladarse/Madrid/1967.
   d) mis primos/embarcarse/Uruguay/1941.
   e) yo/irse/Perú/1975.
   f) nosotros/marcharse/Barcelona/1982.

   B) ¿Has visto a <u>Jorge</u>?
   No, no le veo desde <u>Navidad</u>.
   a) María/su viaje a Toledo.  b) el profesor/agosto.  c) señorita Pérez/los exámenes.  d) Lucía/su santo.  e) Jorge y Elena/su matrimonio.  f) tus vecinas/Semana Santa.

4. *Übersetzungsübungen:*
A) Ich habe Herrn García vor einem Jahr kennengelernt. Er lebt seit 1950 in Barcelona. Wir wohnen seit 12 Jahren im gleichen Haus (Gebäude), aber wir hatten uns vor Dezember *(diciembre)* letzten Jahres noch nie begrüßt. Am Sonntag vor Weihnachten hatte er einen Unfall vor dem Haus. Ein Fahrrad warf ihn zu Boden, als er die Straße überqueren wollte, und er brach sich einen Arm. Meine Tochter sah den Unfall vom Balkon aus. Sie rief mich, und wir gingen auf die Straße (hinunter) und halfen ihm. Sein Sohn und ich brachten ihn dann in seine Wohnung (hinauf). Meine Tochter und der Sohn von Herrn García sind seit jenem Tag Freunde. Heute morgen habe ich erfahren, daß sie im Sommer heiraten wollen. Sie hatten sich vor dem Unfall seines Vaters noch nie gesehen.

B) Was Sie sagen, ist nicht wahr. Alles, was wir gewonnen haben, ist dies. Mit dem, was wir gespart haben, wollen wir ein Motorrad für unseren Sohn kaufen. Was mir gefällt, braucht dir nicht zu gefallen.

## 19A Text

**El hombre que se olvidó de su cumpleaños**

"Alguien que yo conozco cumple años hoy. Es una personalidad de importancia. Pero no me acuerdo de su nombre. Estoy olvidando mucho últimamente. Un día voy a olvidarme hasta de mi cumpleaños." Don Eusebio hablaba consigo mismo. El taxi que le llevaba a la oficina avanzaba por una ancha avenida de cuatro carriles. Era una mañana húmeda. El viento movía las hojas muertas del otoño. Los vendedores ambulantes instalaban sus puestos en las aceras. Las gentes se amontonaban en las paradas, entraban y salían agitadamente de las estaciones de Metro.

El vehículo dobló dos veces y se detuvo ante un rascacielos modernísimo. Era el nuevo local del Banco Hispanoamericano. "Quédese con la vuelta", le dijo don Eusebio al taxista y se apeó. El portero le saludó quitándose la boina. El hombre estaba regando el jardín. Don Eusebio le dio la mano como de costumbre. Tras cambiar un par de palabras con los guardias de la entrada, don Eusebio entró en el edificio. Ya se habían formado colas delante de las taquillas. Venía una música suave por los altavoces.

Cuando atravesaba el vestíbulo, dos empleadas le dijeron algo que don Eusebio no entendió. Pensaba sin cesar en el hombre que cumplía años aquel día. Decidió subir por las escaleras para no hablar con nadie en el ascensor. Sudaba copiosamente cuando llegó al piso doce. Se secó la frente antes de continuar. Respiraba con dificultad. Tuvo un ataque de tos. Seguía tosiendo cuando abrió la puerta de su oficina. Los empleados estaban tomando café. Uno de ellos decía nombres y apellidos en voz alta. La secretaria del doctor Urrutia los iba apuntando en una tarjeta. Todos se llevaron un susto al ver entrar a don Eusebio. El se limitó a decir: "Más bajo, señores, más bajo" y pasó a su despacho. Se sirvió un coñac y se lo bebió de un trago. El alcohol le produjo una sensación desagradable y sintió náuseas. Recordó que no había desayunado. Se encendió un puro. Cogió el teléfono. "¿Qué pasa con el desayuno, señorita Sánchez? Haga el favor de traérmelo lo más pronto posible. Ayer me lo trajeron a las diez. Hoy están lentos todos ustedes."

Colgó sin esperar respuesta de la secretaria. Pasaron unos diez minutos. Apagó el puro y salió. No había nadie. Se dirigió a uno de los teléfonos que estaban en una mesa. Estaba a punto de marcar un número cuando oyó voces en el pasillo. De repente se abrió la puerta detrás de él. Se dio la vuelta. Los empleados iban entrando en fila india. Delante venía su secretaria llevando un ramo de rosas en la mano izquierda y una bandeja con vasos en la derecha. Le entregó las flores y le felicitó cordialmente diciéndole: "Enhorabuena, doctor Urrutia, le deseamos feliz cumpleaños." Los demás empezaron a cantar a voz en cuello: "Cumpleaños feliz . . .".

| | | | |
|---|---|---|---|
| olvidarse de algo | etwas vergessen | detenerse | (an)halten |
| la personalidad | die Persönlichkeit | ante | vor |
| la importancia | die Wichtigkeit | el rascacielos | der Wolkenkratzer |
| acordarse (ue) de | sich erinnern an | modernísimo, -a | sehr modern |
| la oficina | das Büro | el local | das Lokal; die Räumlichkeit |
| avanzar | sich vorwärts bewegen | | |
| ancho, -a | breit | hispanoamericano | spanisch-amerikanisch |
| la avenida | die Allee | la vuelta | das Wechselgeld |
| el carril | die (Fahr-)Bahn | quédese con la vuelta | behalten Sie den Rest |
| húmedo, -a | feucht | quitar | wegnehmen |
| las hojas muertas | das welke Laub | quitarse | abnehmen, ausziehen |
| el otoño | der Herbst | | (v. Kleidung) |
| el vendedor ambulante | der Straßenhändler | la boina | die Baskenmütze |
| instalar | einrichten, aufstellen | regar (ie) | (be)gießen |
| la acera | der Gehsteig, der Bürgersteig | el jardín | der Garten |
| | | la costumbre | die Gewohnheit |
| amontonar | (an)häufen | como de costumbre | wie üblich |
| amontonarse | sich sammeln, zusammenlaufen | tras | nach, hinter |
| | | tras cambiar . . . | nachdem er . . . gewechselt hatte |
| la parada | die Haltestelle | | |
| agitado, -a (Adj.) | aufgeregt | el par | das Paar |
| agitadamente (Adv.) | aufgeregt; in ständiger Bewegung | un par de | ein paar, einige |
| | | formar | bilden |
| el vehículo | das Fahrzeug | la taquilla | der Schalter |
| doblar | abbiegen | suave | sanft |

| | | | |
|---|---|---|---|
| el altavoz | der Lautsprecher | haga el favor de ... | tun Sie mir den Gefallen und ..., bitte ... |
| cuando | als | | |
| atravesar (ie) | durchqueren, durch ... gehen | lo más pronto posible | so bald wie möglich |
| cesar | aufhören | lento, -a (Adj.) | langsam |
| sin cesar | immerzu, ständig, ununterbrochen | colgar (ue) | (auf)hängen, auflegen |
| | | apagar | auslöschen, ausmachen |
| la escalera | die Treppe; das Treppenhaus | marcar | wählen (am Telefon) |
| | | las voces | die Stimmen, die Rufe |
| subir por las escaleras | die Treppen hinaufgehen | de repente | plötzlich |
| | | detrás de | hinter |
| el ascensor | der Aufzug, der Fahrstuhl | la vuelta | die Drehung |
| | | darse la vuelta | sich umdrehen |
| sudar | schwitzen | la fila | die Reihe |
| copiosamente | reichlich; hier: sehr | indio, -a | indianisch |
| secar | (ab)trocknen | en fila india | im Gänsemarsch |
| la frente | die Stirn | delante | vorn |
| antes de continuar | bevor er weiterging | el ramo | der Strauß |
| respirar | atmen | la rosa | die Rose |
| la tos | der Husten | la bandeja | das Tablett |
| toser | husten | felicitar | gratulieren, beglückwünschen |
| en voz alta | laut | | |
| apuntar | aufschreiben | cordial | herzlich |
| los iba apuntando | sie schrieb sie auf | ¡enhorabuena! | herzlichen Glückwunsch |
| el susto | der Schreck | | |
| llevarse un susto | erschrecken | el cuello | der Hals |
| limitar | begrenzen, beschränken | a voz en cuello | lauthals |
| limitarse a | sich beschränken auf | Grammatik und Übungen: | |
| bajo (Adv.) | leise (Stimme) | cansar | langweilen, belästigen |
| beberse | (aus)trinken | a cada instante | alle Augenblicke, ständig |
| el trago | der Schluck | | |
| de un trago | mit einem Schluck | la pareja de enamorados | das Liebespaar |
| el alcohol | der Alkohol | | |
| producir (zc) | verursachen | cómodo, -a | bequem |
| la sensación | das Gefühl | limpiar | saubermachen |
| desagradable | unangenehm | el baño | das Bad; das Badezimmer |
| las náuseas | die Übelkeit, der Ekel | | |
| sintió náuseas | ihm wurde übel | cerrar (ie) | (ab)schließen, zumachen |
| el puro | die Zigarre | | |

## 19B Grammatik

### 1. Unregelmäßige Formen des historischen Perfekts

| pedir | sentir | dar |
|---|---|---|
| pedí *ich bat* | sentí *ich fühlte* | di *ich gab* |
| pediste | sentiste | diste |
| pidió | sintió | dio |
| pedimos | sentimos | dimos |
| pedisteis | sentisteis | disteis |
| pidieron | sintieron | dieron |

Die beiden Verbgruppen auf -ir, die im Präsens Indikativ das e des Stammes verändern (vgl. Lekt. 9B1 und 14B2), verwandeln in der 3. Person Singular und Plural des historischen Perfekts das Stamm-e in i. Man erinnere sich an die Gerundio-Formen sintiendo bzw. pidiendo (vgl. Lekt. 9B1 bzw. 14B2).

Dar hat im historischen Perfekt die gleichen Endungen wie die Verben auf -er und -ir, jedoch erhält die 3. Person Singular keinen Akzent.

| traer | decir | conducir |
|---|---|---|
| traje *ich brachte* | dije *ich sagte* | conduje *ich führte* |
| trajiste | dijiste | condujiste |
| trajo | dijo | condujo |
| trajimos | dijimos | condujimos |
| trajisteis | dijisteis | condujisteis |
| trajeron | dijeron | condujeron |

Im historischen Perfekt ist der Stamm von traer **traj-**, von decir **dij-** und von conducir **conduj-**. Die Endungen lauten: -e, -iste, -o, -imos, -isteis, -eron. Die Betonung liegt stets auf der vorletzten Silbe. Vgl. hierzu Lekt. 18B1. Alle Verben auf -ducir werden wie conducir konjugiert.

**2. Imperfekt und historisches Perfekt im erzählenden Bericht.**

Eran las nueve de la noche. Hacía frío. La gente se amontonaba en las paradas y a la entrada de los cines.
*Es war neun Uhr abends. Es war kalt. Die Leute sammelten sich an den Haltestellen und vor den Kinoeingängen an.*

Das **Imperfekt** schildert die Situation: gleichzeitig gegebene Tatbestände oder gleichzeitig verlaufende Vorgänge oder Handlungen, bis sie von einem Ereignis unterbrochen werden.

Sudaba cuando llegó al piso doce.
*Er schwitzte (= er war am Schwitzen), als er im 12. Stock ankam.*

Cuando llamaste, yo estaba lavando el coche.
*Als du anriefst, habe ich gerade den Wagen gewaschen.*

Ein neu eintretendes Ereignis steht im **historischen Perfekt**. Dagegen steht ein Vorgang, der begonnen hat und noch nicht abgeschlossen ist, im **Imperfekt**; ebenso ein Tatbestand, auf den das neu eintretende Ereignis trifft.

Abrí la puerta. Los empleados estaban tomando café.
*Ich machte die Tür auf. Die Angestellten tranken gerade Kaffee.*

Miré el reloj. Ya eran las seis y media.
*Ich sah auf die Uhr. Es war bereits halb sieben.*

Nos enseñó lo que llevaba en la mano.
*Er zeigte uns, was er in der Hand trug.*

163

### 3. Das Relativpronomen que

**Arten des Relativsatzes**

Das Relativpronomen **que** steht im Nominativ und Akkusativ Singular und Plural beider Geschlechter. Es bezieht sich auf Personen und Sachen und ist unveränderlich. Vor que steht kein „a", wenn es im Akkusativ eine Person vertritt.

| | |
|---|---|
| un coche que vale mucho | *ein Wagen, der viel wert ist* |
| una cosa que vale mucho | *ein Ding, das viel wert ist* |
| unos coches que valen mucho | *Wagen, die viel wert sind* |
| unas cosas que valen mucho | *Dinge, die viel wert sind* |
| el coche que tengo | *der Wagen, den ich habe* |
| la cosa que tengo | *das Ding, das ich habe* |
| los coches que tengo | *die Wagen, die ich habe* |
| las cosas que tengo | *die Dinge, die ich habe* |
| un señor que habla español | *ein Herr, der Spanisch spricht* |
| una chica que habla español | *ein Mädchen, das Spanisch spricht* |
| unos señores que hablan español | *Herren, die Spanisch sprechen* |
| unas chicas que hablan español | *Mädchen, die Spanisch sprechen* |
| un señor que tú no conoces | *ein Herr, den du nicht kennst* |
| una chica que tú no conoces | *ein Mädchen, das du nicht kennst* |
| unos señores que tú no conoces | *Herren, die du nicht kennst* |
| unas chicas que tú no conoces | *Mädchen, die du nicht kennst* |

Nos dirigimos al hombre que hablaba español.
*Wir gingen zu dem Mann, der Spanisch sprach.*

Nos dirigimos al hombre, que hablaba español muy bien.
*Wir gingen zu dem Mann, der sehr gut Spanisch sprach.*

Im ersten Satz wird das Bezugswort durch den Relativsatz erst kenntlich gemacht: es waren mehrere Männer da, wir wandten uns jedoch an den, der Spanisch sprach. Im zweiten Satz gibt der Relativsatz eine zusätzliche Information über das Bezugswort, das bereits hinreichend gekennzeichnet ist: es war nur ein Mann da; wir gingen zu ihm, und es stellte sich heraus, daß er sehr gut Spanisch sprach. In diesem Fall steht vor dem Relativsatz ein Komma.

### 4. Gebrauch des Gerundio

Mit dem Gerundio wird in der Regel ein Nebenvorgang ausgedrückt, der mit dem Hauptvorgang zeitlich zusammenfällt, dabei enthält das Gerundio:

– eine **modale** oder **konditionale Bestimmung** (Beispielsätze 1 bis 4);
– eine rein **temporale Bestimmung** (Beispielsatz 5);
– eine nähere **Bestimmung eines Substantivs** (normalerweise eine Personenbezeichnung), das mit estar, haber oder als Akkusativobjekt eines Verbs der Wahrnehmung eingeführt wird (Beispielsätze 6 bis 8).

Falls das Subjekt des Gerundio, das meistens, aber nicht immer, mit dem Subjekt des Hauptsatzes identisch ist, angegeben wird steht es nach dem Gerundio (Beispiel 5).

1. Enseñando se aprende.
   *Indem man lehrt, lernt man.*
2. Le saludó quitándose el sombrero.
   *Er begrüßte ihn und nahm dabei den Hut ab.*
3. Se gana tiempo doblando por aquí.
   *Man gewinnt Zeit, wenn man hier abbiegt.*
4. Me cansas deciéndomelo a cada instante.
   *Du langweilst mich, wenn du es mir ständig sagst.*
5. Me encontré con ella saliendo yo del cine.
   *Ich habe sie getroffen, als ich aus dem Kino kam.*
6. María está en su habitación escuchando música.
   *María ist in ihrem Zimmer und hört Musik.*
7. Había gente haciendo cola.
   *Es standen Leute Schlange. / Es waren Leute da, die Schlange standen.*
8. Me imagino a Pedro arreglando la bicicleta.
   *Ich stelle mir Pedro vor, wie er das Fahrrad repariert.*

Die Verbindung **ir** + **Gerundio** drückt das allmähliche Fortschreiten eines Vorgangs aus. Im Deutschen werden diese Sätze mit dem einfachen Tempus wiedergegeben, oder es wird ein Adverb wie „allmählich" oder „nach und nach" hinzugefügt.

Voy entendiéndolo.
*Ich verstehe es allmählich.*

Iba escribiendo los nombres.
*Sie schrieb die Namen auf.*

Das Gerundio wird **nicht** als Adjektiv verwendet.

### 5. Adverbien auf -mente/lo más ... posible

El coche es lento. Avanza **lentamente**.
*Der Wagen ist langsam. Er kommt langsam vorwärts.*

Adverbien auf -mente sind meistens Adverbien der Art und Weise und werden aus Adjektiven gebildet. Dabei wird **-mente** an die weibliche Form des Adjektivs im Singular angehängt (lento – lent**amente**).

Mitunter deckt sich ein Adverb auf -mente bedeutungsmäßig nicht ganz mit dem Adjektiv, z. B.: último *letzte(r)* – últimamente *in letzter Zeit*.

Angaben zur Art und Weise eines Vorgangs werden im Spanischen oft nicht mit einem schwerfälligen Adverb auf -mente gemacht, sondern mit einer Konstruktion aus Präposition + Substantiv bzw. Verb: con frecuencia *oft* (statt: frecuentemente); sin cesar *ununterbrochen* (statt: incesantemente).

lo más pronto **posible**
*möglichst schnell*

lo más cómodamente **posible**
*so bequem wie möglich*

Die Verbindung **lo más** + **Adverb** + **posible** ist eine Art Superlativ des Adverbs. Diese Konstruktion kann durch Wendungen mit einem Substantiv ersetzt werden, z. B.: con el mayor cuidado posible *möglichst vorsichtig*.

### 6. Präposition + Infinitiv zur Verkürzung von Temporalsätzen

**Al terminar** la guerra, pasó a Francia.
*Als der Krieg zu Ende war, ging er nach Frankreich.*

**Al llegar** a casa, se encendió un cigarrillo.
*Als er nach Hause kam, zündete er sich eine Zigarette an.*

**Después de hablar** con él, me siento mejor.
*Nachdem ich mit ihm gesprochen habe, fühle ich mich besser.*

Le buscó **hasta encontrar**le.
*Er suchte ihn, bis er ihn fand.*

**Tras cambiar** unas palabras con ellos, entró en la casa.
*Nachdem er ein paar Worte mit ihnen gewechselt hatte, ging er in das Haus.*

Tienes que llamarla **antes de ir**te.
*Du mußt sie anrufen, bevor du gehst.*

Mit **al, después de** (oder **tras**), **hasta** und **antes de** und dem Infinitiv werden Temporalsätze verkürzt, d. h., daß die Verbindung **Präposition** + **Infinitiv** an die Stelle des Nebensatzes tritt. Hauptsatz und verkürzter Nebensatz können unterschiedliche Subjekte haben (wie im ersten Beispielsatz); das Subjekt des verkürzten Nebensatzes folgt dann auf den Infinitiv.

## 19C  Sprachgebrauch – Landeskunde

Das Kompositum eines Verbs ( = zusammengesetztes Verb) wird in der Regel wie das Stammverb konjugiert: **devolver** geht wie volver, **atraer** wie traer, **detenerse** wie tener usw.

**haga** (von hacer) = *tun Sie, machen Sie:* Zur Bildung des Imperativs vgl. Lekt. 27B4. Statt des Imperativs wird oft das Präsens Indikativ gebraucht: me haces el favor de ir a la lavandería *geh bitte in die Wäscherei;* os vais a dormir ahora *ihr geht jetzt schlafen!*

Das unbestimmte Pronomen **todos, -as** *alle* steht immer vor dem betonten Personalpronomen: todos nosotros *wir alle,* todos ustedes *Sie alle.*

# 19D Übungen

1. Fui al cumpleaños de Maribel de mala gana. No me encontraba bien, ya que me dolían la cabeza y las espaldas. Había unos veinticinco invitados en la fiesta y yo no conocía casi a ninguno. Durante la fiesta no dije casi nada, y, en cambio, me dediqué a comer y beber. Tras comer unos mariscos que estaban muy ricos, sentí unas náuseas horribles. Me serví un café pero todo fue inútil. Salí a la calle y di una vuelta por la Plaza Mayor. Creí estar mejor y volví a la fiesta. Al llegar a la casa de Maribel estaba sudando copiosamente. Me acosté en el cuarto del hermano de ella. Estaba a punto de dormirme cuando oí unas voces en el pasillo. Me levanté para ver lo que pasaba. Dos sombras avanzaban lentamente hacia el jardín. Las seguí unos momentos, pero luego volví a la cama. Pensé que no eran ladrones, sino una pareja de enamorados. Me dormí inmediatamente después de acostarme. Al día siguiente noté que me faltaban el reloj y cien mil pesetas.
   *Ersetzen Sie das Subjekt des Textes durch:* a) él. b) los mellizos Pérez. c) nosotros. *Ändern Sie den Text entsprechend ab.*

2. *Verbinden Sie die folgenden Sätze mit* que *nach dem Muster:*
   Encontramos a un señor. Le vimos en el banco.
   Encontramos a un señor que habíamos visto en el banco.
   a) La guardia civil cogió a los ladrones. Robaron la gasolinera.
   b) No pude entregarte el paquete. Me lo dio mi tío para ti.
   c) Se casó con un periodista. Le conoció durante un viaje por Alemania.
   d) Les dieron un regalo. Lo trajeron de París.
   e) Les habló de la tienda. La tuvo antes de empezar la guerra.
   f) No le traían el desayuno. Lo pidió hace media hora.

3. *Bilden Sie Adverbien auf* -mente:
   a) Nos fuimos a un bar para charlar *(cómodo)*.
   b) A las siete de la tarde salen todos *(rápido)* de las oficinas.
   c) El camarero es amable. Responde *(amable)* a todo lo que le preguntan los viajeros.
   d) Me interesa *(único)* la historia de mi país.
   e) *(Reciente)* han ocurrido unos robos grandes en este barrio.
   f) Estoy *(completo)* seguro de lo que digo.

4. *Machen Sie aus dem zweiten Satz mit Hilfe des* Gerundio *einen verkürzten Nebensatz und übersetzen Sie ihn anschließend ins Deutsche:*
   a) Las chicas se saludaron. Se dieron un beso.
   b) Jorge aprendió alemán. Hablaba con su novia alemana.
   c) Comprobó la temperatura del agua. Metió un dedo en ella.
   d) Hacía mucho ejercicio. Corría todos los días por el bosque.
   e) Se despidió de sus amigos. Les deseó un buen viaje.

167

5. *Machen Sie aus dem ersten Satz mit* antes de + Infinitiv *einen verkürzten Nebensatz:*

a) Salgo. Voy a hacer una visita a mi abuela.
b) Vuelvo. Voy a llamar a casa.
c) Me acuesto. Voy a hablar con Jorge.
d) Sigo. Es mejor preguntar a alguien.
e) Nos sentamos a comer. Hay que poner la radio.

6. *Machen Sie aus dem ersten Satz mit* después de + Infinitiv *einen verkürzten Nebensatz:*

a) Leyó la carta. La llamó.
b) Pidió una cerveza. Se levantó para hacer una llamada.
c) Miró el mapa. No le costó trabajo encontrar la calle.
d) Os bañáis. Limpiáis bien el baño.
e) Los amigos se saludaron. Encendieron un cigarrillo.

7. *Machen Sie aus dem ersten Satz mit* al + Infinitiv *einen verkürzten Nebensatz:*

a) Me apeé del tren. Vi a Maruja.
b) Llegué. Te llamé.
c) Se acabó la gasolina. Se paró el coche.
d) Se detuvo el coche de repente. Se me cayó la cámara al suelo.
e) Te marchas. Cierras bien la puerta, por favor.

8. *Übersetzungsübungen:*

A) *Übersetzen Sie den ersten Satz mit dem historischen Perfekt, den zweiten mit dem Imperfekt von* ser *oder* estar:

a) Ich schaute durchs Fenster. Es war schon dunkel.
b) Er folgte ihr eine Stunde lang. Sie war ein sehr hübsches Mädchen.
c) Ich kam in die Wohnung. Sie war ganz leer.
d) Ich steckte den Finger ins Wasser. Es war zu kalt zum Baden.
e) Ich freute mich über das Buch. Es war ein Roman von García Márquez.
f) Wir öffneten das Paket ganz vorsichtig. Es war eine Flasche Kognak.

B) *Übersetzen Sie den ersten Satz mit dem historischen Perfekt, den zweiten mit dem Imperfekt von* estar *oder* haber *(unpersönliche Form):*

a) Ich ging hinaus auf die Straße. Es war niemand da.
b) Ich drehte mich um. Zwei Männer standen vor der Tür.
c) Ich kam in das Zimmer. Ein Blumenstrauß lag auf dem Tisch.
d) Ich suchte den Kanister im Auto. Er war nicht dort, sondern in der Garage.
e) Wir fanden das gestohlene Auto. Vom Gepäck war nichts mehr da.

## 20A Text

**Escenas de una fiesta**

Son las cinco de la tarde. El salón parece un campo de batalla. Quique, el hermano menor, está tumbado en el suelo mirando la televisión. El televisor está puesto a todo volumen. El suelo está lleno de juguetes. Y debajo de la mesa se ve una tienda de campaña. Entra Maribel con la aspiradora y con el trapo con que va a limpiar el polvo.

*Maribel:* Se acabó, Quique, voy a pasar la aspiradora. A ver, ¿de quién son esas cosas?, ¿son tuyas?

*Quique:* No son mías, son de Nati.

*Maribel:* Pues es igual. Me haces el favor de recogerlas y llevarlas afuera. Cuidado con esconderlas detrás de la puerta, ¿eh?

A las dos horas ya está todo preparado para recibir a los invitados. Todos están bañados, peinados y bien vestidos. Tocan el timbre. Maribel, que se ha puesto muy elegante, va a abrir la puerta.

*Maribel:* ¡Paco y Paquita! ¡Sois los primeros en llegar! ¡Adelante!

*Paquita:* ¡Enhorabuena, Maribel! Aquí tienes tu regalo. ¡Muchas felicidades!

*Maribel:* Gracias, Paquita. Ay, tú tienes las manos heladas, Paco.

*Paco:* Fuera hace un frío espantoso. Por suerte se está calentito aquí dentro.

*Maribel:* ¡Qué bien te sienta el pelo corto, Paquita!

*Paquita:* Me lo he cortado en la peluquería que han abierto por mi casa. ¡Qué blusa tan bonita llevas tú, Maribel!

*Maribel:* La tuya es más elegante. ¿Te la has hecho tú misma?

*Paquita:* Pues sí. Bueno, mi mamá me ha ayudado bastante.

*Maribel:* Pues no sabía que cosías tan bien.

El último en llegar es Joaquín, un joven moreno de barba y bigote, a quien Maribel da un largo abrazo en la puerta. La fiesta está cada vez más animada. Maribel y Joaquín se acercan a la tía Nicolasa, que está sentada en un rincón del salón con su abanico.

*Maribel:* Tía, te presento a Joaquín Rojas.

*Joaquín:* Mucho gusto en conocerla, señora.

*Tía:* Encantada, joven, el gusto es mío.

*Maribel:* Joaquín es el chico de quien tanto te he hablado, tía.

*Tía:* ¡Ah, usted es! ¿De modo que usted estudia en la universidad?

*Maribel:* Le estás confundiendo, tía. Quien estudia en la universidad es su hermano.

*Tía:* ¡Vaya! Bueno, pues entonces, ¡a brindar! ¡A su salud, joven!

*Joaquín:* A la suya, señora.

Desde otro rincón del salón, Rogelio y Leonardo están examinando a los presentes, entre los cuales se encuentra una muchacha que llama la atención por su aspecto nórdico.

*Rogelio:* Esa es la sueca con la que está saliendo Toño.

*Leonardo:* Pues está muy bien. ¿Habla castellano?

*Rogelio:* Mejor que tú y yo juntos. Además de lista, es estudiosa. Anda con un cuadernito del que no se separa nunca. Cuando le corriges algún error, se lo apunta en él.

*Leonardo:* ¿Y van a casarse o no?

*Rogelio:* Hay oposición familiar, lo que no es nada extraño. Ella es protestante y él es católico.

*Leonardo:* ¿Qué familia se opone, la de ella o la de él?

*Rogelio:* Las dos. Bueno, la de ella va cediendo, pero Toño no ha convencido aún a la suya. Quienes se oponen son su madre y sus hermanas.

Y en otro rincón hablan Alicia y Cecilia de una amiga suya que acaba de romper con su novio.

*Alicia:* ¿Sufre mucho Isabelita?

*Cecilia:* Tiene los ojos hinchados de tanto llorar.

*Alicia:* ¡Dios mío! No hace mucho yo me encontré con ella en la sauna. Me contó que habían hecho un viaje. Me dijo que era feliz y que cada día estaba más enamorada de él. Soñaba con una casita blanca con jardín.

*Cecilia:* Entonces no sabía ella que él la engañaba con otra. Voy a contarte cómo se enteró. Un día ...

| | | | |
|---|---|---|---|
| la escena | *die Szene* | la aspiradora | *der Staubsauger* |
| la batalla | *die Schlacht* | el trapo | *der Lappen* |
| tumbar | *umwerfen, niederstrekken* | limpiar el polvo | *Staub wischen* |
| | | se acabó | *Schluß damit* |
| estar tumbado, -a | *liegen* | pasar la aspiradora | *staubsaugen* |
| mirar la televisión | *fernsehen* | ¿de quién son esas cosas? | *wem gehören die Sachen?* |
| poner | *ein-, anschalten* | | |
| el volumen | *die Lautstärke* | tuyo, -a | *dein, von dir* |
| a todo volumen | *mit voller Lautstärke* | mío, -a | *mein, von mir* |
| debajo de | *unter* | afuera | *hinaus* |
| la tienda de campaña | *das Zelt* | esconder | *verstecken* |

| cuidado con esconder-los | verstecke sie ja nicht |
|---|---|
| el timbre | die Klingel |
| tocan el timbre | es klingelt |
| ponerse elegante | sich elegant anziehen |
| sois los primeros en llegar | ihr kommt als erste |
| adelante | vorwärts |
| ¡adelante! | herein! |
| la felicidad | das Glück |
| ¡muchas felicidades! | alles Gute! |
| helado, -a | eiskalt |
| tú tienes las manos heladas | du hast eiskalte Hände |
| calentito, -a | schön warm |
| dentro | drinnen |
| sentar (ie) | sitzen, passen, (j-m) stehen |
| el pelo | das Haar |
| corto, -a | kurz |
| cortarse el pelo | sich die Haare schneiden lassen |
| la peluquería | der Friseursalon |
| por mi casa | bei mir in der Nähe |
| la barba | der Bart |
| el bigote | der Schnurrbart |
| de barba y bigote | mit Vollbart |
| animado, -a | lebhaft, lustig |
| cada vez más animada | immer lustiger |
| estar sentado, -a | sitzen |
| el rincón | die (Zimmer-)Ecke |
| el abanico | der Fächer |
| mucho gusto en conocerla | ich freue mich, Sie kennenzulernen |
| encantado, -a | entzückt |
| encantado, el gusto es mío | ganz meinerseits |
| de modo que | also |
| confundir | verwechseln |
| brindar | anstoßen |
| ¡a brindar! | wir wollen anstoßen! |
| ¡a su salud! | auf Ihr Wohl!, prost! |
| examinar | prüfen, mustern |
| presente | anwesend |
| entre | unter, zwischen |
| la atención | die Aufmerksamkeit |
| llamar la atención | auffallen |

| el aspecto | das Aussehen |
|---|---|
| nórdico, -a | nordisch |
| salir con alguien | mit j-m gehen |
| además de | außer |
| estudioso, -a | lernbegierig, fleißig |
| además de lista, es estudiosa | sie ist nicht nur klug, sie ist auch fleißig |
| el cuaderno | das Schreibheft |
| el cuadernito | das kleine Heft |
| separar | trennen |
| corregir (i) | verbessern |
| el error | der Fehler |
| la oposición | der Widerstand |
| familiar | Familien..., in der Familie |
| extraño, -a | seltsam, verwunderlich |
| lo que no es nada extraño | was gar nicht verwunderlich ist |
| protestante | protestantisch |
| oponer | entgegenstellen |
| oponerse | dagegen sein, sich widersetzen |
| la de ella | ihre (Possessivpronomen) |
| ceder | nachgeben |
| convencer | überzeugen, überreden |
| romper con alguien | mit j-m brechen |
| hinchar | schwellen |
| llorar | weinen |
| de tanto llorar | von dem vielen Weinen |
| ¡Dios mío! | mein Gott! |
| no hace mucho | vor nicht langer Zeit |
| la sauna | die Sauna |
| soñar (ue) con | träumen von |
| la casita | das Häuschen |
| blanco, -a | weiß |
| engañar | betrügen |

| Grammatik und Übungen: | |
|---|---|
| el/la que; el/la cual | der, die, das; welche(r, -s) |
| detrás | hinten |
| atrás | (nach) hinten |
| debajo | unten |
| adentro | hinein |
| encima | oben |

# 20B Grammatik

## 1. Das betonte (unverbundene) Possessivpronomen

Die unbetonten Possessivpronomen sind in Lekt. 7B3 aufgeführt. Im Singular und in der 3. Person Plural weichen die betonten von den unbetonten Formen des Possessivpronomens ab. Die betonten Formen lauten:

171

Für **einen** Besitzer:

| | *mein(e), meinig(e)* | | *dein(e), deinig(e)* | | *sein(e), seinig(e), ihr(e), ihrig(e), Ihr(e), Ihrig(e)* | |
|---|---|---|---|---|---|---|
| | Sing. | Plur. | Sing. | Plur. | Sing. | Plur. |
| Mask. | mío | míos | tuyo | tuyos | suyo | suyos |
| Fem. | mía | mías | tuya | tuyas | suya | suyas |

Für **mehrere** Besitzer:

| | *unser(e), unsrig(e)* | | *eur(e), eurig(e)* | | *ihr(e), ihrig(e), Ihr(e), Ihrig(e)* | |
|---|---|---|---|---|---|---|
| | Sing. | Plur. | Sing. | Plur. | Sing. | Plur. |
| Mask. | nuestro | nuestros | vuestro | vuestros | suyo | suyos |
| Fem. | nuestra | nuestras | vuestra | vuestras | suya | suyas |

¿De quién es eso? **Mío.**
*Wem gehört das? Mir. (Meins.)*
(wörtlich: *Wessen ist das?*)
Tu blusa es más bonita que **la mía.**
*Deine Bluse ist hübscher als meine.*
Su mundo no es **el nuestro.**
*Seine Welt ist nicht die unsere/unsrige.*
Un amigo **mío** lo ha dicho.
*Ein Freund von mir hat es gesagt.*
**Hijo mío,** ¿por qué lloras?
*Warum weinst du, mein Sohn?*

No vamos en **el** coche **de él,** sino en **el de ella.**
*Wir fahren nicht mit seinem, sondern mit ihrem Wagen.*

Alleinstehend dient das betonte Possessivpronomen mit **ser** zur Angabe des Besitzers.

**Mit dem bestimmten Artikel** vertritt das betonte Possessivpronomen ein vorangegangenes Substantiv mit dem unbetonten Possessivpronomen.

Steht das betonte Possessivpronomen nach dem Substantiv, bedeutet es meistens *von mir, von dir* usw. In Anreden und Ausrufen wird das Possessivpronomen häufig nachgestellt und erscheint dann in der betonten Form (mi hijo – hijo mío).

Wenn durch das vieldeutige Pronomen **suyo** nicht klar ausgedrückt werden kann, um welchen Besitzer es sich handelt, heißt es statt dessen: (el *od.* la, los *od.* las) de él, de ella, de ellos, de ellas, de usted, de ustedes.

172

## 2. Das Relativpronomen: que, el que, el cual, lo que, lo cual, quien

el lápiz **con que** escribo
*der Bleistift, mit dem ich schreibe*
la casa **en que** vivo
*das Haus, in dem ich wohne*
las cosas **de las que** hablas
*die Dinge, von denen du sprichst*
unos asuntos **sobre los cuales** debemos hablar
*(einige) Themen, über die wir sprechen müssen/sollen*

Mit Bezug auf Sachen heißt das Relativpronomen nach Präpositionen **que**. (Zu **que** vgl. auch Lekt. 19B3)

Nach Präpositionen werden auch **el que** und **el cual** verwendet. Beide richten sich in Geschlecht und Zahl nach dem Substantiv, auf das sie sich beziehen:

|  | Singular | Plural |
|---|---|---|
| Mask. | el que/el cual | los que/los cuales |
| Fem. | la que/la cual | las que/las cuales |

Das Relativpronomen **el cual** wird vorzugsweise nach mehrsilbigen Präpositionen gebraucht.

Hay problemas, **lo que** no es nada extraño.
*Es gibt da Probleme, was nicht weiter verwunderlich ist.*
Estaba nevando, **por lo cual** nos quedamos en casa.
*Es schneite, weshalb wir zu Hause geblieben sind.*

Bezieht sich das Relativpronomen auf einen Satzinhalt, heißt es **lo que** oder **lo cual**. (Zu **lo que** vgl. auch Lekt. 18B4.) Nach mehrsilbigen Präpositionen wird **lo cual** bevorzugt.
Man merke sich: Das deutsche Adverb *weshalb* heißt als Relativanschluß im Spanischen **por lo que** oder **por lo cual**. Diese Wendungen sind sonst auch mit *wovon, worüber* usw. zu übersetzen.

las chicas **de quienes** te hablé
*die Mädchen, von denen ich dir erzählt habe*
los chicos **a quienes** dimos el dinero
*die Jungen, denen wir das Geld gegeben haben*
Pedro, **al que** vi ayer en el cine, me lo dijo.
*Pedro, den ich gestern im Kino gesehen habe, hat es mir gesagt.*
el señor **al que** has saludado
*der Herr, den du begrüßt hast*

Mit Bezug auf Personen heißt das Relativpronomen nach Präpositionen **el que** oder **el cual** (siehe die obige Tabelle); es heißt aber auch **quien** im Singular, **quienes** im Plural.

Im Akkusativ steht statt **que** (vgl. Lekt. 19B3) auch **al que, a la que, a los que, a las que** (bzw. **al cual, a la cual** usw.) oder **a quien, a quienes**. Diese zusammengesetzten Formen **müssen** verwendet werden, wenn dem Relativsatz ein Komma vorangeht. Sprachpfleger sehen die

Me llevo esta maleta y **la que** está aquí.
*Ich nehme diesen Koffer und den, der da ist, mit.*
Me gusta **la que** está bailando.
*Mir gefällt die, die tanzt.*
No vi a **los que** salieron después de ti.
*Ich habe die, die nach dir herausgekommen sind, nicht gesehen.*
**Quien** lo ha visto, no puede olvidarlo.
*Wer es gesehen hat, kann es nicht vergessen.*
**Lo que** en casa se aprende, nunca se olvida.
*Was man zu Hause lernt, vergißt man nie.*

zusammengesetzten Formen (al que, al cual, a quien, usw.) als den immer zu gebrauchenden Akkusativ, wenn das Bezugswort eine bestimmte Person ist. Diese zusammengesetzten Formen sind auch Dativformen.

Das Relativpronomen, dem kein Beziehungswort vorausgeht, heißt **el que, la que, los que, las que.** Es bezieht sich auf Personen und Sachen. Für Personen kann auch **quien** bzw. **quienes** gebraucht werden.

Im verallgemeinernden Sätzen heißt *wer* **quien** oder **el que,** *was* heißt **lo que.**

### 3. Das Passiv mit „sein": estar + Partizip

El coche **está vendido.**
*Der Wagen ist verkauft.*
Las casas **estaban vendidas** ya.
*Die Häuser waren bereits verkauft.*

Das Subjekt in diesen Sätzen *(Wagen, Häuser)* war zuvor Objekt der Handlung des Verkaufens. „Verkauft sein" ist das Ergebnis dieser Handlung, und das wird durch **estar + Partizip** ausgedrückt. Das Partizip ist veränderlich und richtet sich nach dem Subjekt des Satzes. Im Deutschen entspricht der Verbindung estar + Partizip häufig kein passivischer Ausdruck (vgl. hierzu die Liste in Abschnitt C, 2. Absatz).

### 4. Gebrauch des bestimmten Artikels

Tienes **las** manos frías.
*Du hast kalte Hände.*
Lleva **la** falda corta.
*Sie trägt einen kurzen Rock.*

Der bestimmte Artikel steht im Spanischen nach **tener** oder **llevar,** wenn eine körperliche Eigenschaft oder ein Zustand angegeben oder die Kleidung beschrieben wird.

174

Nos marchamos **a la** media hora.
*Wir sind nach einer halben Stunde gegangen.*
Se casó **a los** cincuenta años.
*Er heiratete mit fünfzig (Jahren).*

Der Ablauf einer Zeitspanne wird durch **a** und den bestimmten Artikel ausgedrückt.

### 5. Das Tempus des daß-Satzes, indirekte Rede

Creo que está enamorado.
*Ich glaube, er ist verliebt.*
Me ha dicho que había sido feliz.
*Er hat mir gesagt, er sei glücklich gewesen.*

Steht das Verb des Hauptsatzes in einem gegenwartsbezogenen Tempus (Präsens, Perfekt), so kann der Nebensatz in einem Tempus der Gegenwart oder der Vergangenheit stehen. Diese Regel ist wichtig für die indirekte Rede (= Wiedergabe des von einem Dritten Gesagten). Die ursprüngliche Aussage des zweiten Beispielsatzes lautet: yo había sido feliz *ich war glücklich gewesen.* Dabei ist zu beachten, daß die indirekte Rede im Spanischen im Indikativ, im Deutschen im Konjunktiv steht.

Creía que tenía coche.
*Ich glaubte, er hätte einen Wagen.*
Me dijo que tenía coche.
*Er sagte mir, er habe einen Wagen.*

Steht das Verb des Hauptsatzes in einem vergangenheitsbezogenen Tempus (Imperfekt, historisches Perfekt, Plusquamperfekt), so **muß** der Nebensatz ebenfalls in einem Tempus der Vergangenheit stehen. Für die indirekte Rede ergeben sich demnach folgende Umformungen: Das Präsens der direkten Rede wird in der indirekten Rede zum Imperfekt, Perfekt und historisches Perfekt werden zum Plusquamperfekt; Imperfekt und Plusquamperfekt bleiben dagegen unverändert.

| Direkte Rede | Indirekte Rede |
|---|---|
| Soy feliz.<br>Era feliz. | Dijo que era feliz. |
| He viajado a España.<br>Viajé a España.<br>Había viajado a España. | Dijo que había viajado a España. |

175

**6. Adverbien und Präpositionen zur Angabe des Ortes**

| | |
|---|---|
| La casa está **detrás**. | Tenemos que ir **atrás**. |
| *Das Haus ist hinten.* | *Wir müssen nach hinten gehen.* |
| Los libros están **debajo**. | Estamos **abajo**. |
| *Die Bücher sind unten.* | *Wir sind unten.* |
| Pepe está **fuera**. | Vamos **afuera** un minuto. |
| *Pepe ist draußen.* | *Gehen wir einen Augenblick hinaus!* |
| Ya están **dentro** todos. | Vamos **adentro**. |
| *Es sind schon alle drinnen.* | *Gehen wir hinein!* |
| Pepe viene **delante**. | Vamos **adelante**. |
| *Vorn kommt Pepe.* | *Gehen wir nach vorn!* |

| | | |
|---|---|---|
| Los libros están **encima**. | Estamos **arriba**. | Vamos **arriba**. |
| *Die Bücher sind oben.* | *Wir sind oben.* | *Gehen wir nach oben!* |

Adverbien, die mit **a-** beginnen (**atrás, afuera, adentro, adelante**) werden hauptsächlich bei Verben der Bewegung gebraucht (Ausnahmen sind jedoch abajo und arriba).

Die abgeleiteten Präpositionen **detrás de** *hinter*, **debajo de** *unter*, **delante de** *vor* und **encima de** *auf, über* haben als Synonyme die folgenden einfachen Präpositionen: **tras** *hinter*, **bajo** *unter*, **ante** *vor* und **sobre** *auf, über*. Diese Präpositionen können auch in übertragenem – also nicht konkretem – Sinn gebraucht werden: estar tras una cosa *hinter etwas her sein;* bajo este punto de vista *unter diesem Gesichtspunkt;* ante Dios *vor Gott;* sobre la revolución *über die Revolution.*

# 20C Sprachgebrauch – Landeskunde

Der Gebrauch von Ortsadverbien in feststehenden Redewendungen:
¡adelante! *herein!;* ¡abajo el gobierno! *nieder mit der Regierung!;* ¡fuera!/¡afuera! *raus!;* ¿arriba España! *es lebe Spanien!*

Man merke sich: estar sentado *sitzen;* estar echado/acostado/tumbado *darniederliegen;* estar enterado *wissen;* estar dormido *schlafen;* estar encendido *(Licht)* *brennen;* estar colgado *hängen;* estar situado *(geographisch) liegen;* estar aparcado *parken.*

Die Endung **-ísimo** drückt den sehr hohen Grad einer Eigenschaft aus: muchísimas gracias *vielen herzlichen Dank;* una cosa facilísima *eine kinderleichte Sache.* Die Endung wird an den Stamm des Adjektivs angehängt (mucho – muchísimo; fácil – facilísimo) und richtet sich in Geschlecht und Zahl nach dem Substantiv. Wenn der Stamm des Adjektivs auf c, g oder z endet, sind zur Erhaltung der Aussprache orthographische Veränderungen zu beachten: rico – riquísimo; largo – larguísimo; feliz – felicísimo.

Die Endungen **-ito, -ico** und **-illo** drücken ein kleines Format bzw. eine Verkleinerung aus: una casita *ein kleines Haus, ein Häuschen;* un cuadernito *ein kleines Heft, ein Heftchen.* Demgegenüber klingen „una pequeña casa" oder „un pequeño cuaderno" sehr schwerfällig. Häufig dienen diese Endungen auch zum Ausdruck des Niedlichen und Lieben. Bei Adjektiven und Adverbien dienen sie oft zur Bedeutungsverstärkung: caliente *warm, heiß* – calentito *ganz schön warm;* despacio *langsam, allmählich* – despacito *ganz sachte.* Von den drei Endungen wird **-ito** am häufigsten gebraucht.

# 20D Übungen

1. *Bilden Sie Dialoge nach den Mustern:*
A) ¿De quién es este <u>libro?</u>
   Mío.
   a) pasaporte.   b) juguetes.   c) recibo.   d) guitarra.   e) boina.   f) abanicos.
   g) cuadernito.   h) tarjeta.

B) ¿Tú tienes un <u>piso</u> muy <u>bonito?</u>
   Pues no es más bonito que el tuyo.
   a) alumnos/estudioso.   b) profesora/bueno.   c) finca/grande.   d) casa/viejo.
   e) empleados/bueno.   f) criada/malo.

2. *Setzen Sie das fehlende Wort ein. Schreiben Sie* x, *wenn nichts fehlt:*
   a) El abanico se había caído debajo ... la cama.
   b) Llevaba unos libros bajo ... brazo.
   c) El museo está ... lado, señorita.
   d) Nos vemos dentro ... una hora, ¿no?
   e) Vamos a colocarnos detrás ... el árbol.
   f) Ellas tomaron asiento junto ... un señor.
   g) La catedral está ... la derecha.
   h) Yo estaba fuera ... Madrid cuando ocurrió aquello.

3. *Bilden Sie das Passiv mit* estar *im Präsens Indikativ:*
   a) Hemos apagado el televisor.
   b) Ya se han encendido las luces.
   c) He envuelto los regalos.
   d) Lo hemos decidido ya.
   e) Hemos perdido la guerra.
   f) ¿Has preparado la comida?

4. *Bilden Sie das Passiv mit* estar *im Imperfekt:*
   a) Nos habíamos enterado de todo.
   b) Tú no te habías peinado todavía, Isabel.
   c) Me había enamorado de él.
   d) El coche se había detenido delante del banco.

177

e) Se habían reventado tres neumáticos.
f) Se había muerto la planta.

5. *Bilden Sie einen Nebensatz und ändern Sie dabei das Tempus nach dem Muster:*
Usted llegó el martes.
Me enteré ayer de que usted había llegado el martes.

a) Usted vivió en América.
b) Isabel se casó en Alemania.
c) Ellos hicieron un viaje por Francia.
d) Su hermano escribió una novela.
e) Ustedes volvieron la semana pasada.
f) Tú me llamaste a casa.

6. *Gleiche Übung:*
Usted sabe coser.
No sabía que usted sabía coser.

a) Usted está aquí.
b) Tú me estás esperando.
c) Tú y yo vivimos en el mismo edificio.
d) Vosotros trabajáis en el banco.
e) Ustedes estudian Arquitectura.
f) Yo soy el mejor de la clase.

7. *Ändern Sie das Tempus des Nebensatzes nach dem Muster:*
Hoy dice que lo sabe.
Ayer dijo que no lo sabía.

a) gana mucho.
b) se queda.
c) tú te vas.
d) todos lo entienden.
e) vosotros lo sabéis.
f) te encuentras bien.

8. *Übersetzungsübungen:*

A) *Passiv oder Perfekt?*
Die Kinder sind schon gekämmt. Wir sind angekommen. Dieser Film ist verboten. Der Wagen ist stehengeblieben. Sein Leben ist zerstört. Die Übung ist beendet.

B) *Passiv oder Plusquamperfekt?*
Meine Uhr war stehengeblieben (Mir war die Uhr ...). Die Tankstelle war noch nicht geöffnet. Ihr wart nicht angezogen. Sie waren hinausgegangen. Ich war nicht zu Hause gewesen. Du warst eingeschlafen.

C) Die junge Dame, mit der ich gesprochen habe, hatte blaue Augen und trug ganz (sehr) kurzes Haar. Die Probleme, über die wir so lange diskutiert haben, sind nicht so ernst, wie du glaubst. Pedro erzählte, daß man ihm in Nerja sein Auto gestohlen habe, was für uns keinerlei Überraschung war, denn vor einem Jahr hat Isabel dort ihr ganzes Geld verloren. Die jungen Burschen, denen ich Geld gegeben habe, sagten mir, sie hätten nichts zu (que) essen. Ist das das Fahrrad, für das du zweihunderttausend Peseten bezahlt hast?

## 21A Text

**Parejas amigas**

Graciela tiene algo que hacer fuera de casa. Por eso no cenará con sus padres ni con los invitados esta noche.

*Beatriz:* ¿Has lavado tus medias ya? –le pregunta su madre.

*Graciela:* Las lavaré otro día, mamá. Ahora no tengo tiempo.

*Beatriz:* No se puede usar el lavabo estando tus medias dentro.

*Graciela:* Las pondré en mi cuarto. Allí no molestarán a nadie.

*Beatriz:* A ver cuándo las lavas. ¿Adónde vas con tanta prisa?

*Graciela:* Me reúno con Piluca y Mario. Vamos a la manifestación.

*Beatriz:* ¿Qué manifestación?

*Graciela:* Contra la entrada de España en la OTAN.

*Beatriz:* ¡Qué locura! Bueno, tú sabrás lo que haces. ¿Te guardo algo de paella?

*Graciela:* No, mamá. Habrá una fiesta en casa de Piluca después de la manifestación. Cenaré con ellos.

*Beatriz:* ¿A qué hora estarás de vuelta?

*Graciela:* A eso de las doce. Vendré aquí luego de llevar a Ramiro a su casa.

*Beatriz:* ¿Por qué no traes a Ramiro a cenar un día? Será cordialmente bienvenido.

*Graciela:* Se lo diré, mamá, pero no sé si querrá venir. Bueno, hasta luego.

Una hora después ya han llegado Pepita y Eduardo, los invitados de Jorge y Beatriz, los padres de Graciela. Los hombres se ocupan de instalar el proyector y la pantalla donde se proyectarán las diapositivas. Entretanto, Pepita y Beatriz charlan en la cocina. Beatriz ha adornado la paella con mucho gusto. Pepita no ha guisado nunca una paella.

*Beatriz:* Es más sencillo de lo que te imaginas. ¿Quieres probar? – dice Beatriz.

*Pepita:* Mmm. Está riquísima. ¿Qué le has puesto?

*Beatriz:* Nada especial. Bueno, yo hiervo un ratito las carnes antes de freírlas y cuezo el arroz en esa agua. Para conservar los distintos sabores, frío la salchicha, el lomo y el pollo en cacerolas diferentes. Y uso aceite, y nada de manteca de cerdo. ¿Sigues a dieta tú?

*Pepita:* No, he perdido más kilos de los que quería perder.

179

| | |
|---|---|
| *Beatriz:* | Estás en el peso justo. No es nada sano pesar menos de lo debido. Si pierdes un kilo más, parecerás un fideo. ¿Coges? |

Durante la cena, las parejas hablan de sus hijos. Jorge dice:

| | |
|---|---|
| *Jorge:* | Graciela se ha ido a una manifestación por la paz. Es por la paz, ¿no? |
| *Beatriz:* | Tú te ríes del pacifismo, eso está mal –dice Beatriz a su marido. |
| *Jorge:* | No me río. Sólo creo que son unos tontos útiles –dice Jorge. |
| *Beatriz:* | Claro que te ríes. ¿Se interesan vuestros chicos por la política? –dice Beatriz dirigiéndose a los invitados. |
| *Pepita:* | En absoluto. Son muy distintos de los vuestros. Su único interés son los barcos de vela. Ahora se han ido a navegar al Mediterráneo –dice Pepita. |
| *Eduardo:* | En este momento estarán navegando hacia Garrucha –dice Eduardo. |
| *Beatriz:* | ¿Por dónde cae Garrucha? –pregunta Beatriz. |
| *Pepita:* | Queda por el sur, en Andalucía –dice Pepita. |
| *Jorge:* | ¿Más abajo o más arriba de Mojácar? –pregunta Jorge. |
| *Eduardo:* | A la misma altura –dice Eduardo. |

Otro tema es el viaje de Eduardo y Pepita a los Estados Unidos.

| | |
|---|---|
| *Beatriz:* | ¿Habéis fijado la fecha de salida ya? –pregunta Beatriz. |
| *Pepita:* | Será por el veinte de julio, pero no estamos seguros –dice Pepita. |
| *Beatriz:* | ¡Volar sobre el Atlántico! ¡Qué ilusión! –exclama Beatriz. |
| *Eduardo:* | ¿Saldréis vosotros de Madrid en Semana Santa? –pregunta Eduardo. |
| *Jorge:* | Pues sí. Haremos la ruta del mazapán –dice Jorge. |
| *Pepita:* | Mirando vuestras diapositivas el otro día nos dimos cuenta de que más allá de Toledo no conocemos España –dice Pepita. |
| *Jorge:* | Más acá de Toledo tampoco conocemos mucho –dice Jorge. |
| *Eduardo:* | Pues esta vez conoceréis el dulce más antiguo de Europa –dice Eduardo. |
| *Pepita:* | Cuidado con ser glotona, Beatriz, ¿eh? –dice Pepita. |
| *Beatriz:* | Tendré bastante ejercicio subiendo a los castillos –dice Beatriz. |
| *Eduardo:* | Podréis subir al cerro de la traición –dice Eduardo. |
| *Jorge:* | ¿Qué es el cerro de la traición? –pregunta Jorge. |

*Beatriz:* La montaña en que se rindió el conde don Julián –dice Beatriz.

*Eduardo:* ¿Irá Graciela con vosotros? –pregunta Eduardo.

*Jorge:* Ni se lo hemos preguntado. Es seguro que no querrá. Bueno, ¿qué os parece si empezamos con las diapositivas? – propone Jorge.

*Beatriz:* Vale. Yo voy a por más vino a la cocina. ¿Dónde habré puesto mis gafas? –dice Beatriz levantándose.

| | |
|---|---|
| amigo, -a | *befreundet* |
| la media | *der Strumpf* |
| otro día | *ein andermal, morgen* |
| usar | *benutzen; verwenden* |
| el lavabo | *das Waschbecken* |
| el cuarto | *das Zimmer* |
| molestar | *stören* |
| con tanta prisa | *so eilig* |
| reunir | *versammeln* |
| reunirse | *sich treffen* |
| la manifestación | *die Demonstration* |
| la OTAN (Organiza-ción del Tratado del Atlántico Norte) | *die NATO (Nord-atlantikpakt-Organisation)* |
| la organización | *die Organisation* |
| el tratado | *der (internationale) Vertrag* |
| el (Océano) Atlántico | *der Atlantische Ozean, der Atlantik* |
| la locura | *die Verrücktheit* |
| guardar | *aufheben, zurücklegen* |
| estar de vuelta | *zurück sein* |
| a eso de las doce | *so um zwölf herum* |
| luego de *(m. Inf.)* | *nachdem* |
| bienvenido, -a | *willkommen* |
| ocupar | *besetzen; beschäftigen* |
| ocuparse de | *sich beschäftigen mit* |
| el proyector | *der Projektor* |
| la pantalla | *der Bildschirm, die Leinwand* |
| proyectar | *werfen, projizieren* |
| la diapositiva | *das Dia(positiv)* |
| entretanto | *inzwischen* |
| charlar | *plaudern* |
| adornar | *verzieren, dekorieren* |
| con mucho gusto | *sehr geschmackvoll* |
| sencillo, -a | *einfach; bescheiden* |
| es más sencillo de lo que te imaginas | *es ist einfacher, als du denkst* |
| probar (ue) | *kosten, probieren* |
| poner | *hineingeben* |
| especial | *besondere(r, -s)* |
| nada especial | *nichts Besonderes* |
| hervir (ie) | *kochen (lassen)* |
| un ratito | *eine kleine Weile* |
| freír | *(in der Pfanne) braten* |

| | |
|---|---|
| cocer (ue) | *kochen, gar werden lassen* |
| el arroz | *der Reis* |
| conservar | *erhalten* |
| distinto, -a | *verschieden* |
| el sabor | *der Geschmack* |
| la salchicha | *das Würstchen* |
| el pollo | *das Hähnchen* |
| la cacerola | *der Topf, die Kasserolle* |
| nada de ... | *kein ...* |
| la manteca de cerdo | *das Schweineschmalz* |
| el cerdo | *das Schwein* |
| la dieta | *die Diät* |
| estar a dieta | *Diät halten* |
| ¿sigues a dieta? | *bist du immer noch auf Diät?* |
| el peso | *das Gewicht* |
| justo, -a | *gerecht; recht, richtig* |
| no es nada sano | *es ist überhaupt nicht gesund* |
| debido, -a | *gehörig, richtig* |
| el fideo | *die (Faden-)Nudel* |
| reír | *lachen* |
| reírse de | *lachen über, auslachen* |
| el pacifismo | *der Pazifismus* |
| el tonto | *der Dummkopf* |
| en absoluto | *keineswegs* |
| distinto de | *anders als* |
| el barco | *das Boot* |
| la vela | *das Segel* |
| navegar | *segeln* |
| el (Mar) Mediterráneo | *das Mittelmeer* |
| ¿por dónde cae ...? | *wo liegt denn ...?* |
| quedar | *liegen (geographisch)* |
| por el sur | *im Süden* |
| Andalucía *f* | *Andalusien* |
| más abajo | *weiter unten* |
| la altura | *die Höhe* |
| a la misma altura | *auf gleicher Höhe* |
| el Estado | *der Staat* |
| los Estados Unidos | *die Vereinigten Staaten* |
| fijar | *festsetzen, festlegen* |
| la salida | *die Abfahrt, die Abreise, der Abflug* |
| por el 20 de julio | *so um den 20. Juli* |
| julio *m* | *Juli* |

181

| | | | |
|---|---|---|---|
| volar (ue) | *fliegen* | la traición | *der Verrat* |
| la ilusión | *die Illusion; die Vor-* | rendirse (i) | *sich ergeben* |
| | *freude* | el conde | *der Graf* |
| ¡qué ilusión! | *wie schön!* | proponer | *vorschlagen* |
| la ruta | *die (Reise-)Route* | habré puesto | *ich werde (hin)gelegt* |
| el mazapán | *das Marzipan* | | *haben* |
| darse cuenta de algo | *etwas merken, begrei-* | las gafas | *die Brille* |
| | *fen* | | |
| más allá de ... | *jenseits, über ... hinaus* | *Grammatik und Übungen:* | |
| acá | *hier, hierher* | sonreír | *lächeln* |
| más acá de | *diesseits* | caber | *Platz haben, hineinpas-* |
| el dulce | *die Süßigkeit* | | *sen* |
| glotón, -ona | *naschhaft; gefräßig* | tonto, -a | *dumm* |
| el castillo | *das Schloß, die Burg* | el espacio | *der Raum* |
| el cerro | *der Hügel* | mundial | *Welt...* |

## 21B Grammatik

### 1. Verben auf -eír

| Muster: | freír | *braten* |
|---|---|---|
| Präsens Indikativ: | frío | freímos |
| | fríes | freís |
| | fríe | fríen |
| Historisches Perfekt: | freí | freímos |
| | freíste | freísteis |
| | frió | frieron |
| Gerundio: | friendo | |

Zu dieser Verbgruppe gehören reír(se) *lachen* und sonreír *lächeln*.

### 2. Erstes Futur (futuro imperfecto) der Verben auf -ar, -er, -ir

| tomar | comer | subir |
|---|---|---|
| tomaré | comeré | subiré |
| *ich werde nehmen* | *ich werde essen* | *ich werde steigen* |
| tomarás | comerás | subirás |
| tomará | comerá | subirá |
| tomaremos | comeremos | subiremos |
| tomaréis | comeréis | subiréis |
| tomarán | comerán | subirán |

Die Formen des ersten Futurs werden durch Anhängen der Endungen (-é, -ás, -á, -emos, -éis, -án) an den Infinitiv gebildet. Diese Endungen entsprechen dem Präsens von **haber** (vgl. Lekt. 10B2).

Einige Verben verändern im Futur ihren Stamm:

| decir: | diré | haber: | habré |
|--------|------|--------|-------|
| hacer: | haré | tener: | tendré |
| querer: | querré | poner: | pondré |
| poder: | podré | venir: | vendré |
| saber: | sabré | salir: | saldré |
| caber: | cabré | valer: | valdré |

Lo sabremos enseguida.
*Wir werden es gleich wissen.*

Vendré en julio.
*Ich werde im Juli kommen.*

En los Estados Unidos visitaremos a unos amigos.
*In den Vereinigten Staaten werden wir Freunde besuchen.*

Ya serán las doce.
*Es wird schon zwölf sein.*

¿Quién vivirá aquí?
*Wer wird/mag wohl hier wohnen?*

¿Lo sabrá ella?
*Ob sie es weiß?*

Das erste Futur dient zum Ausdruck eines Vorgangs, der – zu einer früheren oder späteren Zeit – in der Zukunft liegt.

Zum Ausdruck der nahen Zukunft wird **ir a** + **Infinitiv** gebraucht (vgl. Lekt. 6B3), und sehr häufig wird auch Präsens Indikativ für Zukünftiges verwendet.

Das erste Futur drückt auch eine Vermutung aus.

## 3. Zweites Futur (futuro perfecto)

| habré | llegado | *ich werde angekommen sein* | habremos | llegado |
|-------|---------|------------------------------|----------|---------|
| habrás | llegado | | habréis | llegado |
| habrá | llegado | | habrán | llegado |

| habré | escrito | *ich werde geschrieben haben* | habremos | escrito |
|-------|---------|-------------------------------|----------|---------|
| habrás | escrito | | habréis | escrito |
| habrá | escrito | | habrán | escrito |

Das zweite Futur wird mit dem ersten Futur von **haber** und dem Partizip gebildet. Das Partizip ist unveränderlich.

Das zweite Futur dient zum Ausdruck eines Vorgangs, der vor einem anderen, zukünftigen Vorgang oder vor einem noch in der Zukunft liegenden Zeitpunkt stattfindet: lo habré acabado entonces *ich werde es dann beendet haben.*

Das zweite Futur wird hauptsächlich zum Ausdruck von Vermutungen über etwas Vergangenes gebraucht: habrá tenido dificultades *er wird Schwierigkeiten gehabt haben;* ¿se lo habrá dicho? *ob er es ihr gesagt hat?*

## 4. „Als" in Vergleichssätzen

más temprano **de lo que** piensas
*früher, als du denkst*

más tontos **de lo que** creíamos
*dümmer, als wir glaubten*

*Als* heißt **de lo que,** wenn nach einem Komparativ (z. B. más temprano) das zweite Glied des Vergleichs ein Satz ist (z. B. piensas *du denkst*).

más espacio **del que** necesitamos
*mehr Raum, als wir brauchen.*

más cosas **de las que** ves aquí
*mehr Sachen, als du hier siehst*

*Mehr ... als* bei einem Substantiv heißt **más ... del que/de la que/de los que/de las que,** wenn darauf ein Satz folgt, (z. B. necesitamos *wir brauchen*).

más espacio **del** necesario
*mehr Raum als nötig*

más **de lo** debido
*mehr als gehörig*

*Als* ist mit **del, de lo** wiederzugeben (ohne que), wenn darauf nur ein Adjektiv folgt, wenn also die Kopula entfällt: más espacio del necesario = más espacio del que **es** necesario.

Ella es distinta **de** las otras.
*Sie ist anders als die anderen.*

*Anders als* heißt **distinto de;** als prädikatives Adjektiv ist **distinto** veränderlich.

## 5. Die Präposition por: Gebrauch bei ungefähren Angaben des Ortes und der Zeit

Angaben des Ortes:

Por Santander hacía sol.
*Bei Santander schien die Sonne.*

¿Por dónde caerá eso?
*Wo wird das ungefähr sein?*

Angaben der Zeit:

por julio
*irgendwann im Juli*

por Navidad
*um Weihnachten herum*

Juan anda por Francia.
*Juan treibt sich in Frankreich herum.*

Los juguetes están por el suelo.
*Die Spielsachen liegen auf dem Fußboden herum.*

**Por** wird bei ungefähren Angaben des Zeitpunkts gebraucht, jedoch nicht bei Angaben der Uhrzeit. Hierfür sagt man **a eso de, sobre** oder **hacia:** a eso de las nueve *um neun Uhr herum.*

## 6. Die Indefinitpronomen nada *nichts* und algo *etwas*

No ha pasado nada nuevo.
*Es ist nichts Neues passiert.*

No estoy nada cansado.
*Ich bin gar nicht müde.*

No me gusta nada
*Es gefällt mir überhaupt nicht.*

¡Nada de dulces ahora!
*Keine Süßigkeiten jetzt!*

**Nada** steht als Pronomen in Verbindung mit Adjektiven.
**Nada** dient zur Negationsverstärkung bei Verben, aber auch bei Adjektiven und Substantiven. (Zur Verneinung vgl. auch Lekt. 8B4.)

**nada de** + Substantiv = *kein(e)*
Bei nada wird als Relativpronomen **que** gebraucht.

algo nuevo, algo distinto
*etwas Neues, etwas anderes*
¿Tiene algo de malo eso?
*Ist etwas Schlechtes daran?*
Necesitamos algo de manteca.
*Wir brauchen etwas Fett.*

**Algo** steht als Pronomen in Verbindung mit Adjektiven, häufig auch mit substantivierten Adjektiven: algo de.
**algo de** + Substantiv = *ein wenig, etwas*
Bei algo wird als Relativpronomen **que** gebraucht.

## 21C Sprachgebrauch – Landeskunde

**me reúno:** Im Präsens Indikativ betont **reunir** das u im Singular und in der 3. Person Plural (= stammbetonte Formen): reúno, reúnes, reúne, reunimos, reunís, reúnen.

**Garrucha** und **Mojácar** sind Ortschaften an der südöstlichen Mittelmeerküste (Provinz Almería).

Unter **ruta del mazapán** versteht man in der Touristik eine Rundfahrt durch die Städte der Provinz Toledo, in denen „mazapán" hergestellt wird. Die „ruta del mazapán" bietet die Möglichkeit, die verschiedenen Sorten dieser Süßigkeit aus Mandeln und Zucker kennenzulernen. Vor allem ist sie aber wegen der zahlreichen geschichtlichen und architektonischen Sehenswürdigkeiten interessant, die in dieser historisch bedeutsamen Gegend zu besichtigen sind.

Der **Conde don Julián** stand im Dienste der westgotischen Könige in deren Kampf gegen die eindringenden Araber im 8. Jahrhundert. Er wechselte 709 das Lager und trug maßgeblich zur endgültigen Niederlage der Westgoten im Jahre 711 bei. Die Beweggründe seines Überläufertums sind ein häufig wiederkehrendes Thema in der spanischen Literatur.

## 21D Übungen

1. *Bilden Sie Dialoge nach dem Muster:*

   ¿Quién lo <u>lavó</u>?
   Lo lavaron ellas.
   a) hervir.  b) freír.  c) pedir.  d) decidir.  e) decir.  f) leer.  g) destruir.
   h) traer.  i) hacer.  j) dar.  k) usar.

2. *Bilden Sie Sätze nach dem Muster:*

   El año que viene *(viajar, yo)* a Alemania.
   El año que viene viajaré a Alemania.
   a) El año que viene *(aprender, yo)* portugués.
   b) Dentro de unos minutos *(ser)* las nueve.
   c) Algún día *(venir)* la paz.
   d) Pronto *(reunirse, yo)* con vosotros.
   e) Nunca *(volar, nosotros)* sobre el Atlántico.
   f) Ahora *(ocuparse, tú)* de instalar el proyector.

185

3. *Stellen Sie Fragen nach dem Muster:*

   *(Estar)* Pedro en casa.

   ¿Estará Pedro en casa?

   a) *(Saber)* bailar el profesor.
   b) *(Hacer)* calor mañana.
   c) *(Tener, yo)* dolor de cabeza.
   d) *(Poder, nosotros)* entrar.
   e) *(Querer)* decir algo esto.
   f) *(Salir)* caro un barco de vela.
   g) *(Valer)* mucho una tienda de campaña.
   h) *(Caber, nosotros)* todos en el coche.

4. *Setzen Sie das fehlende Wort bzw. die fehlenden Wörter ein. Schreiben Sie* x, *wenn nichts fehlt:*

   a) Tú lloras igual ... una mujer.
   b) Un cantante de zarzuela gana mucho menos ... un médico.
   c) Jorge es muy distinto ... sus hermanos.
   d) Mojácar está a igual altura ... Garrucha.
   e) Gana más dinero ... es capaz de gastar.
   f) Más le interesa la paz mundial ... la situación de su familia.
   g) Está descansando más ... le ha recomendado el médico.
   h) Un barco navega más deprisa ... un bote.
   i) Una tienda de campaña es más cara ... te imaginas.
   j) Llora tanto ... sufre.

5. *Setzen Sie* por *oder* para *ein:*

   a) El tren ... Málaga no sale de aquí.
   b) ¿... dónde vive usted, señor?
   c) ... Gijón cayó una tormenta espantosa.
   d) Hay tormentas ... la Costa del Sol.
   e) Están robando mucho ... este barrio.
   f) ¿... dónde va este barco, señorita?

6. *Übersetzungsübungen:*

A) a) Ob wir es vergessen haben? b) Ob der Fahrer uns vergessen hat? c) Wo wird er wohl das Boot gekauft haben? d) Wann werden sie angekommen sein? e) Wozu werden sie das gesagt haben? f) Was wird sie in die Suppe hineingetan haben? g) Was wirst du gedacht haben? h) Wo wird sie das Fett gekauft haben?

B) a) Die Straße ist etwas länger, als ich gedacht habe. b) Nichts ist sicher in dieser Welt. c) Heute will ich nichts Besonderes, sondern etwas ganz Einfaches essen. d) Der Junge ist etwas langsam, aber gar nicht dumm. e) Dieser Mann hat etwas, was mir nicht gefällt. f) Was uns gar nicht gefällt, sind seine Augen. g) Alles, was ich will, ist etwas Brot.

## 22A Text

**Sobre el idioma español**

El español es hablado por 300 millones de personas en cuatro continentes. En Europa, lo hablan 40 millones de españoles en España y en los países adonde han emigrado trabajadores españoles. En América, el español es el idioma nacional de 19 repúblicas y de Puerto Rico, territorio dependiente de los Estados Unidos. En los Estados Unidos vive una minoría de habla española que alcanza los veinte millones de personas. En Asia, el español es hablado por minorías sefardíes establecidas en el Oriente Próximo. Los sefardíes son descendientes de la población judía que fue expulsada de la península ibérica en 1492 por los Reyes Católicos. El sefardí, que es en realidad un dialecto castellano del siglo XV, será en pocos años una lengua muerta. En África se habla español en ciertas áreas de las costas mediterránea y occidental. En la mayoría de las naciones cuyo idioma oficial es el español, no es éste el idioma único. En España se hablan, aparte del castellano, el catalán, el gallego y el vasco, vascuence o euskera. En América se hablan, junto con el español, multitud de lenguas americanas autóctonas.

Aunque un español no tiene dificultad ninguna en entender a los americanos ni en hacerse entender por ellos, es un hecho que el español americano no es idéntico al peninsular. Entre uno y otro son grandes las diferencias, sobre todo en lo que se refiere a la pronunciación y al vocabulario. El origen de tales diferencias es histórico. El español fue llevado a América por gentes procedentes de todas partes de la península. Gran número de aquellos viajeros no hablaba un castellano "correcto"; o bien no era el castellano su lengua materna, o bien se expresaban en alguna forma más o menos dialectal del mismo. Ello significó la mezcla de una variedad de hablas y la formación de una nueva. Por consiguiente, en la sociedad criolla americana se habló siempre un castellano distinto del que se hablaba en Europa. Por otro lado, las diversas regiones del inmenso territorio americano no tuvieron un desarrollo uniforme durante la época colonial ni lo han tenido tampoco en su vida independiente.

Por todo ello, hay que distinguir en el español americano los elementos comunes a todo el continente de aquéllos que son propios de una sola región. Por ejemplo: en América no existe el sonido representado por la letra Z, la cual es leída por los americanos como S. Asimismo, es general la pérdida de la segunda persona del plural del pronombre personal: *vosotros,* el cual ha sido sustituido por la forma de tratamiento respetuoso: *ustedes.* Por otro lado, el voseo, o sea el uso de *vos* en vez de *tú* está bastante extendido en la Argentina, y otros países, pero es desconocido en el Perú y en México. Las diferencias más numerosas dentro del español americano son las de vocabulario. Hay cosas que tienen un nombre distinto en cada región: lo que en España se llama *jersey* se llama en la Argentina *pulóver,* en México, *suéter* y en el Perú, *chompa.* Y hay palabras cuyo significado varía de país en país. La *pollera* es en la Argentina cualquier tipo de falda, mientras que en el Perú se denomina así sólo la falda ancha que usan las campesinas indias.

| es hablado, -a por | wird von ... gesprochen |
| el continente | der Kontinent, der Erdteil |
| emigrar | auswandern |
| el trabajador | der Arbeiter |
| nacional | national, Volks... |
| la república | die Republik |
| el territorio | das Gebiet |
| dependiente de | abhängig von |
| la minoría | die Minderheit |
| el habla *f* | die Sprache |
| Asia *f* | Asien |
| sefardí | sephardisch |
| establecido, -a | angesiedelt |
| el oriente | der Orient |
| próximo, -a | nahe; nächste(r, -s) |
| el Oriente Próximo | der Nahe Osten, Nahost |
| los sefardíes | die Sephardim (pl.) |
| el descendiente | der Nachkomme |
| la población | die Bevölkerung |
| judío, -a | jüdisch |
| expulsar | ausweisen; vertreiben |
| la península | die Halbinsel |
| ibérico, -a | iberisch |
| el dialecto | der Dialekt |
| la lengua | die Zunge; die Sprache |
| África *f* | Afrika |
| el área *f* | das Gebiet |
| occidental | westlich |
| la nación | die Nation, das Volk |
| cuyo, -a | dessen, deren |
| oficial | amtlich, Amts... |
| aparte de | abgesehen von; außer |
| vasco, -a | baskisch; Baske, Baskin |
| el vascuence, el euskera | das Baskische |

| junto con | zusammen mit |
| la multitud | die Menge |
| autóctono, -a | bodenständig, eingeboren, (ein)heimisch |
| hacerse entender | sich verständlich machen, verstanden werden |
| idéntico, -a a | identisch mit |
| peninsular | Halbinsel ... |
| la diferencia | der Unterschied |
| referirse (ie) a | sich beziehen auf |
| en lo que se refiere a | was ... betrifft |
| la pronunciación | die Aussprache |
| el vocabulario | der Wortschatz |
| el origen | der Ursprung; die Herkunft |
| tal | solche(r, -s) |
| histórico, -a | historisch, geschichtlich |
| procedente de | stammend aus, kommend aus |
| correcto, -a | richtig, korrekt |
| o bien ... o bien | entweder ... oder |
| materno, -a | mütterlich, Mutter... |
| expresarse | sich ausdrücken |
| la forma | die Form |
| dialectal | mundartlich |
| significar | bedeuten |
| la mezcla | die Mischung |
| la variedad | die Vielfalt |
| la formación | die (Heraus-)Bildung |
| por consiguiente | infolgedessen |
| la sociedad | die Gesellschaft |
| criollo, -a | kreolisch |
| por otro lado | andererseits |
| diverso, -a | verschieden |
| inmenso, -a | unermeßlich, überaus groß |

188

| | | | |
|---|---|---|---|
| el desarrollo | *die Entwicklung* | extender (ie) | *verbreiten* |
| uniforme | *gleichmäßig, einheit-* | la Argentina | *Argentinien* |
| | *lich* | desconocido, -a | *unbekannt* |
| colonial | *Kolonial...* | el Perú | *Peru* |
| independiente | *unabhängig, frei* | México *m* | *Mexiko* |
| por todo ello | *darum, deshalb* | numeroso, -a | *zahlreich* |
| distinguir | *unterscheiden* | el jersey | *der Pullover* |
| el elemento | *das Element* | el significado | *die Bedeutung* |
| común a | *gemeinsam* | de país en país | *von Land zu Land* |
| propio de | *eigen* | cualquier(a) | *jede(r, -s)* |
| existir | *existieren, bestehen* | el tipo | *die Art, die Sorte* |
| el sonido | *der Laut* | mientras que | *während* |
| representar | *vertreten* | denominar | *nennen* |
| la letra | *der Buchstabe* | | |
| asimismo | *ebenfalls* | *Grammatik und Übungen:* | |
| la pérdida | *der Verlust* | el jabalí | *das Wildschwein* |
| el plural | *der Plural* | (el) israelí | *israelisch (der Israeli)* |
| el pronombre | *das Pronomen* | el sofá | *das Sofa* |
| sustituir (y) | *ersetzen* | el menú | *die Speisekarte; das* |
| el tratamiento | *die Behandlung; die* | | *Menü* |
| | *Anrede* | el complot | *das Komplott* |
| respetuoso, -a | *respektvoll* | el referéndum | *der Volksentscheid* |
| el voseo | *die Anrede mit „vos"* | el buey | *der Ochse* |
| en vez de | *statt* | la sobrina | *die Nichte* |

# 22B Grammatik

## 1. Der Plural der Substantive

Die Regel, daß Substantive, die auf einen betonten Vokal enden, den Plural durch Anhängen von **-es** bilden, gilt fast nur noch für Substantive auf betontes **i** (í):

el jabalí *das Wildschwein* – los jabalíes
el israelí *der Israeli* – los israelíes

Substantive, die auf betontes **a, e** und **u** ausgehen (á, é, ú), bilden den Plural durch Anhängen von **-s**:

el sofá *das Sofa* – los sofás
el café *der Kaffee* – los cafés
el menú *das Menü* – los menús

Dagegen wird der Plural der Buchstabennamen immer durch Anhängen von **-es** gebildet: las aes, las ees, las oes; las íes, las úes.

Wortendungen auf **m, b, p** oder **t** sind dem Spanischen an sich fremd. Die Pluralform von Substantiven, die auf diese Konsonanten enden, schwankt zwischen einer regelmäßigen Bildung auf **-es** und der Bildung auf **-s**: complot *(Komplott)* – complots, referéndum *(Volksentscheid)* – referéndums. Neologismen bilden den Plural meistens auf **-s**.

Pluralbildung der Substantive, die auf **y** enden: rey *(König)*, ley *(Gesetz)* und buey *(Ochse)* hängen im Plural **-es** an (reyes, leyes, bueyes). Der Plural von jersey *(Pullover)* ist dagegen jerséis.

189

## 2. Das Passiv mit dem Hilfsverb ser ( = werden)

La lengua de Cervantes **es hablada** por 300 millones.
*Die Sprache Cervantes' wird von 300 Millionen gesprochen.*

El Escorial fue construido por Felipe Segundo.
*Der Escorial wurde von Philip dem Zweiten gebaut.*

Han sido expulsadas cien personas.
*Hundert Menschen sind ausgewiesen worden.*

Los Reyes serán recibidos por el Presidente Alfonsín.
*Das Königspaar wird vom Präsidenten Alfonsín empfangen werden.*

Das Passiv wird mit dem Hilfsverb **ser** und dem Partizip gebildet. Das Partizip richtet sich in Geschlecht und Zahl nach dem Subjekt des Satzes. Der Urheber der Handlung wird durch **por** eingeführt. In den zusammengesetzten Zeiten entspricht „worden" **sido**, das unveränderlich ist.

Se construyen hoteles.
*Hotels werden gebaut.*

No me entienden.
*Ich werde nicht verstanden.*

Me robaron el reloj.
*Mir wurde die Uhr gestohlen.*

Das Passiv mit **ser** wird vor allem in der geschriebenen Sprache verwendet. Wenn der Urheber einer Handlung nicht erwähnt wird, ist das Subjekt des Satzes unpersönlich, und dann wird das Passiv normalerweise durch die reflexive Form des Verbs oder die 3. Person Plural wiedergegeben (vgl. Lekt. 19B3).

## 3. ser + Ausdruck der Menge

¿Cuántos hermanos sois?
*Wieviel Geschwister seid ihr?*

Conmigo somos diez.
*Mit mir sind wir zehn.*

¿Es poco o es mucho?
*Ist das wenig oder viel?*

Es muy poco.
*Es ist sehr wenig.*

¿Son seis?
*Sind es sechs?*

No, son más.
*Nein, es sind mehr.*

Die Zugehörigkeit von jemandem oder etwas zu einer Menge, die durch Zahlen, Pronomen oder Adverbien ausgedrückt ist, wird durch **ser** bezeichnet.

¿Ya están todos?
*Sind schon alle da?*

Wenn von jemandes Anwesenheit die Rede ist, wird **estar** gebraucht.

190

## 4. Attributives Adjektiv mit Ergänzung

un hombre capaz de todo
*ein zu allem fähiger Mann*
elementos comunes a todos
*allen gemeinsame Elemente*

Ein Adjektiv, das durch eine Ergänzung näher bestimmt ist, wird nachgestellt. Die Ergänzung steht mit einer Präposition nach dem Adjektiv. Im Deutschen kann statt dessen ein Relativsatz gebildet werden.

una pareja alemana amiga de mis padres
*ein deutsches Ehepaar, das mit meinen Eltern befreundet ist.*
las lenguas habladas en América
*die in Amerika gesprochenen Sprachen*
una casa construida en un año
*ein in einem Jahr gebautes Haus (ein Haus, das in einem Jahr gebaut wurde)*
el gran número de lenguas indígenas habladas en América
*die große Anzahl heimischer Sprachen, die in Amerika gesprochen werden/wurden.*

Ein adjektivisch gebrauchtes Partizip mit einer Ergänzung (d. h. Partizip + Präposition + Substantiv) wird ebenfalls nachgestellt. Die Schwerfälligkeit dieser Konstruktion im Deutschen kann durch die Bildung eines Relativsatzes vermieden werden.

## 5. Die Relativpronomen cuyo und el cual

los países cuyo idioma oficial es el español
*die Länder, deren Amtssprache Spanisch ist*
una lengua cuyos orígenes son desconocidos
*eine Sprache, deren Ursprünge unbekannt sind*

Das Relativpronomen **cuyo** (cuya, cuyos, cuyas) *dessen, deren* stimmt mit dem darauf folgenden Substantiv in Geschlecht und Zahl überein. Durch cuyo wird ein Besitz bezeichnet.

El último en llegar fue **Paco, el cual** le entregó a Gloria una rosa.
*Als letzter kam Paco, der Gloria eine Rose überreichte.*
Se habían trasladado a **la casa** de Mario, **la cual** se encontraba fuera de la ciudad.
*Sie waren in das Haus von Mario eingezogen, das sich außerhalb der Stadt befand.*

Das Relativpronomen **el cual** (la cual, los cuales, las cuales) wird in der Schriftsprache zur Verknüpfung von zwei voneinander unabhängigen Sätzen verwendet. Es bezieht sich auf das letzte oder vorletzte Substantiv des ersten Satzes.
Mit Bezug auf Personen kann auch **quien** (quienes) in dieser Funktion gebraucht werden.

191

## 6. Zum Gebrauch von mucho

| Adverb: | Adjektiv: |
|---|---|
| Trabajas mucho. | Es un chico con mucho futuro. |
| *Du arbeitest viel.* | *Das ist ein Junge mit einer großen Zukunft.* |
| Aquí llueve mucho. | Tengo mucha hambre. |
| *Hier regnet es viel.* | *Ich habe großen Hunger.* |
| Me gusta mucho. | Lo haré con mucho cuidado. |
| *Das gefällt mir sehr.* | *Ich werde es mit großer Vorsicht tun.* |
| Corre mucho. | ¿Has esperado mucho rato? |
| *Er läuft schnell.* | *Hast du sehr lange gewartet?* |

Bei Verben ist **mucho** Adverb, bei Substantiven Adjektiv. Es ist nicht immer mit „viel" zu übersetzen; bei Verben ist es häufig mit „sehr" wiederzugeben.
Vor mucho steht niemals muy, mucho steht niemals nach bastante bzw. demasiado. Für „sehr viel" gibt es andere Möglichkeiten: muchísimo, una gran cantidad u. a. Die Adverbien muy und mucho haben sehr oft den Sinn von „zu", „zu sehr". Man merke sich: ¿llego tarde? *komme ich* **zu** *spät?*

## 22C Sprachgebrauch – Landeskunde

„Während" heißt als Präposition **durante:** durante la cena *während des Abendessens.* Als Konjunktion heißt es **mientras:** mientras cenábamos *während wir zu Abend gegessen haben.* Die Gegensätzlichkeit wird durch **mientras que** ausgedrückt: a él le gusta mucho el fútbol, mientras que a ella le aburren los deportes *ihm macht Fußball Spaß, während sie der Sport langweilt.*

Die übliche Bezeichnung für eine Nationalsprache ist **idioma; habla** meint eher die Redeweise eines Einzelnen oder eine Mundart; **lengua** wird mehr im wissenschaftlichen Sinne gebraucht.

## 22D Übungen

1. *Bilden Sie das Passiv mit dem historischen Perfekt vor* ser *nach dem Muster:*
   los judíos/expulsar/los Reyes Católicos.
   Los judíos fueron expulsados por los Reyes Católicos.
   a) la novela/acabar/un hermano suyo.
   b) mis palabras/comprender/nadie.
   c) cinco teléfonos/destruir/ la multitud.
   d) los enfermos/atender/una vecina.
   e) una bandera/quemar/los estudiantes.

2. *Bilden Sie das Passiv mit* estar *und mit* ser *(beide im historischen Perfekt) nach dem Muster und geben Sie jeweils die deutsche Übersetzung an:*
España/representar/por la reina.
España estuvo representada por la reina.
España fue representada por la reina.
a) la película/prohibir/el año pasado.
b) los textos/traducir/en una hora.
c) la fábrica/vender/a los pocos meses.
d) las puertas/abrir/durante la noche.
e) Federico/sustituir/por uno de sus hermanos.

3. *Setzen Sie den bestimmten Artikel ein und bilden Sie dann den Plural:*
a) sofá. b) mapa. c) día. d) área. e) avión. f) traición. g) origen.
h) voz. i) vez. j) problema. k) acera. l) mes. m) paraguas. n) cama.
ñ) cura. o) arma. p) leche. q) bosque. r) llave. s) país. t) habla.
u) altavoz. v) chiste. w) jabalí. x) altura. y) agua. z) guardia.

4. *Setzen Sie die unpersönliche Form von* haber *oder die richtige Form von* ser *ein, zunächst im Präsens Indikativ, dann im Imperfekt:*
a) Las razones . . . . . . cuatro.
b) . . . . . . una multitud a la entrada del cine.
c) . . . . . . una gran cantidad de vino por el suelo.
d) Mil pesetas no . . . . . . mucho dinero.
e) . . . . . . varias diferencias entre esta cosa y aquélla.
f) Las diferencias entre esto y aquello . . . . . . numerosas.
g) Eso ya . . . . . . algo. Peor . . . . . . nada.

5. *In welchen Fällen ist der Gebrauch von* el cual *statt* que *möglich?*
a) Hay palabras que no significan nada para mí.
b) Era una decisión con la que yo no estaba de acuerdo.
c) Uno de los viajeros que andaba por el andén llevaba una maletita marrón.
d) Se encontró con la sobrina de doña María, que, como siempre, la saludó dándole un beso.
e) El taxista que nos llevó al aeropuerto hablaba alemán.
f) El mundo en que vivimos es espantoso.

6. *Übersetzungsübungen:*
A) a) Das Haus ist verkauft gewesen. b) Das Haus war verkauft worden. c) Das Haus war verkauft. d) Das Haus ist nicht verkauft gewesen. e) Das Haus ist verkauft worden. f) Das Haus wird verkauft gewesen sein. g) Das Haus wird verkauft werden. h) Das Haus wird verkauft. i) Das Haus wurde verkauft. j) Das Haus wird verkauft worden sein.

B) a) Er ist an einem Ort in Altkastilien geboren, an dessen Namen er sich nicht erinnern will. b) Sie schreibt in ein Heft die Wörter auf, deren Bedeutung sie oft vergißt. c) Die vor dem Hotel parkenden (geparkten) Autos wurden zerstört. d) Die an mich gerichteten Briefe sind nicht eingetroffen.

Mexiko: Chichén Itzá

## 23A Text

### México lindo

Al partir para México de vacaciones, Pedro les prometió a Matilde y Javier que les escribiría nada más llegar. Ha cumplido su promesa e incluso ha mandado algunas fotos. Matilde dice:

*Matilde:* Voy a ponerme las gafas, que, si no, no me entero de nada. ¿Dónde las habré dejado? Voy a mirar en el dormitorio.

*Javier:* ¿Harías el favor de traerme una manta? Tengo fríos los pies – dice Javier.

*Matilde:* Bueno, ¿no quisieras un té caliente?

*Javier:* No, gracias. Mira qué flaco se ha puesto Pedro.

*Matilde:* Aquí tienes la manta. No he encontrado las gafas. ¿Dónde pueden estar? A ver si están en la cesta de la lana.

*Javier:* No están. Debes de haberlas dejado en la cocina. Esta foto está graciosísima. Pedro tiene una botella de tequila en la mano. Es en el barco. Parece que está borracho.

*Matilde:* Tenías razón. Estaban en el armario de la cocina. ¿Cómo habrán ido a parar allí? Estaría yo en la luna cuando las puse. A ver ... Huy, ¡qué pequeña es esta piscina! Parece una bañera. Es imposible nadar más de un metro. Yo no me bañaría nunca en una cosa así. ¿Quién será esta muchacha?

*Javier:* Yo diría que es un muchacho. Será uno de los cien mil americanos que van cada año a México.

| | |
|---|---|
| *Matilde:* | Dice Pedro que la influencia de los Estados Unidos en México es enorme. Los mexicanos imitan a los americanos en todo. |
| *Javier:* | Bueno, sí, pero algunos los odian a muerte, lo cual no me extraña. Los gringos les quitaron la mitad de su territorio. Los odian por ambiciosos y por insolentes. Yo creo que también hay mucho de envidia en ello. |
| *Matilde:* | ¿Cuándo fue aquello? |
| *Javier:* | A mediados del siglo pasado. Fue una lucha muy desigual, porque México tenía que defenderse no sólo contra la invasión americana, sino también contra las fuerzas inglesas y francesas. El ejército mexicano luchó con valor. Hubo batallas sangrientas. Los mexicanos fueron vencidos por los americanos y éstos se quedaron con Texas, California y Nuevo México. La derrota mexicana fue total. |
| *Matilde:* | Hace más de cien años de aquello. ¿No se han curado las heridas aún? |
| *Javier:* | Bueno, es que ahora los americanos tienen interés en el petróleo de México. |
| *Matilde:* | Pedro dijo que iba a tratar de llegar a Los Ángeles. ¿Irá? |
| *Javier:* | No, le ponen muchos problemas por ser español. Entre las formalidades está la de pasar un examen médico. |
| *Matilde:* | Bueno, bajo tales condiciones yo tampoco intentaría ir. ¿Qué estará comiendo Pedro aquí? |
| *Javier:* | Guajolote con mole. El guajolote es el pavo mexicano. El mole es una salsa de chocolate. |
| *Matilde:* | Yo no comería nunca pavo en salsa de chocolate. |
| *Javier:* | El mole no es dulce. Se hace a base de nueces y ajo. Es espeso y picante. |
| *Matilde:* | Pues me gustaría probarlo. Mira lo bien que le sienta a Pedro un sombrero de paja. Cualquiera diría que es un mexicano de las películas. Sólo le falta el revólver y disparar un tiro al aire gritando: ¡Viva México! Oye, ¿no es éste el estadio donde se realizaron los Juegos Olímpicos? |
| *Javier:* | Sí, es el Estadio Azteca. Mira esto, dice Pedro que en Ciudad de México venden zumos de frutas en cada esquina. |
| *Matilde:* | Yo no los bebería por nada del mundo. Estos puntos negros deben de ser moscas. |
| *Javier:* | Pedro enfermó del estómago por comer comida de la calle. |

*Matilde:* Igual que Ramón cuando estuvo en Colombia. ¿No se lo advirtió?

*Javier:* Claro que se lo advirtió. Le aconsejó vacunarse, pero Pedro no le hizo caso. Le da miedo vacunarse.

*Matilde:* A mí también me da miedo, pero yo me habría vacunado. ¿Qué estará haciendo Pedro a estas horas?

*Javier:* Dormir quizá. Allí son ahora las cuatro de la mañana. Mira lo grandiosas que son las pirámides aztecas. Pedro dice que uno encuentra ruinas precolombinas a cada paso. Debe de ser una experiencia maravillosa viajar por México. ¿Te gustaría ir a México algún día?

*Matilde:* Claro, sería maravilloso, pero es difícil, por no decir imposible. Tendríamos que sacarnos el gordo de la lotería para realizar ese sueño.

| | |
|---|---|
| México *(lateinamerikanische Schreibweise)* = Méjico *(traditionelle spanische Schreibweise)* *Aussprache für beide:* 'mɛxiko | |
| lindo, -a | *schön* |
| partir | *abfahren* |
| prometer | *versprechen* |
| nada más llegar | *gleich nach der Ankunft* |
| cumplir | *erfüllen, (ein)halten* |
| la promesa | *das Versprechen* |
| que | *denn* |
| si no | *sonst* |
| el dormitorio | *das Schlafzimmer* |
| la manta | *die Decke* |
| el pie | *der Fuß* |
| quisieras *(von* querer) | *du möchtest* |
| flaco, -a | *mager* |
| ponerse | *werden* |
| la cesta | *der Korb* |
| la lana | *die Wolle* |
| el tequila | *der Tequila (mexikanischer Schnaps)* |
| borracho, -a | *betrunken* |
| el armario | *der Schrank* |
| ir a parar | *hingeraten, landen* |
| la luna | *der Mond* |
| estar en la luna | *sehr zerstreut sein* |
| la bañera | *die Badewanne* |
| la influencia | *der Einfluß* |
| enorme | *ungeheuer, riesig* |
| el (la) mexicano, -a | *der (die) Mexikaner(in)* |
| imitar | *nachahmen* |
| la muerte | *der Tod* |
| odiar a muerte | *auf den Tod nicht leiden können, hassen* |

| | |
|---|---|
| extrañar | *wundern* |
| el gringo | *der Gringo (Ausländer, Yankee)* |
| ambicioso, -a | *ehrgeizig* |
| por ambiciosos | *weil sie gierig sind* |
| insolente | *frech* |
| la envidia | *der Neid* |
| a mediados de | *in der Mitte (zeitlich)* |
| la lucha | *der Kampf* |
| desigual | *ungleich* |
| defender (ie) | *verteidigen* |
| la invasión | *die Invasion* |
| la fuerza | *die Kraft, die Gewalt* |
| las fuerzas | *die Streitkräfte* |
| el ejército | *das Heer* |
| luchar | *kämpfen* |
| el valor | *der Wert; der Mut* |
| con valor | *mutig* |
| sangriento, -a | *blutig* |
| vencer | *besiegen; siegen* |
| Texas *m* | *Texas* |
| California *f* | *Kalifornien* |
| Nuevo México | *New Mexico* |
| la derrota | *die Niederlage* |
| total | *ganz, total, vollständig* |
| la herida | *die Wunde* |
| el petróleo | *das (Erd-)Öl* |
| tratar de | *versuchen zu* |
| el ángel | *der Engel* |
| Los Ángeles | *Los Angeles (Stadt in USA)* |
| por ser español | *weil er Spanier ist* |
| la formalidad | *die Formalität* |
| pasar | *sich unterziehen* |
| el examen | *die Untersuchung* |

| | | | |
|---|---|---|---|
| médico, -a | *ärztlich* | enfermar de | *krank werden an* |
| la condición | *die Bedingung* | el estómago | *der Magen* |
| el pavo | *der Truthahn* | por comer | *weil er gegessen hatte* |
| dulce | *süß* | advertir (ie) | *warnen* |
| la base | *die Grundlage* | aconsejar | *raten* |
| a base de | *mit, aus* | vacunar | *impfen* |
| la nuez | *die Walnuß* | vacunarse | *sich impfen lassen* |
| el ajo | *der Knoblauch* | el caso | *der Fall* |
| espeso, -a | *dick(flüssig)* | hacer caso a alguien | *auf j-n hören* |
| picante | *scharf, pikant* | el miedo | *die Angst* |
| lo bien que | *wie gut* | le da miedo | *es macht ihm angst =* |
| de las películas | *wie im Film* | | *er hat Angst* |
| el revólver | *der Revolver* | me habría vacunado | *ich hätte mich impfen* |
| disparar | *schießen, feuern* | | *lassen* |
| el tiro | *der Schuß* | a estas horas | *um diese Zeit* |
| gritar | *schreien, rufen* | quizá(s) | *vielleicht* |
| ¡viva! | *es lebe!* | grandioso, -a | *imposant* |
| el estadio | *das Stadion* | la pirámide | *die Pyramide* |
| realizar | *verwirklichen* | la ruina | *die Ruine* |
| realizarse | *stattfinden* | precolombino, -a | *vorkolumbisch* |
| el juego | *das Spiel* | el paso | *der Schritt* |
| olímpico, -a | *olympisch* | a cada paso | *auf Schritt und Tritt* |
| azteca | *aztekisch* | la experiencia | *die Erfahrung* |
| el zumo | *der Saft* | por no decir | *um nicht zu sagen* |
| por nada del mundo | *um nichts in der Welt* | sacarse el gordo de la | *das Große Los ziehen* |
| la mosca | *die Fliege* | lotería | |

## 23B Grammatik

### 1. Erster und zweiter Konditional

Formen des ersten Konditionals (condicional simple oder potencial simple):

| tomar | comer | subir | decir |
|---|---|---|---|
| tomaría | comería | subiría | diría |
| *ich würde nehmen* | *ich würde essen* | *ich würde steigen* | *ich würde sagen* |
| tomarías | comerías | subirías | dirías |
| tomaría | comería | subiría | diría |
| tomaríamos | comeríamos | subiríamos | diríamos |
| tomaríais | comeríais | subiríais | diríais |
| tomarían | comerían | subirían | dirían |

Die Formen des ersten Konditionals werden durch Anhängen der Endungen (-ía, -ías, -ía, -íamos, -íais, -ían) an den Infinitiv gebildet. Das sind die Endungen des Imperfekts der Verben auf -er und -ir. Bei einigen Verben treten die gleichen Stammveränderungen auf wie beim ersten Futur (siehe das obige Paradigma von decir): hacer – haría, saber – sabría, tener – tendría, venir – vendría, usw. (vgl. Lekt. 21B2).

197

Gebrauch des ersten Konditionals:

¿Podría usted cerrar la puerta?
*Könnten Sie die Tür zumachen?*
Yo nunca bebería eso.
*Ich würde das nie trinken.*
Nosotros lo haríamos (si ...).
*Wir würden es tun, (wenn ...).*
Dijo que llegaría el martes.
*Er sagte, er werde am Dienstag ankommen.*

Mit dem ersten Konditional kann eine höfliche Bitte ausgesprochen werden.
Mit dem ersten Konditional wird ausgedrückt, daß eine Handlung oder ein Geschehen nur unter bestimmten Umständen stattfinden würde.
Der erste Konditional drückt in der indirekten Rede die Zukunft aus, wenn im Hauptsatz ein Tempus der Vergangenheit steht.

Zweiter Konditional (condicional compuesto oder potencial compuesto):

| | | | | |
|---|---|---|---|---|
| **habría** | hecho | *ich würde gemacht haben* | habríamos | hecho |
| habrías | hecho | oder *ich hätte gemacht* | habríais | hecho |
| habría | hecho | | habrían | hecho |
| **habría** | llegado | *ich würde angekommen sein* | habríamos | llegado |
| habrías | llegado | oder *ich wäre angekommen* | habríais | llegado |
| habría | llegado | | habrían | llegado |

Der zweite Konditional wird mit dem ersten Konditional von **haber** und dem Partizip gebildet. Das Partizip ist unveränderlich.

Mit dem zweiten Konditional wird meistens ausgedrückt, daß eine Handlung oder ein Geschehen in der Vergangenheit nur unter bestimmten Umständen stattgefunden hätte: yo se lo habría dicho (si ...) *ich hätte es ihm gesagt(, wenn ...).* Im Deutschen wird der 2. Konditional meistens mit dem Konjunktiv Plusquamperfekt wiedergegeben.

## 2. Zum Gebrauch von ser, estar und haber

Ya es tarde.
*Es ist schon spät.*
Todavía no son las tres.
*Es ist noch nicht drei (Uhr).*
Mañana es Navidad.
*Morgen ist Weihnachten.*
Era de noche.
*Es war Nacht.*
Aquí ya es primavera.
*Hier ist es schon Frühling.*

**ser** steht zum Ausdruck der Zeit (Tageszeit, Uhrzeit usw.).

198

Estamos en primavera.
*Wir haben schon Frühling.*

La fiesta será en el jardín.
*Das Fest wird im Garten stattfinden.*

La invasión fue a mediados de julio.
*Die Invasion war Mitte Juli.*

Mañana hay una fiesta.
*Morgen gibt es ein Fest.*

Aquel fin de semana hubo varios accidentes.
*An jenem Wochenende gab es zahlreiche Unfälle.*

In persönlichen Wendungen mit der ersten Person Plural wird **estar** verwendet.
Mit **ser** wird angegeben, wo oder wann ein Ereignis stattfindet.

„es gibt", „es gab" usw. als Einführung eines Ereignisses entspricht der dritten Person Singular von haber.

### 3. „Jeder"

Tenemos una flor para **cada** niño.
*Wir haben eine Blume für jedes Kind.*

Ella le dio un beso a **cada uno**.
*Sie gab jedem einen Kuß.*

**Cualquiera** puede decir eso.
*Jeder kann so etwas sagen.*

Puede tomar **cualquier** autobús.
*Sie können jeden Bus nehmen.*

„Jeder einzelne" heißt **cada**. Als Adjektiv ist es unveränderlich. Als Pronomen steht **cada uno** bzw. **cada una**.

„Jeder beliebige" heißt **cualquiera**. Als Adjektiv wird es meistens vorangestellt und zu **cualquier** verkürzt. Der Plural (cualesquiera) ist selten.

### 4. lo + Adjektiv/Adverb + que

Mira **lo bonitas que** son las flores.
*Schau wie schön die Blumen sind.*

No te imaginas **lo bien que** estoy.
*Du kannst dir nicht vorstellen, wie gut es mir geht.*

In Ausrufen wird **qué** oft durch (unveränderliches) **lo + Adjektiv/Adverb + que** ersetzt. Die Konstruktion kommt häufiger in sog. abhängigen Ausrufen vor.

### 5. Verkürzung von Kausalsätzen: por + Infinitiv; por + Adjektiv/Substantiv

Ha enfermado **por comer** demasiado.
*Er ist krank geworden, weil er zuviel gegessen hat.*

Le echaron **por llegar** tarde.
*Man hat ihn hinausgeworfen, weil er zu spät gekommen war.*

Ein kausaler Nebensatz wird oft durch die Verbindung **por + Infinitiv** verkürzt. Im Deutschen wird diese Konstruktion durch einen Nebensatz wiedergegeben, der mit *weil* eingeleitet wird und das entsprechende Subjekt und Prädikat enthält.

Eso te pasa **por insolente.**
*Das geschieht dir, weil du frech bist.*

In der Konstruktion mit Adjektiven und Substantiven kann die Kopula wegfallen.

#### 6. Ausdruck der Vermutung

**Debe de** ser su hermano.
*Das muß ihr Bruder sein.*
**Debe de** estar en casa.
*Sie dürfte zu Hause sein.*

Die Verbindung **deber de** + **Infinitiv** drückt eine Vermutung aus. Im Deutschen wird diese Konstruktion durch *müssen* oder den Konjunktiv des Imperfekts von *dürfen* wiedergegeben. (Einfaches **deber** statt **deber de** kommt sehr häufig vor, gilt aber nicht als korrekt.)

Yo **tendría** veinte años entonces.
*Ich mag damals zwanzig gewesen sein.*

Mit dem ersten Konditional drückt man eine Vermutung über einen Sachverhalt in der (abgeschlossenen) Vergangenheit aus.

## 23C Sprachgebrauch – Landeskunde

**México:** Die Schreibweise mit **x** stammt aus der Zeit der Eroberung Mexikos (16. Jahrhundert). Diese Schreibung (México, mexicano) ist in Mexiko üblich und findet immer mehr Verbreitung. Die Aussprache ist die gleiche wie die Aussprache der traditionellen spanischen Schreibung mit **j** (Méjico, mejicano).

Das Wort **lindo** *(schön)* ist eher in Lateinamerika verbreitet.

**Gringo, -a** ist eine mehr oder minder stark abwertende Bezeichnung für einen blonden Menschen, speziell für einen US-Amerikaner, vor allem in Lateinamerika.

Der Infinitiv kann in Antworten jedes Tempus des Indikativs ersetzen, besonders dann, wenn die Frage mit **hacer** gestellt wurde: ¿Qué estás haciendo? – Comer. *Was machst du? – Ich esse.*

Die Präposition **por** kann auch das unmittelbare, spontane und unbedachte Ziel einer Handlung ausdrücken: Por hacer algo, encendí un cigarrillo. *Um irgendetwas zu tun, zündete ich eine Zigarette an.*

Der aktive zusammengesetzte Infinitiv besteht aus **haber** und dem **Partizip**: haber tomado *gegessen (zu) haben*; haber ido *gegangen (zu) sein.* Unbetonte Pronomen beziehen sich dabei auf haber: Espero no haberme equivocado. *Ich hoffe, mich nicht geirrt zu haben.* Debes de haberlo dejado en la cocina. *Du mußt es in der Küche gelassen haben.*

Der passive einfache Infinitiv besteht aus **ser** und dem **veränderlichen Partizip**: ser vencido, -a *besiegt werden*; ser descubierto, -a *entdeckt werden*. Beispiele des Gebrauchs: Ellos temían ser expulsados. *Sie hatten Angst, ausgewiesen zu werden.*
Der passive zusammengesetzte Infinitiv besteht aus **haber sido** und dem **veränderlichen Partizip**: haber sido vencido, -a *besiegt worden (zu) sein*; haber sido descubierto, -a *entdeckt worden (zu) sein*. Beispiele des Gebrauchs: Temían haber sido engañados. *Sie fürchteten, betrogen worden zu sein.* Los atormentaba la idea de haber sido descubiertos. *Es plagte sie der Gedanke, entdeckt worden zu sein.*

## 23D Übungen

1. *Bilden Sie Dialoge nach dem Muster:*
A) Compraré la casa pronto.
   Yo no la compraría todavía.

   a) vacunarse.  b) peinarse.  c) ponerse el sombrero.  d) freír las carnes.
   e) decidir lo del viaje.  f) hacer las maletas.

B) Iré mañana.
   Nosotros iríamos ahora mismo.

   a) salir.  b) volver.  c) venir.  d) llamar.  e) preguntar.  f) contestar.
   g) partir.  h) empezar.

C) Se lo dijo.
   Tú no se lo habrías dicho, ¿verdad?

   a) prometer.  b) pedir.  c) advertir.  d) aconsejar.  e) decir.  f) escribir.
   g) devolver.  h) explicar.  i) leer.

D) Le recibiré mañana.
   Ayer me dijo usted que me recibiría hoy.

   a) contestar.  b) pagar.  c) acompañar.  d) atender.  e) presentar.  f) llamar.

2. *Ersetzen Sie in Übung 1D den ersten Konditional durch das Imperfekt von* ir a + Infinitiv.

3. *Setzen Sie das historische Perfekt der dritten Person Singular oder Plural von* haber *oder* ser *ein:*
   a) En aquella época ... muchas guerras civiles.
   b) Los Juegos Olímpicos ..... en 1968.
   c) ..... una fiesta en casa de Carmen.
   d) Las batallas más sangrientas ..... en las montañas.
   e) ..... una manifestación por la paz y contra la guerra.
   f) Le conocí en una estación de tren. ..... en Barcelona.
   g) La revolución francesa ..... en 1789.
   h) ..... una riada hace cinco años.

4. *Bilden Sie Dialoge nach den Mustern:*

A) Julio canta muy bien.
   Ya me imagino lo bien que canta.
   a) Fernando/jugar al fútbol. b) Antonio/tocar el piano. c) José/hablar el francés. d) mi madre/cocinar. e) Pilar/conducir.

B) ¿Son bonitas las flores?
   No puede usted imaginarse lo bonitas que son.
   a) sencillo/ejercicios del libro. b) feliz/mujer del jardinero. c) útil/paz.
   d) hermoso/fachada de la catedral. e) insolente/gringos.

5. *Bilden Sie Dialoge nach dem Muster:*
   Le despidieron porque llegó tarde.
   ¿Sólo por llegar tarde? ¡Qué barbaridad!

   a) ..... fue a una manifestación.
   b) ..... vino en bicicleta.
   c) ..... puso la radio a todo volumen.
   d) ..... se rió del profesor.
   e) ..... estuvo borracho durante la reunión.
   f) ..... intentó salir antes de tiempo.

6. *Übersetzungsübungen:*

A) a) Jeder kann sagen, daß er schwimmen könne (kann), wenn er nicht im Wasser ist. b) Auf jedem Tisch liegt ein Blumenstrauß. c) So etwas (das) können Sie in jeder Zeitung lesen. d) Jeder von uns hat seinen Platz auf dieser Welt. e) Das können Sie mit jedem anderen machen, aber nicht mit mir. f) Mädchen, ich gebe jeder von euch eine Nuß.

B) a) Es muß am Wetter liegen, daß alle traurig sind (Es ist wegen des Wetters ..... ).
   b) Er mochte im Bett gelegen haben, als das geschah. c) Sie müssen sich irren. d) Die Kinder dürften im Garten sein. e) Diese Reise muß ihn sehr teuer gekommen sein.

## 24A Text

**Si pudieran, volverían**

Soy estudiante de periodismo en la Universidad Complutense. En verano suelo trabajar como vendedora de artesanías regionales. A la vez que me gano unas pesetas, practico mi inglés y mi francés. Los clientes extranjeros hablan en su mayoría español, pero no lo suficiente como para expresarse cuando las cosas se complican un poco. Si supiera alemán, la cosa sería perfecta. Con los clientes alemanes no he tenido contratiempos mayores a pesar de no saber ni una palabra de alemán. Sólo una vez he tenido una discusión con alemanes. Fue el verano pasado, en unos grandes almacenes. Vino a reclamar una pareja que había adquirido un Don Quijote de cerámica y un traje de luces. Parece que les habían dado algo distinto de lo que ellos habían comprado y que les habían cobrado más. Eran dos muchachotes que sólo hablaban alemán. Total, nadie entendía a nadie a pesar de las frecuentes sonrisas. La discusión se habría prolongado eternamente si no me hubiera ayudado una de las encargadas de perfumería. En un dos por tres se aclaró el malentendido. Aquella misma tarde la invité a tomar churros. Estaba ansiosa por saber cosas de su vida.

*Vendedora:* Ojalá hablase yo el inglés como tú el alemán. Hablas sin ningún acento.

*Encargada:* No es para tanto. ¿Sabes que se me está olvidando? Ojalá pudiese practicarlo más a menudo.

*Vendedora:* ¿Dónde lo aprendiste?

*Encargada:* Lo aprendí cuando niña. Yo nací, me crié y me eduqué en Colonia.

*Vendedora:* ¡Caramba! ¿De modo que tú eres alemana?

*Encargada:* Ni soñarlo. Mi padre es andaluz y mi madre es gallega. ¿Hay mezcla más española que ésta?

*Vendedora:* No la hay, pero si tú naciste en Alemania, entonces tienes la nacionalidad alemana.

*Encargada:* No la tengo. Según las leyes alemanas, es alemán sólo el que tiene padres alemanes.

*Vendedora:* ¿Me cuentas la historia de tu familia?

*Encargada:* Bueno, mi padre dejó su tierra, Jaén, en el año de 1956. Trabajaba de peón en la finca de un conde y le pagaban una miseria de jornal. Anduvo por Francia y Suiza y fue a parar a Colonia. Eso fue en el 58. Allí conoció a mi madre, que era la criada de la parroquia española. Nada más conocerse se casaron y tuvieron cuatro hijos en cuatro años. Yo soy la mayor.

*Vendedora:* ¿A qué se dedicaba tu padre?

*Encargada:* Repartía en una furgoneta los productos de una fábrica de embutidos. Sus compañeros de trabajo eran en su mayoría trabajadores emigrados: turcos, italianos, griegos ...

*Vendedora:* ¿Aprendieron el alemán tus padres?

*Encargada:* No, ¿para qué iban a aprenderlo? Ellos no tenían trato alguno con alemanes. Vivían aislados de la sociedad alemana; sus hijos, no. Nosotros aprendimos el alemán en la calle y en la escuela. Entre nosotros preferíamos hablar en alemán. Mi hermanito menor no tenía más que amigos alemanes. Nos burlábamos de él porque no podía pronunciar la erre española.

*Vendedora:* Tus padres echaban de menos a su tierra y decidieron volver.

*Encargada:* De eso nada. La fábrica aquella quebró y mi padre no consiguió puesto. Tuvimos que volver porque no nos quisieron renovar el permiso de residencia. Volvimos hace cuatro años.

*Vendedora:* Tú te hubieras quedado en Colonia, ¿verdad?

*Encargada:* Seguro, yo iba a la escuela de comercio y a lo mejor habría conseguido un buen empleo y estaría ganando más que aquí.

*Vendedora:* ¿Quisieras volver a Alemania?

*Encargada:* No. Ya me he acostumbrado a la vida española. Al principio no hacía más que llorar. Mis hermanos menores, en cambio, no han logrado acostumbrarse en absoluto. Si pudieran, se marcharían mañana mismo para Colonia.

| | | | |
|---|---|---|---|
| pudieran (*von* poder) | *sie könnten* | no lo suficiente como | *nicht genug, um ... zu* |
| el periodismo | *der Journalismus* | para | |
| la universidad | *die Universität* | complicar | *komplizieren, erschwe-* |
| suelo trabajar | *ich arbeite meistens* | | *ren* |
| regional | *regional; Volks...* | complicarse | *schwierig werden* |
| a la vez que | *während* | supiera (*von* saber) | *ich wüßte, ich könnte* |
| el cliente | *der Kunde* | perfecto, -a | *vollkommen, perfekt* |
| suficiente | *ausreichend, genügend* | el contratiempo | *die Unannehmlichkeit* |

| | |
|---|---|
| a pesar de | trotz; mit Inf.: obwohl |
| a pesar de no saber | obwohl ich nicht kann |
| la discusión | die Diskussion; die Auseinandersetzung |
| el almacén | das Lager |
| los grandes almacenes | das Kaufhaus |
| reclamar | reklamieren, sich beschweren |
| adquirir (ie) | erwerben |
| Don Quijote | Don Quichotte (Romanheld bei Cervantes) |
| la cerámica | die Keramik |
| el traje | der Anzug; das Kleid |
| el traje de luces | das Stierkämpferkostüm |
| cobrar | kassieren |
| el muchachote | der große Junge |
| total (Adv.) | nun, alles in allem |
| frecuente | häufig |
| prolongarse | sich in die Länge ziehen |
| eterno, -a | ewig |
| el encargado | der Angestellte |
| la perfumería | die Parfümerie(abteilung) |
| en un dos por tres | im Nu |
| aclarar | (auf)klären |
| el malentendido | das Mißverständnis |
| ansioso, -a por | neugierig, erpicht auf |
| ojalá hablase yo | wenn ich nur spräche! |
| no es para tanto | so schlimm ist das nicht |
| a menudo | oft |
| más a menudo | häufiger |
| cuando niña | als kleines Mädchen |
| criar(í) | züchten; aufziehen |
| criarse | aufwachsen |
| educar | erziehen; unterrichten |
| educarse | zur Schule gehen |
| ¡caramba! | Donnerwetter! |
| ni soñarlo | ach wo! |
| la nacionalidad | die Staatsangehörigkeit |
| la ley | das Gesetz |
| el peón | der Tagelöhner |
| una miseria de | sehr, erbärmlich wenig |
| el jornal | der Tagelohn |
| la parroquia | die Pfarrei |
| nada más conocerse | kaum hatten sie sich kennengelernt |
| repartir | verteilen; austragen, ausfahren |
| la furgoneta | der Lieferwagen |
| el producto | das Erzeugnis |
| los embutidos | die Wurstwaren |
| el trabajador emigrado | der Gastarbeiter |
| el turco | der Türke |
| el griego | der Grieche |
| ¿para qué iban a aprenderlo? | wozu sollten sie es lernen? |
| el trato | der Umgang, der Verkehr |
| aislar | isolieren |
| entre nosotros | wir untereinander |
| no ... más que | nur |
| burlarse de | sich lustig machen über |
| la erre | das R (= rr) |
| de eso, nada | ganz und gar nicht |
| quebrar (ie) | brechen; Konkurs machen |
| el puesto | die Stelle, der Posten |
| volver | heimkehren |
| renovar (ue) | erneuern |
| el permiso | die Erlaubnis |
| la residencia | der Aufenthalt |
| el comercio | der Handel |
| a lo mejor | womöglich |
| acostumbrar | gewöhnen |
| el principio | der Anfang |
| al principio | am Anfang, zuerst |
| no hacía más que llorar | ich habe nur geweint |
| lograr | erreichen; mit Inf.: können |
| en absoluto | überhaupt nicht |
| mañana mismo | gleich morgen |

*Grammatik und Übungen:*

| | |
|---|---|
| no ... sino | nur |
| no ... más que | nicht mehr als, nur |
| el gobierno | die Regierung |
| cambiarse de traje | sich umziehen |
| despertarse | aufwachen |

## 24B Grammatik

**1. Imperfekt Konjunktiv und Plusquamperfekt Konjunktiv**

**Imperfekt Konjunktiv (pretérito imperfecto de subjuntivo):**

| tomar | | pedir | | tener | |
|---|---|---|---|---|---|
| tomara *ich nähme* | tomase | pidiera *ich bäte* | pidiese | tuviera *ich hätte* | tuviese |
| tomaras | tomases | pidieras | pidieses | tuvieras | tuvieses |
| tomara | tomase | pidiera | pidiese | tuviera | tuviese |
| tomáramos | tomásemos | pidiéramos | pidiésemos | tuviéramos | tuviésemos |
| tomarais | tomaseis | pidierais | pidieseis | tuvierais | tuvieseis |
| tomaran | tomasen | pidieran | pidiesen | tuvieran | tuviesen |

Die Formen des Imperfekts Konjunktiv werden von der 3. Person Plural des historischen Perfekts abgeleitet, deren Endung -ron durch die -ra oder -se-Endungen ersetzt wird:

tomaron wird zu tomara oder tomase
pidieron wird zu pidiera oder pidiese
tuvieron wird zu tuviera oder tuviese

Die Betonung liegt stets auf der Silbe, die der Personenendung vorangeht. Dabei erhält die 1. Person Plural einen Akzent, weil die Endung zweisilbig ist und die Betonung auf die drittletzte Silbe fällt.

Die Formen des Konjunktivs auf -ra und -se haben die gleiche Bedeutung und sind gleichermaßen gebräuchlich. (Zum Gebrauch vgl. unten Abschnitt B2 und B3.)

**Plusquamperfekt Konjunktiv (pretérito pluscuamperfecto de subjuntivo):**

| comer | | decir | |
|---|---|---|---|
| hubiera comido *ich hätte gegessen* | hubiese comido | hubiera dicho *ich hätte gesagt* | hubiese dicho |
| hubieras comido | hubieses comido | hubieras dicho | hubieses dicho |
| hubiera comido | hubiese comido | hubiera dicho | hubiese dicho |
| hubiéramos comido | hubiésemos comido | hubiéramos dicho | hubiésemos dicho |
| hubierais comido | hubieseis comido | hubierais dicho | hubieseis dicho |
| hubieran comido | hubiesen comido | hubieran dicho | hubiesen dicho |

Das Plusquamperfekt Konjunktiv wird mit dem Imperfekt Konjunktiv von **haber** und dem Partizip gebildet. Das Partizip ist unveränderlich. Das Hilfsverb ist gegebenenfalls mit „sein" wiederzugeben: hubiera llegado *ich wäre angekommen*. (Zum Gebrauch vgl. unten Abschnitt B2 und B3.)

## 2. Der Ausdruck erfüllbarer und unerfüllbarer Bedingungen

Si tú ayudas,
la cosa será fácil.
*Wenn du mithilfst,*
*wird die Sache leicht sein.*

Si todos ayudaran/ayudasen,
la cosa sería más fácil.
*Wenn alle mithelfen würden,*
*dann wäre die Sache leichter.*

Si todos hubiesen/hubieran ayudado, la
cosa habría sido mucho más fácil.
*Wenn alle mitgeholfen hätten, dann wäre*
*die Sache viel leichter gewesen.*

Wenn eine erfüllbare Bedingung ausgedrückt wird, dann steht im si-Satz (= Nebensatz, der mit **si** *wenn* eingeleitet wird) das Präsens Indikativ.

Wenn eine in der Gegenwart oder Zukunft unerfüllbare Bedingung ausgedrückt wird, dann steht im si-Satz das Imperfekt Konjunktiv.

Wenn eine in der Vergangenheit unerfüllbare Bedingung ausgedrückt wird, dann steht im si-Satz das Plusquamperfekt Konjunktiv. Im Hauptsatz kann in solchen (und nur in solchen!) Konstruktionen statt des 2. Konditionals das Plusquamperfekt Konjunktiv stehen.

## 3. Der Ausdruck unerfüllbarer Wünsche

¡Ojalá viniera!
*Käme er doch!*
¡Ojalá hubiese venido!
*Wäre er nur gekommen!*

Ein unerfüllbarer Wunsch wird durch **ojalá** *(wenn nur ...)* oder **si** und für die Gegenwart durch das Imperfekt Konjunktiv, für die Vergangenheit durch das Plusquamperfekt Konjunktiv ausgedrückt.

## 4. „Ohne": sin + Substantiv/alguno

Lo hace **sin ningún** motivo./Lo hace **sin**
motivo **alguno**.
*Das tut er ohne jeden Grund.*

Nach **sin** kann die Bedeutung besonders verstärkt werden, wenn **ninguno** (vgl. Lekt. 10B4) vor das Substantiv gesetzt wird (keine Bejahung!) oder wenn **alguno** auf das Substantiv folgt.

## 5. Ausdrücke für „nur"

**No** me dieron **sino** esto./**No** me dieron
**más que** esto.
*Man hat mir nur das gegeben/nicht mehr*
*als das gegeben.*

*Nichts als, nichts weiter als, nicht mehr als* wird durch **no ... sino** bzw. **no ... más que** ausgedrückt. Der letztere Ausdruck kann auch **no ... nada más que** lauten.

**6. Verkürzung von Nebensätzen mit a pesar de + Infinitiv; nada más + Infinitiv**

Me entendía con ella **a pesar de** no saber su idioma.
*Ich habe mich mit ihr verstanden, obwohl ich ihre Sprache nicht sprach.*

Mit **a pesar de** + **Infinitiv** wird ein Konzessivsatz verkürzt.

**Nada más** entrar en el salón, se puso a gritar.
*Kaum war er in den Salon gekommen, fing er an zu schreien.*

Mit **nada más** + **Infinitiv** wird ein Temporalsatz verkürzt, der sich auf eine unmittelbare Vorvergangenheit bezieht.

## 24C Sprachgebrauch – Landeskunde

**Universidad Complutense** ist die Universität von Madrid.

**Jaén** ist eine Provinz mit gleichnamiger Hauptstadt in Andalusien (Südspanien).

**quisiera, quisieras** usw.: Das Imperfekt Konjunktiv von **querer** ersetzt in Hauptsätzen den ersten Konditional (querría). Mit **quisiera** drückt man einen Wunsch auf zurückhaltende und höfliche Weise aus: quisiera preguntarle una cosa *ich möchte Sie etwas fragen.*

In der gesprochenen Sprache drückt das historische Perfekt die unmittelbare Vorvergangenheit aus: cuando la secretaria **trajo** el desayuno, don Eusebio apagó el puro *als die Sekretärin das Frühstück gebracht hatte, drückte Don Eusebio die Zigarre aus.* In der Schriftsprache steht statt dessen manchmal noch das „Pretérito anterior", das mit dem historischen Perfekt von haber und dem Partizip gebildet wird: apenas **hubo entrado** en el salón, se puso a gritar *kaum war er in den Salon gekommen, fing er zu schreien an.* (Zur verkürzten Form dieses Satzes vgl. oben Abschnitt B6.)

## 24D Übungen

1. *Bilden Sie Dialoge nach dem Muster:*
   ¿Qué haría usted si <u>usted tuviera un millón</u>?
   Si yo tuviera un millón, no sabría qué hacer.
   a) ser usted el jefe del gobierno.
   b) escucharse tiros.
   c) caerme yo al suelo.
   d) ponernos a llorar.
   e) decir yo una tontería.
   f) irse la luz.
   g) ser hoy domingo.

h) venir la guerra.
i) haber una revolución.
j) encontrar usted un millón por la calle.
k) no poder usted salir por la puerta.

2. *Bilden Sie Sätze nach dem Muster:*

<u>Lo hizo él.</u> Si no lo hubiera hecho él, no habría pasado nada.

a) Vinieron ellas. b) Lo dijimos nosotros. c) Lo compraste tú. d) Tuvo un hijo ella.
e) Eran extranjeros los vecinos. f) Le escribimos nosotros.

3. *Bilden Sie Sätze nach dem Muster:*

llegó/llamarme
Nada más llegar, me llamó.

a) llegó/cambiarse de traje.
b) desayunó/ponerse a trabajar.
c) me desperté/decírselo.
d) me enteré de lo del robo/llamar a la policía.
e) leímos la carta/contestarla.

4. *Bilden Sie Sätze nach dem Muster:*

tiempo/hacerlo
Como no tenía tiempo alguno, no lo hice.

a) dinero/comprar el coche.
b) visado/poder pasar la frontera.
c) sueño/ponerme a leer cartas.
d) prisa/dirigirme a un bar.
e) hambre/no comer nada.
f) trabajo/perder el permiso de residencia.

5. *Übersetzungsübungen:*

A) a) Und wenn ich Sie darum bitten würde? b) Und wenn ich den Brief lesen würde?
c) Und wenn ich mich krank fühlen würde? d) Und wenn ich Sie jetzt auslachen
würde? e) Und wenn ich alles zerstören würde? f) Und wenn ich sterben würde?

B) a) Und wenn ich den Brief nicht geschrieben hätte? b) Und wenn ihr nicht
zurückgekehrt wäret? c) Und wenn ich die Tür nicht geöffnet hätte? d) Und wenn
wir weggegangen wären?

C) a) Wären wir anders, wenn wir reich wären? b) Wenn das so wäre, wäre das das
Ende der Welt. c) Wenn ich dein Arzt wäre, wärest du schon gesund. d) Wenn sie
nicht so klein wären, wären sie (die Mädchen) glücklicher. e) Wenn ihr in der Nähe
wäret, wäre Mutter nicht so traurig.

## 25A Text

**De viaje por la Alcarria**

**Antes de salir**

Sube al vagón un grupo de pescadores que colocan, con todo cuidado, las largas cañas de pescar. Entran mujeres de grandes cestas al brazo, campesinas que han bajado a Madrid a vender huevos y chorizo y queso, a comprar una tela estampada para un traje de domingo, o una gorra de visera para el marido. Dos guardias civiles se acomodan, uno enfrente del otro, en un extremo del departamento, al lado de la puerta, debajo del timbre de alarma.

**Primera parada**

En San Francisco de Jarama se apean los pescadores. Se cuelgan la caña al hombro, como si fuera un fusil y tiran, uno detrás de otro, por un sendero que les acerca hasta el río. Al otro lado del río pastan unos toros de lidia, negros, solitarios, silenciosos, gordos, relucientes.

**Por el camino a Zaragoza**

El viajero se sienta a comer al pie de un olivar. Bebe después un trago de vino, desdobla su manta y se tumba a dormir la siesta, bajo un árbol. Por la carretera pasa, de vez en cuando, alguna bicicleta o algún coche oficial. A lo lejos, sentado a la sombra de un olivo, un pastor canta. Las ovejas están muertas de calor. Echado sobre la manta, el viajero ve de cerca la vida de los insectos, que corren veloces de un lado para otro y se detienen de golpe. El campo está verde, bien cuidado, y las florecitas silvestres – las rojas amapolas, las margaritas, blancas, los cardos de flor azul – crecen a los bordes de la carretera, fuera de los sembrados.

**A la entrada de Torija**

Torija es un pueblo subido sobre una loma. Desde esta entrada tiene un gran aspecto, con su castillo y la torre cuadrada de la iglesia. Desde la pared de una casa, un letrero advierte: a Algora, 39 kilómetros, a Zaragoza, 248. Es un letrero azul en grandes letras en blanco, que se verían también muy bien, con toda claridad, aunque se pase muy de prisa en un automóvil.

**En Trillo**

El viajero busca un sitio para pasar la noche, deja su equipaje y se va a dar una vuelta por el pueblo. Desde el puente ve correr el Tajo. El viajero se toma unas yemas y unos pastelitos de hojaldre en una tienda que hay al lado del puente y después se fuma un pitillo, a la puerta, con algunos hombres que han vuelto ya de trabajar. El grupo llega a hacerse grande y el viajero habla de que le gustaría ver el pueblo.

(Camilo José Cela: *"Viaje a la Alcarria"*)

| | |
|---|---|
| de viaje | *auf Reisen* |
| el vagón | *der Waggon* |
| la caña | *das (Schilf-)Rohr* |
| pescar | *angeln, fischen* |
| la caña de pescar | *die Angelrute* |
| el huevo | *das Ei* |
| el chorizo | *die Paprikawurst* |
| estampado, -a | *bedruckt* |
| la gorra | *die Mütze* |
| la visera | *der Mützenschirm* |
| acomodarse | *es sich bequem machen* |
| uno enfrente del otro | *einander gegenüber* |
| el extremo | *das Ende* |
| el departamento | *das Abteil* |
| la alarma | *der Alarm, der Notruf* |
| el timbre de alarma | *die Notbremse* |
| el hombro | *die Schulter* |
| como si | *als ob* |
| el fusil | *das Gewehr* |
| el sendero | *der Pfad, der Fußweg* |
| acercar | *heranbringen* |
| al otro lado | *auf der anderen Seite* |
| pastar | *weiden* |
| el toro | *der Stier* |
| la lidia | *der (Stier-)Kampf* |
| solitario, -a | *einsam* |
| silencioso, -a | *lautlos; schweigsam* |
| gordo, -a | *groß, mächtig* |
| reluciente | *glänzend* |
| al pie de | *am Fuße, in der Nähe von* |
| el olivar | *der Olivenhain* |
| desdoblar | *entfalten* |
| tumbarse | *sich hinlegen* |
| bajo *(Präp.)* | *unter* |
| de vez en cuando | *ab und zu* |
| el coche oficial | *der Dienstwagen* |
| a lo lejos | *in der Ferne* |
| el olivo | *der Oliven-, Ölbaum* |
| la oveja | *das Schaf* |
| estar muerto, -a de calor | *vor Hitze sterben* |
| echado, -a | *liegend* |
| el insecto | *das Insekt* |

| | |
|---|---|
| veloz | *flink, schnell* |
| de un lado para otro | *hin und her* |
| el golpe | *der Schlag* |
| de golpe | *plötzlich* |
| la florecita | *die kleine Blume, das Blümchen* |
| silvestre | *wild* |
| la amapola | *der Mohn* |
| la margarita | *die Margerite* |
| el cardo | *die Distel* |
| crecer (zc) | *wachsen* |
| el borde | *der Rand* |
| el sembrado | *das Saatfeld* |
| la loma | *die Anhöhe, der Hügel* |
| subido sobre una loma | *auf einer Anhöhe* |
| desde *(örtlich)* | *von, von … aus* |
| tener un gran aspecto | *gut aussehen* |
| cuadrado, -a | *viereckig; quadratisch* |
| el letrero | *das Schild* |
| advertir (ie) | *anzeigen, hinweisen* |
| la claridad | *die Deutlichkeit* |
| aunque | *wenn auch* |
| de prisa | *schnell* |
| el automóvil | *das Auto(mobil)* |
| pasar la noche | *übernachten* |
| correr | *fließen* |
| ve correr el Tajo | *er sieht den Tajo fließen* |
| tomarse | *essen, zu sich nehmen* |
| la yema | *das Eigelb; hier: Konfekt aus Eigelb* |
| el pastelito | *der kleine Kuchen, das Törtchen* |
| el hojaldre | *der Blätterteig* |
| el pitillo | *die Zigarette* |
| volver de trabajar | *von der Arbeit kommen* |
| hacerse | *werden* |
| llega a hacerse grande | *sie wird dann schließlich groß* |
| habla de que | *er spricht davon, daß* |
| le gustaría | *er würde gern* |
| *Grammatik:* | |
| la orilla | *das Ufer* |
| el final | *das Ende* |

211

## 25B Grammatik

### 1. Zum Gebrauch des Imperfekts und Plusquamperfekts Konjunktiv

como si fuera un fusil
*als wenn es ein Gewehr wäre*
como si no lo hubiese sabido
*als ob er es nicht gewußt hätte*

Das Imperfekt Konjunktiv und das Plusquamperfekt Konjunktiv müssen in Vergleichssätzen mit **como si** *als wenn, als ob* gebraucht werden.

aunque me invitara el rey
*selbst wenn der König mich einlüde*
aunque me hubiese invitado el rey
*selbst wenn der König mich eingeladen hätte*

Das Imperfekt Konjunktiv und das Plusquamperfekt Konjunktiv im Ausdruck irrealer Sachverhalte werden in Konzessivsätzen mit **aunque** *selbst wenn, auch wenn* gebraucht. (Beim Indikativ heißt aunque *obwohl, obgleich.*)

### 2. Reflexiv gebrauchte Verben

Se fumó tres cigarrillos.
*Er hat drei Zigaretten geraucht.*
Se trajo la guitarra.
*Er hat die Gitarre mitgebracht.*
El pastel me lo comí yo.
*Den Kuchen habe ich (auf-)gegessen.*

Sehr häufig wird ein Verb reflexiv gebraucht, um eine starke Anteilnahme des Subjekts anzudeuten. Das geschieht insbesondere mit Verben der Bewegung und mit Verben des Verbrauchs und Verzehrs. Die Nuance bleibt im Deutschen oft unberücksichtigt. (Vgl. die Liste in Abschnitt C dieser Lektion.)

### 3. Ortsangaben mit der Präposition a

Bei Ortsangaben mit der Präposition **a** ohne ein Verb der Bewegung ist die Vorstellung der Nähe, der Lage oder einer punktuellen Berührung maßgebend. Beispiele:

a la sombra *im Schatten*
al aire *in der Luft*
al sol *in der Sonne*
a la luz *im Licht*
al fondo *im Hintergrund*
al lado *daneben, zur Seite*
a la orilla *am Ufer*
al borde *am Rande*
al otro lado *auf der anderen Seite*
al norte *nördlich*
a lo lejos *in der Ferne*
al pie *am Fuße*
a la derecha *rechts*

a la izquierda *links*
al principio *am Anfang*
al final *am Ende*
a la entrada *am Eingang*
a la salida *am Ausgang*
a la puerta *an der Tür*
a la ventana *am Fenster*
al brazo *um den Arm, am Arm*
al hombro *um die Schulter*
a la cabeza *um den Kopf*
a la espalda *am Rücken*
al cuello *um den Hals*
a la mesa *am Tisch*

212

### 4. Verb + a + Infinitiv

Se pararon a descansar al pie de un árbol.
*Sie hielten, um sich unter einem Baum auszuruhen.*

Me invitó a probar el vino.
*Er lud mich ein, den Wein zu probieren.*

¡Me ayudas a bajar esto?
*Hilfst du mir, das herunterzutragen?*

Wenn der Zweck der Handlung nicht besonders hervorgehoben wird, dann wird die Infinitivergänzung von pararse, sentarse, detenerse, quedarse und echarse/tumbarse durch **a** eingeführt.

Die Infinitivergänzung von ayudar, enseñar, invitar und obligar wird mit **a** eingeführt. Das Subjekt des Infinitivs ist bei diesen Verben normalerweise von dem Subjekt des konjugierten Verbs verschieden.

### 5. alguno = *mancher, manch ein; einige*

A lo lejos se veía alguna torre.
*In der Ferne sah man manch einen Turm.*

Recordaba algún que otro nombre.
*Er erinnerte sich an den einen oder anderen Namen.*

Das Indefinitpronomen **alguno** im Singular dient hier zum Ausdruck einer unbestimmten Anzahl. In diesem Sinn wird das Pronomen auch in der Konstruktion alguno que otro/alguna que otra *(der/die eine oder andere, ein paar)* gebraucht.

### 6. uno ... otro/unos ... otros

Unos dicen que sí, otros dicen que no.
*Die einen sagen ja, die anderen sagen nein.*

Se colocaron uno enfrente de otro.
*Sie stellten sich einander gegenüber.*

Se odiaban unos a otros.
*Sie haßten einander.*

Bei der Verbindung **uno ... otro** *der eine ... der andere* fehlt meistens der bestimmte Artikel. Seine Verwendung stellt jedoch keinen Fehler dar.

## 25C Sprachgebrauch – Landeskunde

Reflexiv gebrauchte Verben mit der gleichen Bedeutung wie die nicht reflexiv gebrauchte Form:

| | | | |
|---|---|---|---|
| venirse | *kommen* | comerse | *essen* |
| volverse | *zurückkehren* | fumarse | *rauchen* |
| bajarse | *hinuntersteigen* | gastarse | *verbrauchen, ausgeben* |
| subirse | *hinaufsteigen* | tomarse | *essen* |
| traerse | *mitbringen* | robarse | *stehlen* |
| beberse | *trinken* | | |

213

**Los insectos corren veloces** *(die Insekten laufen flink):* Das Adjektiv ist hier als Adverb zu übersetzen. Die Angabe „veloz" bezieht sich jedoch auf das Subjekt (los insectos) und richtet sich deshalb auch danach. Weitere Beispiele: vivían aislados *sie lebten isoliert;* llegaron solas *sie kamen allein (an).*

**La Alcarria** heißt die Landschaft nordöstlich von Madrid in Neukastilien, am oberen Lauf des Flusses Tajo. Der **Tajo** ist der längste Fluß der iberischen Halbinsel. Alle Orte, die in dieser Lektion genannt werden, liegen in der Alcarria.

**Camilo José Cela** (geb. 1916) hat Romane, Kurzgeschichten, Essays und Reisebücher geschrieben. Sein berühmtestes Reisebuch ist „Viaje a la Alcarria", das zuerst 1948 erschien. Die Texte in dieser Lektion sind dem dritten und vierten Kapitel dieses Buches entnommen.

Die Dativform des Pronomens **les** ersetzt in weiten Teilen des spanischen Nordens die Akkusativform für Plural maskulin **los**. Die Form **lo** wird umgekehrt in den nicht kastilischen Teilen des spanischen Sprachgebiets als Akkusativ maskulin für Personen statt **le** gebraucht. Vgl. zu diesem Komplex Lekt. 10B3.

## 25D Übungen

1. *Vervollständigen Sie die Sätze nach dem Muster:*
   No es alemán, pero habla alemán como si lo fuera.
   a) No son pobres, pero viven . . . . .
   b) No somos extranjeros, pero nos tratan . . . . .
   c) No es primavera aún, pero el tiempo está . . . . .
   d) Tú no eres mi primer amor, pero te quiero . . . . .
   e) No estoy solo, pero debes hacer . . . . .
   f) No estás nada borracho, pero tienes una voz . . . . .
   g) Ese señor no es mi padre, pero le quiero . . . . .
   h) No sois católicos, pero pensáis . . . . .

2. *Bilden Sie Sätze nach dem Muster:*
   No puede y no lo hace.
   Aunque pudiera, no lo haría.
   a) No tengo hambre y no como.
   b) No tenemos coche y no salimos de vacaciones.
   c) No tengo trabajo y no trabajo.
   d) Ellos no son tontos y no me burlo de ellos.
   e) No sé alemán y no hablo con los viajeros alemanes.
   f) Es tu cumpleaños y te he llamado (!).

3. *Setzen Sie a, en oder de ein:*
   a) Los pescadores llevaban un fusil . . . . . el hombro.
   b) Se vino . . . . . España porque le iba mal . . . . . Cuba.
   c) . . . . . lo lejos veíamos algún castillo.

214

d) . . . . . verano, todos estaban . . . . . viaje.
e) El letrero estaba . . . . . la izquierda . . . . . la carretera.
f) . . . . . el final . . . . . la calle hay una carnicería.
g) Corría un río . . . . . el pie . . . . . la loma.
h) Burgos está . . . . . orillas . . . . . el río Arlanzón.
i) Ya todos estaban . . . . . vuelta . . . . . mediados . . . . . julio.
j) Torija está . . . . . el otro lado.

4. *Setzen Sie* a *ein, wenn es nötig ist (wenn nicht, schreiben Sie* x *):*
   a) Quisiera . . . . . aprender . . . . . pescar.
   b) ¿Te gustaría . . . . . enseñar . . . . . bailar . . . . . unos amigos?
   c) ¿Por qué no te sientas . . . . . comer ya?
   d) Vamos . . . . . pararnos . . . . . coger . . . . . flores.
   e) Podéis . . . . . quedaros . . . . . cenar si queréis.
   f) Nadie podría . . . . . obligarme . . . . . hacer eso.
   g) Decidimos . . . . . volver . . . . . aquella misma noche.
   h) Todos deseaban . . . . . empezar . . . . . las ocho.
   i) Logré . . . . . conseguir un puesto de trabajo.
   j) Vamos . . . . . intentar . . . . . hacerlo.
   k) No necesitáis . . . . . poner más ajo en la comida.
   l) Vimos . . . . . correr . . . . . Julio . . . . . casa.

5. *Setzen Sie die richtige Form der unterstrichenen Wörter ein:*
   a) bueno: ¿Podré conseguir un . . . . . empleo?
   b) malo: Se murió de amor por un . . . . . hombre.
   c) primero: Paramos en el . . . . . restaurante que vimos.
   d) tercero: Ese señor vive en el . . . . . piso.
   e) alguno: Vimos por las lomas . . . . . toro de lidia.
   f) ninguno: . . . . . ciudad es tan sucia como ésta.
   g) grande: Desde aquí tiene el pueblo un . . . . . aspecto.
   h) cualquiera: . . . . . día de éstos vendré a visitarte.

6. *Übersetzungsübungen*

A) a) Ihre Stimme klingt, als ob Sie viel geweint hätten. Haben Sie geweint? b) Sie sprechen, als wenn etwas Schreckliches passiert wäre. Ist etwas Schreckliches passiert? c) Sie haben mich begrüßt, als ob wir uns kennen würden. Kennen wir uns? d) Du behandelst das Auto, als ob es dir gehören würde. Gehört es dir?

B) a) Selbst wenn ich es wüßte, würde ich es nicht sagen. b) Selbst wenn ich es sagen könnte, würde ich es Ihnen nicht sagen. c) Selbst wenn ich es Ihnen sagen wollte, ich dürfte es nicht. d) Selbst wenn mich Pater García darum bäte, würde ich es nicht tun. e) Selbst wenn wir nicht mehr hier wären, würdet ihr uns hassen.

# 26A

## 26A Text

### ¿Qué quieres que haga?

Faltando media hora para la cena, le dice la madre a Carmela:

*Madre:* Carmela, es preciso que arregles tu cuarto más a menudo. Ayer fui a buscar las tijeras. No las encontré. Era tal el desorden que por poco me da un ataque.

*Carmela:* Es que yo tengo mi sistema propio, mamá. ¿Quieres que te traiga las tijeras?

*Madre:* Ya no me hacen falta. No sólo hay desorden en tu cuarto, hija mía, sino una suciedad increíble. Y olía tanto a tabaco que me puse a toser. Encima de la cama había cucharas, tenedores y no sé cuántas cosas más. Te ruego que seas más aseada, que arregles tu cuarto, que lo barras, que sacudas la alfombra una vez por semana. Yo no quiero que tu cuarto parezca una cueva de ladrones. No me gusta que haya malos olores en mi casa. No estamos en una chabola. ¿O es que tú quieres otra familia?

*Carmela:* Pero mamá, es que ... Bueno, te prometo barrer el cuarto mañana mismo.

Nadie dice nada durante la comida. Hay un partido de fútbol en la televisión. Don Ramiro, el padre, no come más porque el médico le ha prohibido comer grasas. Todos miran el televisor, menos Felipe, el cual está fumando y leyendo una revista. Le dice el padre:

*Padre:* Felipe, no me gusta que fumes ni que leas en la mesa. Es de mala educación y además es un peligro. No quiero que te dé cólico.

*Felipe:* ¿Qué quieres que haga? ¿Quieres que mire esas tonterías?

*Padre:* ¡Pero qué modales son ésos! ¿Es eso lo que aprendéis en el colegio? Si es así, es mejor que no vayas más.

*Felipe:* Pues yo dejo de ir mañana mismo.

*Padre:* ¿No te da vergüenza contestarme de esa forma? ¿Así nos pagas los esfuerzos por darte una educación cristiana?

*Felipe:* ¿Cristiana? Vas a hacerme reír, papá.

*Padre:* Espero que sepas lo que dices.

En ese mismo momento suena el teléfono. Es para Carmela.

*Carmela:* ¡Diga! ¡Hola, José Luis! ... ¿Esos gritos? Papá y Felipe con el rollo de siempre ... Siempre se pelean por lo mismo ... ¿Se ha escapado Maribel? Era de esperar. Está muy bien que se haga independiente. Sus padres no la dejaban vivir. Son unos anticuados . . . Claro que no deja de ser una desgracia . . . ¿ Tú temes que haga alguna tontería? Yo no lo creo. Maribel siempre ha sido una chica sensata . . . No, no me da lástima su abuelita. ¿ Sabes que le pegaba? . . . ¿ No tiene Maribel dónde dormir? Puede venir aquí, en mi cuarto hay sitio . . . Mis padres no se enfadan por eso, no es preciso que les pida permiso. Tú no los conoces, son los más liberales del mundo . . . Te digo que no es ninguna molestia, hombre. Me parece muy bien que estemos juntas, por lo menos unos días.

| | |
|---|---|
| ¿qué quieres que haga? | was soll ich tun? |
| faltando media hora para la cena | eine halbe Stunde vor dem Abendessen |
| preciso, -a | nötig |
| es preciso que arregles tu cuarto | du mußt dein Zimmer aufräumen |
| las tijeras | die Schere |
| el desorden | die Unordnung |
| por poco me da un ataque | ich hätte beinah einen Anfall bekommen |
| el sistema | das System |
| hacer falta | nötig sein, fehlen |
| me hacen falta | ich brauche sie |
| la suciedad | der Schmutz |
| increíble | unglaublich |
| la cuchara | der Löffel |
| el tenedor | die Gabel |
| rogar (ue) | bitten |
| aseado, -a | sauber |
| barrer | kehren, fegen |
| sacudir | schütteln; klopfen |
| la alfombra | der Teppich |
| la cueva de ladrones | die Räuberhöhle |
| el olor | der Geruch |
| la chabola | die (elende) Hütte |
| ¿es que . . .? | . . . etwa . . .? |
| el partido | das Spiel, die Partie |
| la grasa | das Fett |
| la educación | die Erziehung |
| ser de mala educación | ungezogen sein |
| el peligro | die Gefahr |
| el cólico | die Kolik |

| | |
|---|---|
| la tontería | die Dummheit, die Albernheit |
| los modales | die Manieren |
| dejar de . . . | aufhören zu, nicht mehr . . . |
| la vergüenza | die Scham |
| ¿no te da vergüenza? | schämst du dich nicht? |
| de esa forma | auf diese Weise |
| el esfuerzo | die Anstrengung |
| por (mit Inf.) | zu |
| cristiano, -a | christlich |
| hacer reír | zum Lachen bringen |
| esperar | hoffen |
| sonar (ue) | läuten |
| el grito | der Schrei |
| el rollo | die Rolle; die „alte Platte" |
| pelear | streiten, zanken |
| escaparse | fliehen, davonlaufen |
| es de esperar | es ist zu erwarten |
| anticuado, -a | altmodisch |
| claro que no deja de ser una desgracia | natürlich ist das trotz allem ein Unglück |
| sensato, -a | vernünftig |
| la lástima | das Mitleid |
| dar lástima | leid tun |
| pegar | schlagen |
| no tiene dónde dormir | sie hat kein Dach über dem Kopf |
| enfadar | ärgern |
| liberal | liberal, großzügig |
| la molestia | die Belästigung |

# 26B Grammatik

1. **Präsens Konjunktiv** (presente de subjuntivo)

| tomar | comer | subir |
|-------|-------|-------|
| tome *ich nehme* | coma *ich esse* | suba *ich steige* |
| tomes | comas | subas |
| tome | coma | suba |
| tomemos | comamos | subamos |
| toméis | comáis | subáis |
| tomen | coman | suban |

| tener | conocer (zc) | pedir (i) | huir (y) |
|-------|--------------|-----------|----------|
| tenga | conozca | pida | huya |
| tengas | conozcas | pidas | huyas |
| tenga | conozca | pida | huya |
| tengamos | conozcamos | pidamos | huyamos |
| tengáis | conozcáis | pidáis | huyáis |
| tengan | conozcan | pidan | huyan |

Die Formen des Präsens Konjunktiv werden von der 1. Person Singular des Präsens Indikativ abgeleitet (tomo, tengo usw.). An den Stamm (tom-, teng- usw.) werden die Endungen des Präsens Konjunktiv angehängt. Einige weitere Beispiele:

conducir: Präsens Ind. conduzco – Konj. conduzca, conduzcas
decir: Präsens Ind. digo – Konj. diga, digas
hacer: Präsens Ind. hago – Konj. haga, hagas
traer: Präsens Ind. traigo – Konj. traiga, traigas
venir: Präsens Ind. vengo – Konj. venga, vengas

Die Betonung der Formen ist die gleiche wie im Präsens Indikativ (vgl. Lekt. 3B6 sowie 6B1 und B2).

Verben mit unregelmäßiger Ableitung des Präsens Konjunktiv:

| ser | saber | haber | ir | dar | estar |
|-----|-------|-------|-----|-----|-------|
| sea | sepa | haya | vaya | dé | esté |
| seas | sepas | hayas | vayas | des | estés |
| sea | sepa | haya | vaya | dé | esté |
| seamos | sepamos | hayamos | vayamos | demos | estemos |
| seáis | sepáis | hayáis | vayáis | deis | estéis |
| sean | sepan | hayan | vayan | den | estén |

## 2. Gebrauch des Konjunktivs nach que = daß

Quiero que vengan.
*Ich will, daß sie kommen.*
Es preciso que vengan.
*Es ist nötig, daß sie kommen.*
Tenemos el gran deseo de que vengan.
*Wir haben den großen Wunsch, daß sie kommen.*

Im que-Satz ( = Nebensatz, der mit **que** **daß** eingeleitet wird) muß der Konjunktiv stehen, wenn im Hauptsatz eine **Willensäußerung** ausgedrückt wird (z. B. Wunsch, Bitte, Erlaubnis, Verbot, Ratschlag, Notwendigkeit). Der que-Satz ist Objekt (quiero que vengan) oder Subjekt (es preciso que vengan), oder er ist die Ergänzung eines Substantivs und wird mit **de** angeschlossen (el deseo de que vengan).

Häufig steht im Deutschen für einen que-Satz eine andere Konstruktion als ein daß-Satz: te ruego que vengas *ich bitte dich zu kommen.*

Espero que lo traiga.
*Ich hoffe, daß er es bringt/..., er bringt es.*
No está bien que salgamos ahora.
*Es ist nicht gut, daß/wenn wir jetzt hinausgehen.*
Tengo miedo de que se caiga.
*Ich habe Angst, daß er fällt.*

Im que-Satz muß der Konjunktiv stehen, wenn im Hauptsatz eine **gefühlsmäßige Reaktion** auf den Inhalt des Nebensatzes ausgedrückt wird (z. B. Zustimmung, Freude, Furcht, Hoffnung, Ablehnung, Ärger). Der Nebensatz ist Objekt (espero que traiga) oder Subjekt (está bien que salgamos), oder er ist die Ergänzung eines Substantivs und wird mit **de** angeschlossen (miedo de que se caiga).

Im Deutschen ist die Konjunktion **que** in diesen Nebensätzen häufig mit *wenn* wiederzugeben: no me gusta que mires *ich mag es nicht, wenn du hinsiehst.* (Zum Tempus des que-Satzes vgl. Lekt. 29B1.)

## 3. Der Infinitivanschluß ohne Präposition

Nos hizo esperar una hora.
*Er ließ uns eine Stunde warten.*

Die Infinitivergänzung von **hacer** = *lassen, veranlassen* wird ohne Präposition angeschlossen.

No nos permiten que salgamos (oder: no nos permiten salir).
*Sie erlauben nicht, daß wir hinausgehen.*
Te prohibo que la visites (oder: te prohibo visitarla).
*Ich verbiete dir, sie zu besuchen.*
¿Por qué no nos dejan salir?
*Warum lassen sie uns nicht hinausgehen?*

Das Objekt der Verben **permitir** *erlauben*, **prohibir** *verbieten* und **dejar** *lassen, zulassen* kann ein que-Satz im Konjunktiv oder ein Infinitiv sein; bei permitir und prohibir wird der que-Satz bevorzugt gebraucht.

Nach den Verben **pedir** und **rogar** *bitten* sowie **aconsejar** *raten* ist ebenfalls eine Infinitivergänzung möglich, wenn auch – im Gegensatz zum Gebrauch bei „bitten" – weder üblich noch ratsam: te pido/ruego que lo hagas (*oder:* te pido/ruego hacerlo) *ich bitte dich, es zu tun.*

### 4. tal – tanto/tan

El desorden era tal que no encontré las tijeras.
*Die Unordnung war so groß, daß ich die Schere nicht fand.*

In Folgesätzen werden **tal** und **tanto** (verkürzt: **tan**) in Verbindung mit **que** gebraucht.

Había tanta gente que no se podía pasar.
*Es waren so viele Leute da, daß man nicht durchkommen konnte.*

Me sentía tan mal que me quedé en la cama.
*Ich fühlte mich so schlecht, daß ich im Bett blieb.*

**tal como** = **igual que:** Lo hice tal como me lo dijeron. *Ich habe es (genau) so gemacht, wie sie es mir gesagt haben.*

### 5. parar de/dejar de + Infinitiv

No paró de llover en toda la noche.
*Es regnete ununterbrochen die ganze Nacht.*

Anstelle eines Adverbs werden sehr häufig **parar de** *aufhören zu* und **dejar de** *aufhören mit* gebraucht, vor allem in verneinten Sätzen.

Este hombre no para de hablar.
*Dieser Mann redet ununterbrochen.*

He dejado de fumar.
*Ich rauche nicht mehr.*

**Dejar de** ist im Deutschen sehr oft besser durch „... nicht mehr" wiederzugeben.

Dejó de venir hace un año.
*Er kommt seit einem Jahr nicht mehr.*

Eso no deja de ser divertido.
*Lustig ist das schon.*

Die häufige Wendung: **No dejar de ser** ist am besten unter Verwendung von „schon", „trotzdem" oder „immerhin" wiederzugeben.

No deja de ser una desgracia.
*Ein Unglück ist das trotzdem.*

### 6. Zum Gebrauch des unbestimmten Artikels

Sois unos insolentes.
*Ihr seid frech.*

Eres una tonta.
*Du bist dumm.*

Der unbestimmte Artikel steht bei Adjektiven, um der Feststellung negativer oder positiver Eigenschaften mehr Nachdruck zu verleihen.

## 26C Sprachgebrauch – Landeskunde

**Me da un ataque** *ich bekomme einen Anfall:* In Verbindung mit Ausdrücken wie hambre, frío, calor, miedo, vergüenza, gusto *(Freude)*, ataque, ganas hat **dar** die Bedeutung *überkommen, ergreifen* und wird am besten entweder mit *bekommen* übersetzt (me dio miedo *ich bekam Angst)* oder mit einem eigenständigen Verb (me daba vergüenza *ich schämte mich;* me da mucho gusto conocerle *ich freue mich sehr, Sie kennenzulernen).* Das Personalpronomen (in den Beispielsätzen: me) wird im Deutschen mit dem Nominativ *(ich)* wiedergegeben.

Die Wendung **es que** spielt in der Umgangssprache eine große Rolle. In Fragen hat **es que** die Bedeutung *etwa: ¿Es que no te das cuenta? Merkst du es etwa nicht?*

In Aussagesätzen hebt **es que** einen Umstand hervor, der als Erklärung oder als Entschuldigung und Rechtfertigung dienen soll:

Has llegado pronto. *Du bist schnell gekommen.*
Es que no había mucho tráfico. *Es war wenig Verkehr.*

Sehr oft tritt **es que** in Verbindung mit **bueno** oder mit **pues** oder auch mit beiden zusammen auf.

Der Widerspruch gegen eine Äußerung (Behauptung, Meinung) wird durch **lo que ocurre es que** oder **el caso es que** *(die Sache ist die, daß)* eingeleitet, z. B.:

Esa no era la razón. Lo que ocurre es que Paco no quería ir.
*Das war nicht der Grund. Es war eben so, daß Paco nicht gehen wollte.*

## 26D Übungen

1. *Setzen Sie* quiero que *vor jeden Satz und formen Sie dann den Modus des Nebensatzes um:*
   a) Usted me lo dice.
   b) Crecen muchos árboles cerca de mi casa.
   c) Nos fumamos un pitillo.
   d) Nos comemos unos bocadillos.
   e) España gana el partido.
   f) Mis hijos van a un colegio católico.
   g) Todos lo saben.
   h) Usted me da las llaves.

2. *Setzen Sie* no me gusta que *vor jeden Satz und formen Sie dann den Modus des Nebensatzes um:*
   a) Usted pregunta tonterías.
   b) Vienen turistas en invierno.
   c) Me piden el pasaporte.
   d) Se construyen autopistas por aquí.
   e) Usted conduce deprisa.
   f) Nosotros vivimos en peligro.

3. *Setzen Sie fehlendes* a *oder* de *ein (wenn nichts fehlt, schreiben Sie* x*):*
   a) ¿Dónde aprendió usted . . . . . nadar tan bien?
   b) ¿Desea usted . . . . . venir mañana también?
   c) En este caso es posible . . . . . usar otra forma también.
   d) No ha parado . . . . . llover aún.
   e) Me han obligado . . . . . barrer el cuarto.
   f) Es preciso . . . . . cambiar el orden.
   g) Es cristiano . . . . . educar para la paz.
   h) No es suficiente . . . . . gritar. Debes . . . . . luchar.
   i) ¿Por qué no me deja usted . . . . . comer tranquilo?

4. *Wiederholungsübungen:*

A) *Setzen Sie* como *oder* que *ein:*
   a) Lo hice tal . . . . . usted me lo había dicho.
   b) Yo estaba tan cansado . . . . . tú.
   c) Estaban tan cansados . . . . . no entendieron lo que dijimos.
   d) Tú estabas más cansada . . . . . Jorge.
   e) Dijo exactamente lo mismo . . . . . tú.
   f) Aquel hombre era tan fuerte . . . . . tú y yo juntos.
   g) Preguntaba tanto . . . . . ya estábamos aburridos.

B) *Setzen Sie den unbestimmten Artikel ein, falls er fehlen sollte:*
   a) No voy a enfadarme por . . . . . semejante tontería.
   b) Me lo dijo con . . . . . cierta ironía.
   c) ¿Qué harías tú en . . . . . tal situación?
   d) Es preciso que tomemos . . . . . otro autobús.
   e) Vosotros no tenéis . . . . . coche, ¿no?
   f) Eres . . . . . loco.

5. *Formen Sie die Sätze nach dem Muster um:*
   No viene desde hace un año.
   Dejó de venir hace un año.
   a) No se pelean desde hace dos meses.
   b) No nos enfadamos desde hace una semana.
   c) Ese hotel no existe desde hace un año.
   d) Hace más de un año que no fumo.
   e) Hace cinco años que no le veo.
   f) Hace año y medio que no nos visitáis.

6. *Übersetzungsübung:*
   *Übersetzen Sie mit einem* que-*Satz jeweils in zwei Fassungen (mit* usted *und mit* ustedes*):*
   a) Ich bitte Sie, nicht zu kommen. b) Wir bitten Sie, uns zu begleiten. c) Er bittet Sie, ihm zu folgen. d) Ich bitte Sie, zu Hause zu bleiben. e) Ich bitte Sie, mir zu helfen. f) Ich bitte Sie, mich zu verstehen. g) Ich bitte Sie, jetzt nichts mehr zu sagen.

## 27A Text

**Desde Mallorca**

Fernando y Rosalía han alquilado un apartamento por dos semanas en Palma de Mallorca. Nada más llegar, Rosalía le repite a su hijo por teléfono lo que le dijo personalmente al salir.

*Rosalía:* Lava tus calcetines en agua tibia. Cómete lo que hay en el frigorífico antes de comprar más, abre las ventanas del dormitorio al levantarte pero ciérralas al rato. No te olvides de regar las macetas. Ten mucho cuidado con el jarrón al cambiar el agua a las flores. Sal al patio y mira si le falta comida al pájaro. Oye, el recibo del electricista ...¿Cómo? ¿No lo has ido a recoger? Pues haz el favor de ir por él mañana mismo ... ¿Ha vuelto a llamar la tía Mercedes? Dale mis recuerdos si vuelve a llamar. Debes ir a verla uno de estos días. Sé más atento con los que te quieren, hijo mío ... ¿Está Cristina contigo? Pues dile que te ayude a regar las macetas. Oye, pregúntale si le gustan los trajes mallorquines. Voy a ver si le llevo una muñeca de regalo. No, no, no se lo preguntes ahora, pregúntaselo mañana. ¿Queréis ir al cine? Id si queréis y divertíos, pero no volváis tarde, ¿eh? Bueno, te vuelvo a llamar el martes, adiós, hijo.

Han sido unos días inolvidables. La víspera de su regreso, Fernando y Rosalía recuerdan los momentos más agradables de su visita a la isla.

*Rosalía:* Lo que más me ha gustado de Palma es la Lonja. Es una joya. Pero está en pésimo estado, ¿no crees? Las autoridades deberían cuidarla más. La madera está pudriéndose –dice Rosalía.

*Fernando:* No creo que las autoridades tengan interés. A ellas no les interesan los monumentos artísticos. Lo único que les interesa es el turismo de masa.

*Rosalía:* Hay que decir que muy pocos saben que hay arte en Palma. ¿Cómo van a saber los visitantes que existe la Lonja, si no figura en la guía oficial?

*Fernando:* Dudo que a los turistas les apetezca ver arte. Quizás les guste el paisaje, pero de arte, ni hablar. Ellos vienen por el sol, nada más.

Ha llegado la hora de hacer las maletas.

*Rosalía:* Trae las botellas que están en la cocina, por favor –dice Rosalía a Fernando.

Fernando va a la cocina y trae dos botellas de coñac.

*Fernando:* Ten. ¡Dios mío, cuánto pesan estas maletas! Es probable que nos exijan suplemento por exceso de peso. ¿Cierro ésta ya? –dice Fernando señalando una de las cuatro maletas que llevan de equipaje.

*Rosalía:* No, no la cierres. A ver si cabe esta muñeca –dice Rosalía.

*Fernando:* No cabe ni un solo alfiler más.

*Rosalía:* Claro que cabe. Hay que apretar bien. Aprieta tú de ese lado, yo aprieto de éste. Es preciso que apretemos los dos juntos. ¿Ves? Ya está. Ahora, tira. Ojalá resista la cremallera. Este bolso lo mandamos por correo. Diré en la recepción que nos lo envíen mañana. Supongo que nos harán el favor sin exigirnos comisión.

Fernando se ha dado una ducha. Rosalía quiere sacar las últimas fotos.

*Rosalía:* Quedan dos fotos en este carrete. Salgamos a la terraza –dice Rosalía.

*Fernando:* Deja que me vista y me peine primero.

*Rosalía:* No, no. Se te ve muy bien despeinado. No te pongas las gafas. Bueno, sí, póntelas. No, quítatelas. No, no te las quites. Sonríe. No, no sonrías. Estáte quieto. No te muevas. Di algo, no, no digas nada. Saca las manos de los bolsillos, por favor.

*Fernando:* ¿Dónde diablos quieres que me las meta?

*Rosalía:* Ya está. Ven, voy a sacarte otra dentro. Siéntate en alguna parte, pero no te sientes en ese sillón. ¡Cuidado! Has aplastado el despertador.

*Fernando:* ¿Cómo iba a saber que estaba aquí el despertador si no llevaba las gafas?

Fernando llama a la recepcionista antes de acostarse.

*Fernando:* Se nos ha estropeado el despertador, señorita. ¿Podría usted despertarnos mañana temprano? Tenemos el vuelo de las siete y media.

*Recepcionista:* No faltaba más, señor Cebrián. ¿A qué hora desea usted que le despertemos?

224

| Fernando: | Despiértennos a las seis y media. Oiga, espere usted un momento. Dice mi mujer que nos despierten más bien a las seis en punto. |
| --- | --- |
| Recepcionista: | Perfectamente. ¿El desayuno se lo servimos como de costumbre? |
| Fernando: | Sí, pero no nos lo suban. Lo tomaremos abajo. Bueno, muchas gracias y buenas noches. |
| Recepcionista: | Que descansen ustedes, señores. |

alquilar — *mieten; vermieten*
el apartamento — *das Appartement*
repetir (i) — *wiederholen*
el calcetín — *die Socke*
tibio, -a — *lauwarm*
el frigorífico — *der Kühlschrank*
al rato — *bald darauf, nach einer Weile*
la maceta — *der Blumentopf*
el jarrón — *die Vase*
el pájaro — *der Vogel*
el electricista — *der Elektriker*
ir a recoger — *abholen*
volver a *mit Inf.* — *noch einmal (etwas tun)*
sé (*von* ser) — *sei*
atento, -a con — *aufmerksam, freundlich, höflich zu*
mallorquín, -ina — *aus Mallorca*
la muñeca — *die Puppe*
id (*von* ir) — *geht*
divertirse (ie) — *sich amüsieren*
la víspera de — *am Abend vor*
el regreso — *die Rückkehr; die Rückreise*
la visita — *der Besuch*
a la isla — *auf der Insel*
lo que más me ha gustado — *was mir am meisten gefallen hat*
la lonja — *die Börse (Gebäude)*
la joya — *das Juwel*
pésimo, -a — *miserabel, sehr schlecht*
la autoridad — *die Behörde*
pudrirse — *(ver)faulen, (ver)modern*
el monumento artístico, -a — *das Denkmal Kunst...*
la masa — *die Masse*
el turismo de masa — *der Massentourismus*
el arte — *die Kunst*
el visitante — *der Besucher*
¿cómo van a saber ...? — *woher sollen (die Besucher) wissen ...?*
figurar en — *erscheinen, erwähnt werden in*

Palma de Mallorca: La Lonja

dudar — *bezweifeln, daran zweifeln*
de arte, ni hablar — *von Kunst kann überhaupt keine Rede sein*
¡cuánto pesan ...! — *wie schwer sind ...!*
probable — *wahrscheinlich*
exigir — *verlangen*
el suplemento — *der Zuschlag*
el exceso — *das Übermaß*
el exceso de peso — *das Über-, Mehrgewicht*
¿cierro ésta ya? — *soll ich den schon zumachen?*
el alfiler — *die Stecknadel*
apretar (ie) — *drücken*
tirar — *ziehen*
ojalá — *hoffentlich*
resistir — *standhalten; aushalten, ertragen*
la cremallera — *der Reißverschluß*
por correo — *mit der Post*
la recepción — *die Rezeption, der Empfang*
suponer — *vermuten, denken*
la comisión — *die Provision, die Vermittlungsgebühr*
la ducha — *die Dusche*
darse una ducha — *duschen*
el carrete — *der (Roll-)Film*

225

| | | | |
|---|---|---|---|
| la terraza | die Terrasse | el despertador | der Wecker |
| dejar | erlauben | ¿cómo iba a saber? | woher sollte ich wissen? |
| vestirse (i) | sich anziehen | la recepcionista | die Empfangsdame |
| se te ve muy bien | du siehst sehr gut aus | no faltaba más | selbstverständlich |
| despeinado, -a | ungekämmt | más bien | lieber; eher |
| quieto, -a | ruhig, unbeweglich | a las seis en punto | Punkt sechs (Uhr) |
| estáte quieto, -a | sei ruhig, steh still | perfectamente | jawohl |
| di (von decir) | sag | subir | hinaufbringen, -tragen |
| el bolsillo | die (Hosen-)Tasche | buenas noches | gute Nacht |
| el diablo | der Teufel | que descansen ustedes | angenehme Ruhe! |
| diablos | zum Teufel | | |
| ya está | fertig! | Grammatik: | |
| sentarse (ie) | sich setzen | tal vez | vielleicht |
| aplastar | plattdrücken | acaso | vielleicht |

## 27B Grammatik

### 1. Unregelmäßige Bildung des Präsens Konjunktiv

Verbgruppe e/ie und o/ue (vgl. Lekt. 9B1 und B2):

| pensar | contar | perder | mover | sentir | dormir |
|---|---|---|---|---|---|
| piense | cuente | pierda | mueva | sienta | duerma |
| pienses | cuentes | pierdas | muevas | sientas | duermas |
| piense | cuente | pierda | mueva | sienta | duerma |
| pensemos | contemos | perdamos | movamos | sintamos | durmamos |
| penséis | contéis | perdáis | mováis | sintáis | durmáis |
| piensen | cuenten | pierdan | muevan | sientan | duerman |

Verben, die im Präsens Indikativ in den stammbetonten Formen das e in ie und das o in ue verwandeln, weisen diese Vokalveränderung auch im Präsens Konjunktiv auf. Die endungsbetonten Formen der 1. und 2. Person Plural sind jedoch eine Ausnahme zu der in Lekt. 26B1 gegebenen Ableitungsregel: pensar, contar, perder und mover behalten das e bzw. o des Stammes, während bei sentir das e in i und bei dormir das o in u verwandelt wird.

Verben auf -iar (í) und -uar (ú) (vgl. Lekt. 16B1):

| enviar | | continuar | |
|---|---|---|---|
| envíe | enviemos | continúe | continuemos |
| envíes | enviéis | continúes | continuéis |
| envíe | envíen | continúe | continúen |

Verben auf -iar bzw. -uar, die im Präsens Indikativ in den stammbetonten Formen das i bzw. u betonen, weisen diese Betonung auch im Präsens Konjunktiv auf. In der 1. und 2. Person Plural liegt die Betonung jedoch auf der Endung und nicht auf dem i bzw. u.

226

Orthographische Veränderungen (vgl. Lekt. 14C):

| pagar | tocar | coger | exigir |
|---|---|---|---|
| pague | toque | coja | exija |
| pagues | toques | cojas | exijas |
| pague | toque | coja | exija |
| paguemos | toquemos | cojamos | exijamos |
| paguéis | toquéis | cojáis | exijáis |
| paguen | toquen | cojan | exijan |

| distinguir | convencer | cruzar |
|---|---|---|
| distinga | convenza | cruce |
| distingas | convenzas | cruces |
| distinga | convenza | cruce |
| distingamos | convenzamos | crucemos |
| distingáis | convenzáis | crucéis |
| distingan | convenzan | crucen |

Da die Aussprache unverändert bleibt, ändert sich die Schreibung des Stammauslautes bei den Verben auf -gar, -car, -ger, -gir, -guir, -cer und -zar: g [g] wird **gu** vor e; c [k] wird **qu** vor e; g [x] wird **j** vor a; gu [g] wird **g** vor a; c [θ] wird **z** vor a; z [θ] wird **c** vor e.

## 2. Der Konjunktiv im que-Satz als Ausdruck der Ungewißheit

No creo que lleguen hoy.
*Ich glaube nicht, daß sie heute kommen.*
Dudo que les interese.
*Ich bezweifle, daß es sie interessiert.*

Der que-Satz steht im Konjunktiv, wenn er Objekt eines Verbs ist, das Zweifel oder Unglauben ausdrückt.

Creo que llegan hoy.
*Ich glaube, sie kommen heute.*
Supongo que lo hará.
*Ich vermute, er wird es tun.*

Der Konjunktiv wird dagegen **nicht** gebraucht, wenn eine Vermutung ausgesprochen wird.

Es posible que sea así.
*Es ist möglich, daß es so ist.*
Es probable que venga.
*Es ist wahrscheinlich, daß ich komme.*

Der que-Satz steht im Konjunktiv, wenn er auf einen unpersönlichen Ausdruck folgt, der etwas Mögliches oder Wahrscheinliches bezeichnet (es posible, es probable oder Wendungen mit ähnlicher Bedeutung).

227

### 3. Gebrauch des Konjunktivs in Hauptsätzen

¡Viva España!
*Es lebe Spanien!*
Ojalá·se lo diga.
*Hoffentlich sagt er es ihm.*
¡Que traigan más vino!
*Man soll mehr Wein bringen!*

Der Konjunktiv steht in einem Hauptsatz, um einen Wunsch auszudrücken; häufig beginnt der Hauptsatz mit der Konjunktion **que**. Auf **ojalá** muß immer der Konjunktiv folgen. (Zum Ausdruck unerfüllbarer Wünsche vgl. Lekt. 24B3. Einige Formulierungen für gute Wünsche im Spanischen stehen im Abschnitt C dieser Lektion.)

Quizá no vayamos al cine.
*Vielleicht gehen wir nicht ins Kino.*
Tal vez esté durmiendo.
*Vielleicht schläft er.*
A lo mejor llega mañana.
*Vielleicht kommt er morgen an.*

In einem Hauptsatz mit **quizá(s), tal vez** oder **acaso** (alle = *vielleicht, womöglich*) steht der Konjunktiv, wenn die Aussage vom Sprechenden als sehr ungewiß oder unsicher empfunden wird (sonst steht der Satz im Indikativ). Bei **a lo mejor** *vielleicht* steht immer der Indikativ.

### 4. Der Imperativ

| tomar | | comer | |
|---|---|---|---|
| **toma** *nimm* | no tomes *nimm nicht* | **come** | no comas |
| tome usted | no tome usted | coma usted | no coma usted |
| *nehmen Sie* | *nehmen Sie nicht* | | |
| tomemos *nehmen wir* | no tomemos *nehmen wir nicht* | comamos | no comamos |
| **tomad** nehmt | no toméis *nehmt nicht* | **comed** | no comáis |
| tomen ustedes | no tomen ustedes | coman ustedes | no coman ustedes |
| *nehmen Sie* | *nehmen Sie nicht* | | |

| subir | | lavarse | |
|---|---|---|---|
| **sube** | no subas | **lávate** | no te laves |
| suba usted | no suba usted | lávese usted | no se lave usted |
| subamos | no subamos | lavémonos | no nos lavemos |
| **subid** | no subáis | **lavaos** | no os lavéis |
| suban ustedes | no suban ustedes | lávense ustedes | no se laven ustedes |

Der Imperativ hat nur in der 2. Person Singular und in der 2. Person Plural eigene Formen: toma – tomad, come – comed, sube – subid. Die 2. Person Singular des Imperativs ist mit der 3. Person Singular des Präsens Indikativ identisch; die 2. Person Plural kann vom Infinitiv abgeleitet werden, dessen Endkonsonant **r** durch

**d** ersetzt wird. Alle anderen Imperativformen sind die Formen des Präsens Konjunktiv, ebenso alle verneinenden Formen des Imperativs.

Bei den **reflexiven Verben** werden die Reflexivpronomen an den Imperativ angehängt: lávate *wasch dich.* In der 1. Person Plural fällt vor dem Pronomen das -s der Verbform weg, in der 2. Person Plural das -d: lavémonos, lavaos (d. i. lavemos + nos, lavad + os). Dabei ist die Akzentsetzung zu beachten, wenn die Betonung durch das angehängte Pronomen auf die drittletzte Silbe fällt. Bei den reflexiven Verben auf -ir muß in der 2. Person Plural des Imperativs auch der Akzent gesetzt werden: divertíos *amüsiert euch.* (Vgl. jedoch in Abschnitt C den Imperativ von irse.) Bei der verneinenden Form des Imperativs treten die Reflexivpronomen wie im Aussagesatz vor die Verbform: no te laves *wasch dich nicht.*

Folgende Verben haben in der 2. Person Singular des Imperativs eine unregelmäßige Form:

| hacer: | **haz** *mache* | venir: | **ven** *komm* |
|--------|-----------------|--------|----------------|
| salir: | **sal** *geh hinaus* | ir: | **ve** *geh* |
| poner: | **pon** *setze* | tener: | **ten** *habe* |
| decir: | **di** *sage* | ser: | **sé** *sei* |

Tráelo mañana. No lo traigas hoy.
*Bring es morgen! Bringe es nicht heute!*
Tráigamelo mañana. No me lo traiga hoy.
*Bringen Sie es mir morgen! Bringen Sie es mir nicht heute!*

Die unbetonten Personalpronomen werden an den Imperativ angehängt. Die zusammengesetzten Pronomen erscheinen dabei in der Reihenfolge Dativ – Akkusativ. Auch hier ist die Akzentsetzung zu beachten. Bei der verneinenden Form des Imperativs wird die Wortstellung des Aussagesatzes beibehalten.

### 5. volver a + Infinitiv

Si vuelve a llamar, me lo dices.
*Falls sie wieder anruft, sagst du es mir.*

Die Verbindung **volver a** + **Infinitiv** drückt die Wiederholung eines Geschehens aus.

### 6. Ausdruck des Superlativs

Este vino es **el que** más me gusta./Éste es el vino **que** más me gusta.
*Dieser Wein schmeckt mir am besten.*

Tu eres **la que** más habla.
*Du sprichst am meisten.*

María es **la que** canta mejor.
*Maria singt am besten.*

Durch einen Relativsatz mit **el que** (la que, lo que, los que, las que) kann die Entsprechung von „am besten", „am meisten", „am schnellsten" usw. ausgedrückt werden. Dabei können **más, mejor** und **peor** vor oder nach dem Verb stehen.

229

## 27C Sprachgebrauch – Landeskunde

Der bejahende Imperativ von **irse** lautet:
vete *geh (weg)!*
váyase usted *gehen Sie (weg)!*
vámonos *gehen wir (weg)!*
idos *geht (weg)!*
váyanse ustedes *gehen Sie (weg)!*

Eine Aufforderung an die 1. Person Plural wird meistens mit **vamos a + Infinitiv** ausgedrückt: vamos a empezar *fangen wir an!*

Spanische Entsprechungen für „sollen“:

| | |
|---|---|
| Debes hacerlo. | *Du sollst es tun.* |
| ¿Cierro la puerta?<br>¿Quiere usted que cierre la puerta? | *Soll ich die Tür zumachen?* |
| ¿Cómo lo voy a saber? | *Woher soll ich das wissen?* |
| ¿Cómo lo iba a saber? | *Woher sollte ich das wissen?/Woher hätte ich das wissen sollen?* |
| Dice que vayas enseguida. | *Er sagt, du sollst sofort hingehen.* |

Spanische Formulierungen für gute Wünsche (vgl. Abschnitt B3 dieser Lektion): ¡que te diviertas! *viel Spaß!;* ¡que te vaya bien! *alles Gute!;* ¡que te mejores! *gute Besserung!;* ¡que descanses! *gute Nacht!/angenehme Ruhe!* Die Form ändert sich je nach der Anrede, die gebraucht wird. So heißt es in der Höflichkeitsform: ¡que se divierta usted! *viel Vergnügen!;* in der 2. Person Plural: ¡que os vaya bien! *alles Gute!*

## 27D Übungen

1. *Bilden Sie Sätze mit* quizá *und mit* no creo que *nach dem Muster:*
   venir Julio mañana
   Quizá venga Julio mañana.
   No creo que venga Julio mañana.
   a) resistir la cremallera.
   b) despertarse el niño.
   c) figurar la Lonja en la guía.
   d) tener novio la recepcionista.
   e) exigir (ellos) suplemento por exceso de peso.
   f) interesaros la película.

2. *Bilden Sie Dialoge nach dem Muster:*
   ¿Quién <u>vendrá</u>?
   Es posible que venga <u>Julio</u>.
   a) hacerlo/nosotros.                    b) decirlo/ellos.

c) irse/Luis.        e) tener razón/yo.
d) llegar/tus hermanos.      f) salir a comprar/Pedro.

3. *Bilden Sie den Imperativ und die verneinende Form des Imperativs in allen Personen:*
a) mirar. b) oír. c) tocar la guitarra. d) venir. e) salir. f) empezar. g) entregar la llave. h) descansar. i) irse. j) marcharse. k) decir. l) hacer. m) traer. n) dar.

4. *Bilden Sie Dialoge nach dem Muster:*
¿Quiere usted que se lo <u>diga</u>?
No, no se lo diga, por favor.
a) enviar. b) mandar. c) pedir. d) preguntar. e) ofrecer. f) entregar. g) traducir. h) leer.

5. *Formen Sie die Imperativformen in einen Satz mit* vamos a + Infinitiv *um:*
a) escribamos. b) comencemos. c) hagámoslo. d) escuchémosle. e) vistámonos. f) corrijámoslo. g) sigámoslos. h) arreglémonos. i) trabajemos. j) bebamos.

6. *Benutzen Sie in den folgenden Sätzen* volver a + Infinitiv *und achten Sie dabei auf Tempus und Modus:*
a) Si me molesta usted, llamo a la policía.
b) Me lo han dicho.
c) Me dijeron lo mismo en el consulado.
d) No pediré ese plato nunca más.
e) No alquilaría ese apartamento.
f) Si tu nombre figurara en el periódico, ¿qué harías?
g) No dudes de mi amor.
h) No creo que nieve este año.
i) Comía a las seis de la tarde.

7. *Bilden Sie Sätze nach dem Muster und übersetzen Sie sie ins Deutsche:*
chico/trabajar
Éste es el chico que trabaja más.

a) pescador/pescar.        d) fusil/disparar tiros.
b) periódico/traer cosas.    e) carrete/tener fotos.
c) chico/crecer deprisa.     f) estudiante/estudiar.

8. *Übersetzungsübung (jeweils im Singular und Plural!):*
a) Entschuldigen Sie! b) Kommen Sie herein! c) Warten Sie einen Augenblick! d) Kommen Sie mit mir! e) Nehmen Sie Platz! f) Sprechen Sie langsamer! g) Wiederholen Sie das Wort! h) Bringen Sie mir Wasser! i) Geben Sie mir die Schlüssel! j) Denken Sie an mich! k) Grüßen Sie Herrn Pérez! l) Nehmen Sie einen anderen Bus! m) Steigen Sie an der nächsten Haltestelle aus!

## 28A Text

**Lucha contra el destino**

Lucrecia ha tendido las sábanas en el balcón para que se sequen. Es una mañana resplandeciente de agosto. Miguel, con una taza en una mano y el periódico en la otra, se bebe los últimos sorbos de chocolate antes de salir para el trabajo. Le dice Lucrecia:

*Lucrecia:* Antes de que se me olvide, Miguel. La máquina de escribir hay que llevarla a donde don Francisco a que la mire. La cinta se desprende nada más golpear la tecla. No puedes escribir nada sin que se te pongan negros los dedos. La he colocado junto a la puerta. Le he dicho a don Francisco que se la entregarás cuando pases por su taller.

*Miguel:* Bien. Escucha lo que trae el periódico: "Calculan un aumento del 15,42% respecto a este año". Y sigue: "España tendrá 1.250.000 parados a finales del próximo año". Este país anda cada día peor. No pasa un día sin que leamos cosas horribles sobre la maldita crisis.

Lucrecia: Ponte a leer otras cosas, Miguel. ¿A qué amargarte la vida pensando en la crisis?

Miguel: A las mujeres no os interesa el futuro del país.

Lucrecia: A mí claro que me interesa. Lo que ocurre es que no tiene sentido hablar de ello cada mañana. La crisis no la resuelve nadie. Mientras nosotros no la sintamos, todo va bien. Además, hay que tener mucho cuidado con lo que dicen los periódicos. No digo que mientan, pero les gusta asustar a la gente. Vamos, Miguel, bébete el chocolate antes de que se enfríe.

Miguel: Pues es muy probable que yo también me quede sin empleo. Te lo digo para que lo sepas.

Lucrecia: Déjate de bromas, Miguel.

Miguel: No estoy bromeando, mujer. Los nuevos directores tomarán medidas de racionalización. Es por las pérdidas. El caso es que instalarán equipos electrónicos a partir del mes próximo. Despedirán a veinte trabajadores en mi sección cuando lleguen las primeras máquinas. No es seguro que yo esté entre los veinte, pero es muy probable.

Lucrecia: ¿Para cuándo será eso?

Miguel: Para antes de fin de año.

Lucrecia: ¡Válgame Dios! ¿Te quedarás sin trabajo antes de que hayamos pagado las deudas? Cariño, ¡te meterán en la cárcel!

Miguel: Es el destino, Lucrecia. No es que me lamente, pero es muy triste dejar a los compañeros tras veinte años de trabajar juntos.

Lucrecia: No te pongas sentimental, Miguel. Algo debemos hacer para no quedarnos en la ruina. No podemos quedarnos con los brazos cruzados hasta que llegue el despido. Por lo pronto, ahorraremos la mitad de tu sueldo. A ver, ¿qué podríamos hacer? ¡Ya sé! Invitaremos a tu jefe y a su esposa para la fiesta de tu santo.

Miguel: ¡Pero si Pujol no se junta con el personal, Lucrecia!

233

*Lucrecia:* Ya lo veremos, hombre. Sospecho que es un tímido. Le ofreceremos una fiesta típica, con flamenco, castañuelas, paella y todo lo demás. Le serviré bastante sangría para que se suelte un poco. Bailará conmigo aunque no quiera. Le enseñaré a bailar el pasodoble.

*Miguel:* Tus planes no dejan de ser ingeniosos, pero no son del todo correctos.

*Lucrecia:* Antes no eras tan formal, Miguel. Estás cogiendo la mentalidad de tus patrones. No digo que esté mal, pero, ¿de qué te valdrá tanta honradez en la cárcel? Total, lo que haremos no es ningún crimen. Y tú no querrás que tus hijos y yo nos muramos de hambre, ¿verdad?

| | |
|---|---|
| el destino | *das Schicksal* |
| tender (ie) | *ausstrecken; aufhängen* |
| la sábana | *das (Bett-)Laken* |
| para que | *damit* |
| secarse | *trocknen, trocken werden* |
| el sorbo | *der Schluck* |
| antes de que | *ehe, bevor* |
| la máquina | *die Maschine* |
| la máquina de escribir | *die Schreibmaschine* |
| a donde don F. | *zu Don F.* |
| a que | *damit* |
| mirar | *nach-, durchsehen* |
| la cinta | *das Band; das Farbband* |
| desprender | *(ab)lösen* |
| golpear | *(an)schlagen* |
| la tecla | *die Taste* |
| sin que | *ohne daß* |
| el taller | *die Werkstatt* |
| calcular | *schätzen; rechnen* |
| por ciento (%) | *Prozent* |
| respecto a | *hinsichtlich, bezüglich, für* |
| los parados | *die Arbeitslosen* |
| el final | *das Ende, der Schluß* |
| a finales de ... | *Ende ...* |
| cada día peor | *jeden Tag schlimmer* |
| maldito, -a | *verdammt* |
| la crisis | *die Krise* |
| ¿a qué? | *wozu?* |
| ¿a qué amargarte la vida? | *warum willst du dir das Leben verbittern?* |
| lo que ocurre es que ... | *die Sache ist die, daß ...* |
| el sentido | *der Sinn* |
| no tiene sentido | *es hat keinen Zweck zu* |
| resolver (ue) | *(auf)lösen, beseitigen* |
| mientras | *solange* |
| sentir (ie) | *spüren, leiden unter* |

| | |
|---|---|
| mentir (ie) | *lügen* |
| asustar | *erschrecken, in Schrecken versetzen* |
| enfriarse (i) | *kalt werden* |
| quedarse sin empleo | *arbeitslos werden* |
| déjate de bromas | *laß die Späße!* |
| bromear | *spaßen* |
| el director | *der Direktor* |
| la medida | *das Maß; die Maßnahme* |
| la racionalización | *die Rationalisierung* |
| el caso es que ... | *die Sache liegt so, daß ...* |
| el equipo | *die Anlage* |
| electrónico, -a | *elektronisch* |
| a partir de ... | *von ... an* |
| despedir (i) | *entlassen* |
| la sección | *die Abteilung* |
| para | *bis* |
| el fin | *das Ende, der Schluß* |
| ¡válgame Dios! | *um Gottes Willen!* |
| la deuda | *die Schuld; die Verschuldung* |
| la cárcel | *das Gefängnis* |
| lamentarse | *sich beklagen, jammern* |
| sentimental | *sentimental* |
| la ruina | *der Ruin* |
| quedarse en la ruina | *ins Elend geraten* |
| con los brazos cruzados | *mit verschränkten Armen; untätig* |
| hasta que | *bis (daß)* |
| el despido | *die Entlassung* |
| por lo pronto | *zunächst einmal* |
| el sueldo | *das Gehalt* |
| la esposa | *die (Ehe-)Frau, die Gattin* |
| pero si | *aber ... doch* |
| juntarse con alguien | *mit j-m zusammenkommen* |

234

| | | | |
|---|---|---|---|
| el personal | das Personal | coger | übernehmen |
| sospechar | vermuten, den Verdacht | la mentalidad | die Mentalität |
| | haben | el patrón | der Arbeitgeber |
| tímido, -a | scheu, schüchtern | valer | helfen, nützen |
| la castañuela | die Kastagnette | ¿de qué te valdrá ...? | was wird dir ... nützen? |
| lo demás | das übrige | la honradez | die Rechtschaffenheit; |
| la sangría | die Sangria (Rotwein- | | die Ehrbarkeit |
| | bowle) | el crimen | das Verbrechen |
| soltar (ue) | lösen; loslassen | | |
| soltarse | locker werden | Grammatik und Übungen: | |
| el pasodoble | der Paso doble (ein | tan pronto | sobald |
| | Tanz) | demostrar (ue) | zeigen |
| ingenioso, -a | geistreich | enfadarse | ärgerlich werden |
| del todo | ganz, völlig | reconocer (zc) | (wieder)erkennen |
| formal | förmlich | en cualquier parte | überall |

## 28B Grammatik

**1. Perfekt Konjunktiv** (pretérito perfecto de subjuntivo)

| decir | venir |
|---|---|
| haya dicho | haya venido |
| *ich habe gesagt* | *ich sei gekommen* |
| hayas dicho | hayas venido |
| haya dicho | haya venido |
| hayamos dicho | hayamos venido |
| hayáis dicho | hayáis venido |
| hayan dicho | hayan venido |

Das Perfekt Konjunktiv wird mit dem Präsens Konjunktiv von **haber** und dem Partizip gebildet. Das Partizip ist unveränderlich.

Das Perfekt Konjunktiv bezeichnet einen Vorgang, der in der Vergangenheit vollendet wurde, aber einen starken Bezug zur Gegenwart hat: me alegro de que hayas venido *ich freue mich, daß du gekommen bist.*

**2. Der Konjunktiv im que-Satz als Ausdruck des Widerspruchs**

No digo que esté mal.
*Ich sage nicht, daß das schlecht ist.*

No es verdad que lo haya hecho él.
*Es stimmt nicht, daß er es getan hat.*

No es que me guste.
*Es ist nicht so, daß mir das Spaß macht.*

Im que-Satz steht der Konjunktiv, wenn der Hauptsatz eine Verneinung enthält, um eine – oft vorweggenommene – Behauptung als unrichtig oder strittig hinzustellen.

In der Umgangssprache wird ein Widerspruch dieser Art oft durch **no es que** ausgedrückt.

235

## 3. Der Konjunktiv nach anderen Konjunktionen als que

Cierra la puerta **cuando** salgas.
*Mach die Tür zu, wenn du gehst!*
Nos quedaremos **hasta** **que** llegue Pedro.
*Wir bleiben, bis Pedro kommt.*
Cuando sale, cierra la puerta.
*Wenn er geht, macht er die Tür zu.*
Nos quedamos hasta que llegó Pedro.
*Wir sind dort geblieben, bis Pedro kam.*

Der Konjunktiv steht nach den Konjunktionen **cuando** *wenn* und **hasta (que)** *bis*, wenn sie einen Nebensatz einleiten, der etwas Zukünftiges bezeichnet.
Enthält der Nebensatz dagegen eine bekannte Tatsache, steht nach **cuando** und **hasta (que)** der Indikativ.
Wie cuando wird **tan pronto** *sobald* verwendet.

Nos quedaremos aquí **mientras** haga sol.
*Wir bleiben hier, solange die Sonne scheint.*
Se quedaban allí mientras hacía sol.
*Sie blieben dort, solange die Sonne schien.*
Yo leeré el periódico mientras tú te bañas.
*Ich lese die Zeitung, während du badest.*

Der Konjunktiv steht nach **mientras** *während, solange,* wenn die Handlung des Nebensatzes ein unbestimmtes Ende hat.
Ist der Ausgang der Nebensatzhandlung bekannt bzw. wird er als bekannt vorausgesetzt, dann steht nach **mientras** der Indikativ.

Vámonos **antes de que** nos vean.
*Gehen wir, bevor sie uns sehen!*
Te lo digo **para que** lo sepas.
*Ich sage es dir, damit du es weißt.*
Vengo **a que** me lo digas.
*Ich komme, damit du es mir sagst.*

Nach **antes (de) que** *ehe, bevor* steht immer der Konjunktiv.
Nach **para que** (bzw. **a que** nach Verben der Bewegung) *damit* steht immer der Konjunktiv.

No iré aunque me invite el jefe.
*Ich werde nicht hingehen, auch wenn mich der Chef einladen sollte.*
Debes ir aunque no tengas ganas.
*Du mußt hingehen, auch wenn du keine Lust dazu hast.*

Nach **aunque** *auch wenn, selbst wenn* steht der Konjunktiv, wenn im Nebensatz eine bekannte Tatsache wieder erwähnt oder ein noch nicht eingetretener Sachverhalt vorweggenommen wird.

Aunque es español, no le gustan los toros.
*Obwohl er Spanier ist, mag er den Stierkampf nicht.*

Bei der Mitteilung einer Tatsache steht bei **aunque** der Indikativ.

Saldré sin que me vean.
*Ich gehe hinaus, ohne daß sie mich sehen.*

Nach **sin que** *ohne daß* steht immer der Konjunktiv.

236

## 4. Negative Pronomen in positiver Bedeutung

Te quiero más que a **nadie**.
*Ich liebe dich mehr als jemanden sonst.*
La sopa está más rica que **nunca**.
*Die Suppe schmeckt besser als (jemals) sonst.*

In diesen Vergleichen stehen nicht die positiven Adverbien oder Pronomen, sondern ihre negativen Entsprechungen. Es heißt also **nadie** statt alguien ( = *jemand*), **nada** statt algo ( = *etwas*), **ninguno** statt alguno ( = *irgendeiner, jemand*), **nunca** statt siempre (nunca ist in diesen Wendungen mit *jemals* zu übersetzen).

## 5. Zeitangaben mit para

Esto lo dejo **para** mañana.
*Das lasse ich bis morgen.*
Lo acabaré **para** el once.
*Bis zum Elften habe ich es fertig.*

Bei der Bezeichnung eines Termins dient die Präposition **para** zur Angabe des Zeitp u n k t s. Dagegen wird die Angabe eines Zeitra u mes mit **dentro de** *(in, innerhalb, binnen)* eingeführt: lo acabaré dentro de dos semanas *ich habe es in zwei Wochen fertig.*

## 6. Vorangehendes Akkusativobjekt ohne redundantes Pronomen

Algo debemos hacer.
*Etwas müssen wir tun.*
¿A quiénes invitaremos?
*Wen laden wir ein?*
Sólo una casa vemos desde aquí.
*Nur ein Haus sehen wir von hier aus.*
Dinero no llevo.
*Geld nehme ich nicht mit.*

Wenn vor dem Verb ein Indefinitpronomen, ein Fragepronomen, ein Substantiv ohne Artikel oder eine Zahl als Akkusativobjekt steht, dann tritt in dem Satz kein redundantes Personalpronomen auf.

# 28C Sprachgebrauch – Landeskunde

Das Indefinitpronomen **cada** bedeutet „*jeder* einzelne aus einer Anzahl" und unterstreicht jedes einzelne Element einer Menge: cada periódico dice algo distinto sobre el accidente *jede Zeitung sagt etwas anderes über den Unfall.* Wenn nicht jedes einzelne Element der Menge gemeint ist, heißt es im Spanischen **todos**: la llamaba todos los días *er rief sie jeden Tag an.*

**Cada vez** *(jedesmal)* ist vor Steigerungsformen mit *immer* wiederzugeben: cada vez más guapa *immer hübscher;* cada vez peor *immer schlimmer.*

237

In der spanischen Umgangssprache spielen **si** und **pero si** eine wichtige Rolle: ¡si no lo sabe! *sie weiß es doch nicht!;* ¡pero si no son niños! *aber es sind doch keine Kinder!*

Die **sangría** ist ein kaltes Getränk aus Rotwein, Wasser und Zucker mit zerkleinerten Zitrusfrüchten oder Pfirsichen.

## 28D Übungen

1. *Bilden Sie Sätze nach dem Muster:*

   volver
   No me importa que vuelva usted, pero, ¿es preciso que volvamos nosotros también?
   a) mentir. b) entenderlo. c) estar alegre. d) dormir. e) despertarse.
   f) reírse. g) repetir aquello. h) contarlo. i) divertirse. j) moverse.

2. *Setzen Sie* no creo que *an den Anfang der folgenden Sätze:*

   a) se han casado. b) me he olvidado de todo. c) se ha enfriado. d) os habéis equivocado. e) nos hemos cruzado con Pedro. f) lo has hecho tú.

3. *Bilden Sie Sätze nach dem Muster:*

   Pedro es imposible. Uno no puede decirle nada sin que se enfade.
   a) tú/ponerse a llorar. b) el nuevo patrón/responder en voz alta. c) vosotros/enfadarse. d) tía Adela/empezar a hablar de la crisis. e) tu hermana menor/decírtelo a ti. f) tus vecinas/contárselo a todo el mundo inmediatamente.

4. *Bilden Sie Dialoge nach dem Muster:*

   Se va a caer.
   Vámonos antes de que se caiga.
   a) venir tus padres. b) llamar el director. c) empezar a nevar. d) vernos la secretaria. e) desprenderse la piedra. f) cerrar (ellos).

5. *Bilden Sie Sätze nach dem Muster:*

   Se lo doy y él lo coloca en la mesa.
   Se lo doy para que lo coloque en la mesa.
   a) Te apunto mi dirección y no la pierdes.
   b) He abierto las ventanas y las plantas tienen sol.
   c) He traído mi nueva moto y todos la ven.
   d) Me has dicho eso y me siento mejor.
   e) Juan nos ha dado dinero y le compramos un periódico.
   f) Te lo digo y te enteras.

6. *Bilden Sie Dialoge nach dem Muster:*

   ¿Cuándo te casas?
   Cuando tenga dinero.

a) apagar (tú) el televisor/acabar la película.
b) acostarse (ustedes)/terminar (nosotros) de leer.
c) viajar (tú) a España/saber (yo) español bien.
d) volver (usted) a trabajar/sentirse (yo) mejor.
e) partir (vosotros)/querer (usted).
f) tener hijos (vosotros)/desearlo mi mujer.

7. *Setzen Sie* no *ein, wenn es fehlt:*
a) Nada nuevo ..... trae el periódico hoy.
b) Esto ..... me gusta más que nada.
c) Ese señor ..... es nada simpático.
d) Nunca ..... he visto tal cosa.
e) Esas cosas ..... me gustan nada en absoluto.
f) ¿..... le han invitado a usted tampoco?
g) Hoy ..... ha llamado nadie, ..... ni ayer ..... tampoco.
h) ..... tengo ganas de hablar con nadie.
i) Ninguno de nosotros ..... quería ir.
j) ..... había nadie en ..... ninguna parte.

8. *Schreiben Sie die Sätze noch einmal und setzen Sie das redundante Pronomen ein, wenn es fehlt:*
a) La radio hay que llevar a arreglar.
b) La crisis no resuelve nadie.
c) Este papel me dieron en el consulado.
d) A ese señor no conocíamos.
e) La voz de mi madre reconocería yo en cualquier parte.
f) Ese es el señor que vimos en la estación.
g) A usted debían meter en la cárcel.
h) Cosas así no hace un niño de tu edad, Pepe.
i) Trabajo quiere la gente.

9. *Übersetzungsübungen:*
A) a) Auch wenn wir jetzt keine Schulden haben, machen wir die Reise nicht. b) Er macht Waldlauf (läuft im Wald), selbst wenn es regnet. c) Auch wenn du es mir sagst, glaube ich es nicht. d) Das stimmt, selbst wenn Sie es nicht glauben. e) Wenn er auch nicht immer sagt, was er denkt, lügt er nicht. f) Du sollst ihm sagen, daß dir seine Brille gefällt, selbst wenn du sie scheußlich findest (sie dir scheußlich scheint).

B) a) Solange du glücklich bist, wirst du viele Freunde haben. b) Ich werde dich lieben, solange ich lebe. c) Solange du bei uns wohnst, mußt du das tun, was ich dir sage, und nicht, was du willst. d) Solange ich Arbeit habe, brauchst du nicht zu arbeiten. e) Wir bleiben draußen, solange die Sonne scheint.

## 29A Text

**Carta de un lector español...**

Señor director:

Vengo observando un cambio en la actitud de los españoles con los visitantes extranjeros. Hace una semana tuve un choque de automóvil con un súbdito alemán. Nada más bajarnos de los coches, el hombre se puso a soltar insultos contra mí. Estaba furioso. Le dije que no conseguía nada gritando y le ofrecí tabaco para que se calmara. El tipo rehusó levantando los brazos amenazadoramente.

Entretanto se habían reunido unos testigos alrededor de los coches accidentados. El alemán se puso a insultarlos a ellos también cuando éstos le dijeron que la culpa era suya. Cuando uno le dijo que se callara porque nadie entendía su pésimo español, el individuo se puso hecho una fiera. Dijo que éramos unos ignorantes y unos primitivos y acabó metiéndose en su coche. La llegada de la policía impidió que le atacaran.

Lo que me interesa subrayar aquí es lo siguiente: ya no nos ponemos blandos cuando nos ofende un turista foráneo. El hecho de que un vehículo lleve matrícula extranjera no inspira ya respeto inmediato. Es más: nuestras sonrisas se van convirtiendo en antipatía abierta porque ya sabemos cómo nos tratan ellos en sus países. Ni tampoco soportamos ya que nos destrocen la patria. El toro bravo se había vuelto manso, pero eso se acabó. ¡Cuántos granujas se han hecho ricos en nuestro país!

Para terminar, voy a hacer una sugerencia al ministro de turismo. No se logra nada con repetir en RTVE que acojamos con amabilidad a los extranjeros. Mejor uso tendrán nuestros impuestos imprimiendo folletos de información con indicaciones precisas para los turistas de sus deberes como visitantes. No hemos de cubrirles de atenciones a menos que aprendan a respetar lo nuestro. Con ser importantes los ingresos por el turismo, más importancia tiene la dignidad nacional.

Martín Rosales

**... y su contestación**

Señor director:

No me gustaría que quedara sin contestar la carta del señor Martín Rosales con fecha del 26 de septiembre. Soy un alemán con domicilo en Berlín Occidental, casado con una madrileña desde hace once años y ahora de vacaciones en España.

Ojalá conociéramos más detalles del accidente sufrido por el señor Rosales. Como no es así, no nos queda más remedio que creerle. He de advertir, sin embargo, que en España hay mucho menos disciplina en el tráfico que en Alemania. En mi país es lo más natural del mundo que los automovilistas respeten las señales de tráfico. Pero aquí es distinto. Mis hijos han llegado a decir que los automovilistas españoles no conocen el significado de las luces del semáforo. Es natural que los alemanes nos pongamos nerviosos y que no sepamos qué hacer en situaciones "normales" para un español. Me figuro que aquel alemán no sabía que en España "la ley se acata, pero no se cumple".

El que muchos bellos paisajes estén destruidos no es culpa de los extranjeros. Los destrozos tienen su origen en el fomento oficial del turismo de masa. No somos los turistas quienes hemos levantado las espantosas torres de Benidorm y la Costa del Sol, sino los españoles mismos. Y no son los extranjeros quienes se han enriquecido con la destrucción de las playas, sino la burguesía española. España quería ser un país moderno y ha llegado a serlo con creces.

Hace poco tuve yo también un accidente de carretera. Todo el mundo se portó maravillosamente conmigo. Mientras personas como el señor Rosales sigan siendo una minoría en este país, yo seguiré viniendo a esta hermosa tierra.

                                                                    Klaus Buber

| | |
|---|---|
| el lector | der Leser |
| Señor director: | Sehr geehrter Herr Direktor! |
| observar | beobachten |
| vengo observando | ich beobachte seit einiger Zeit |
| la actitud | die Haltung, die Einstellung |
| con | zu, gegenüber (j-m) |
| extranjero, -a | ausländisch |
| el choque | der Zusammenstoß |
| el súbdito | der Staatsangehörige |
| bajarse del coche | aussteigen |
| el insulto | die Beschimpfung |
| furioso, -a | wütend |
| conseguir (i) | erreichen |
| calmarse | sich beruhigen |
| rehusar | ablehnen |
| amenazador, -a | drohend; bedrohlich |
| el, la testigo | der Zeuge, die Zeugin |
| accidentado, -a | verunglückt |
| insultar | beschimpfen; beleidigen |
| callarse | den Mund halten, schweigen |
| el individuo | das Individuum; der Kerl, die Person |
| ponerse | werden zu |
| la fiera | das (wilde) Tier |
| se puso hecho una fiera | er schäumte vor Wut |
| ignorante | unwissend |
| el ignorante | der Dummkopf |
| primitivo, -a | primitiv |
| acabar + Gerundio | schließlich etwas tun |
| meterse | sich werfen, sich stürzen |
| la llegada | die Ankunft |
| la policía | die Polizei |
| impedir (i) | verhindern |
| atacar | angreifen |
| subrayar | unterstreichen |
| lo siguiente | folgendes |
| blando, -a | sanft, nachgiebig |
| ofender | beleidigen |
| foráneo, -a | (orts)fremd |
| la matrícula | das (Auto-)Kennzeichen |
| inspirar | einflößen |
| el respeto | der Respekt |
| inmediato, -a | sofortig |
| es más | mehr noch |
| convertir (ie) | verwandeln |
| convertirse en | werden zu |
| la antipatía | die Abneigung |
| abierto, -a | offen |
| tratar | behandeln |
| soportar | ertragen |
| destrozar | zerstören; kaputtmachen |
| la patria | das Vaterland |

| | |
|---|---|
| bravo, -a | wild |
| volverse | werden |
| manso, -a | zahm |
| el granuja | der Gauner |
| hacerse | werden |
| la sugerencia | der Vorschlag |
| el ministro | der Minister |
| con repetir | wenn man wiederholt, durch das Wiederholen |
| acoger | empfangen |
| la amabilidad | die Liebenswürdigkeit |
| el uso | der Gebrauch; die Verwendung |
| el impuesto | die Steuer |
| imprimir | drucken |
| la información | die Information, die Auskunft |
| la indicación | die Angabe, der Hinweis |
| preciso, -a | genau, präzis |
| el deber | die Pflicht |
| haber de + Inf. | müssen |
| cubrir de atenciones | mit Aufmerksamkeiten überhäufen |
| a menos que | es sei denn |
| respetar | beachten, respektieren |
| con ser importantes | obwohl sie wichtig sind |
| los ingresos | die Einnahmen, die Einkünfte |
| la dignidad | die Würde |
| la contestación | die Antwort, die Erwiderung |
| quedar sin contestar | unbeantwortet bleiben |
| el septiembre | der September |
| el domicilio | der Wohnsitz |
| Berlín m Occidental | Westberlin |
| el detalle | das Detail, die Einzelheit |
| el remedio | das (Heil-)Mittel; die Abhilfe |
| no queda más remedio que | es bleibt nichts anderes übrig als |
| advertir (ie) | hinweisen auf |
| sin embargo | jedoch |
| la disciplina | die Disziplin |
| natural | natürlich, selbstverständlich |
| el automovilista | der Autofahrer |
| la señal | das Zeichen; das Signal |
| la sen:al de tráfico | das Verkehrszeichen |
| han llegado a decir | sie haben sogar gesagt |
| el semáforo | die (Verkehrs-)Ampel |
| nervioso, -a | nervös |
| normal | normal |
| acatar | (be)achten, Folge leisten |
| el que | die Tatsache, daß |
| bello, -a | schön |
| el destrozo | die Zerstörung, die Verwüstung |

| el fomento | die Förderung | Grammatik: | |
|---|---|---|---|
| levantar | aufbauen, errichten | sorprender | überraschen |
| enriquecerse | sich bereichern | el hecho de que | die Tatsache, daß |
| la destrucción | die Zerstörung | a no ser que | außer wenn; es sei denn, |
| la burguesía | das Bürgertum; die | | daß |
| | Bourgeoisie | con tal que | vorausgesetzt, daß |
| quería ser | es wollte werden | por lo que | weshalb |
| llegar a ser | werden | tener bastante con | ausreichen mit |
| con creces | reichlich, im Übermaß | | |
| portarse | sich verhalten | | |

## 29B Grammatik

**1. Das Tempus des Konjunktivs im Nebensatz / Der Imperativ in der indirekten Rede**

Steht der **Hauptsatz** in einem Tempus der **Vergangenheit** (Imperfekt, historisches Perfekt, Plusquamperfekt) im Indikativ, dann steht der **Nebensatz** – falls der Konjunktiv erforderlich ist:

Quería que nos casáramos
*Er wollte, daß wir heirateten.*

Le ofrecí tabaco para que se calmase.
*Ich bot ihm eine Zigarette an, damit er sich beruhigte.*

Nos alegró que se quedaran.
*Es freute uns, daß sie blieben.*

Im **Imperfekt Konjunktiv**, wenn der Vorgang im Nebensatz gleichzeitig mit dem Vorgang im Hauptsatz stattfindet ("Gleichzeitigkeit") oder wenn der Vorgang im Nebensatz nach dem Vorgang im Hauptsatz liegt ("Nachzeitigkeit").

Se marchó sin que se lo hubiesen pedido.
*Er ist weggegangen, ohne daß man ihn darum gebeten hätte.*

Me sorprendió que te hubieses marchado.
*Mich überraschte es, daß du weggegangen warst.*

Im **Plusquamperfekt Konjunktiv**, wenn der Vorgang im Nebensatz vor dem Vorgang im Hauptsatz liegt ("Vorzeitigkeit").

Me gustaría que lo hicieses.
*Es würde mich freuen, wenn du es tätest.*

Sería bueno que se lo dijeras.
*Es wäre gut, wenn du es ihm sagen würdest.*

Diese Regeln gelten auch, wenn der Hauptsatz im **ersten Konditional** steht. In der Umgangssprache wird diese Regel oft nicht beachtet, da der erste Konditional einen Gegenwartsbezug hat, und es steht das Präsens Konjunktiv statt des Imperfekts Konjunktiv. Das gilt auch für quisiera (= querría, vgl. Lekt. 24C).

In der indirekten Rede wird der **Imperativ** durch den Konjunktiv wiedergegeben; dabei sind die Regeln für die Zeitenfolge zu beachten. Steht der Hauptsatz in einem

Tempus der Gegenwart (Präsens, Perfekt), dann erscheint der Imperativ in der indirekten Rede als Präsens Konjunktiv. Steht der Hauptsatz in einem Tempus der Vergangenheit (s. o.), dann erscheint der Imperativ in der indirekten Rede als Imperfekt Konjunktiv. Für den direkten Befehl „habla *sprich!*" ergeben sich demnach in der indirekten Rede folgende Wiedergabemöglichkeiten:

| | | |
|---|---|---|
| dice<br>ha dicho | que **hables** . . . *du sollst sprechen* | |
| dijo<br>decía<br>había dicho | que **hablases/hablaras** . . . *du solltest sprechen* | |

In diesen Konstruktionen darf die Konjunktion **que** nicht weggelassen werden!

**2. Zum Gebrauch des Konjunktivs:** Der Konjunktiv nach **el hecho de que** und in **Bedingungssätzen**

El hecho de que lo **diga**, no significa nada.
*Die Tatsache, daß er es sagt, hat nichts zu bedeuten.*

El hecho de que lo **haya dicho**, no significa nada.
*Die Tatsache, daß er es gesagt hat, hat nichts zu bedeuten.*

El hecho de que lo **dijera**, no significa nada.
*Die Tatsache, daß er es gesagt hat/sagte, hat nichts zu bedeuten.*

El hecho de que lo **hubiese dicho**, no significa nada.
*Die Tatsache, daß er es gesagt hatte, hat nichts zu bedeuten.*

El que lo diga, no significa nada.
*Die Tatsache, daß er es sagt, hat nichts zu bedeuten.*

No lo haré a menos que me lo pidas tú.
*Ich werde es nicht tun, es sei denn, du bittest mich darum.*

Te ayudo con tal que tú me ayudes a mí.
*Ich helfe dir, vorausgesetzt, du hilfst mir auch.*

Nach **el hecho de que** ( *die Tatsache/der Umstand, daß*) steht fast immer der Konjunktiv, wenn die Tatsache bzw. der Umstand als unnatürlich, unerwartet, unbedeutend oder unangenehm hingestellt werden soll. Liegt der mit „el hecho" bezeichnete Vorgang in der Gegenwart oder in der Zukunft, dann steht das Verb im Präsens Konjunktiv. Liegt der Vorgang in der Vergangenheit, dann steht das Verb im Perfekt Konjunktiv, wenn noch ein Bezug zur Gegenwart besteht; sonst steht das Verb im Imperfekt Konjunktiv. Liegt der Vorgang in der Vorvergangenheit, steht das Verb im Plusquamperfekt Konjunktiv.

Sehr oft wird **el hecho de que** zu **el que** verkürzt.

Nach **a menos que** und **a no ser que** *außer wenn, es sei denn ( , daß)* steht immer der Konjunktiv.

Ebenfalls verlangt **con tal que** *vorausgesetzt, daß* den Konjunktiv.

## 3. „Werden" als Vollverb

Se hicieron amigos.
*Sie wurden Freunde.*

Nos vamos haciendo viejos.
*Wir werden langsam alt.*

Se hace tarde.
*Es wird spät.*

Se había hecho de noche.
*Es war dunkel geworden.*

Im Sinn eines allmählichen Werdens („zu etwas werden") ist *werden* mit **hacerse** wiederzugeben.

Se ha vuelto un Don Juan.
*Er ist ein Schürzenjäger geworden.*

Nos volveremos locos.
*Wir werden verrückt (werden).*

Um einen (plötzlichen, unerwarteten) Wandel im Wesen zu bezeichnen, wird **volverse** gebraucht.

Se puso furiosa.
*Sie wurde wütend.*

Os habéis puesto serias.
*Ihr seid ernst geworden.*

Eine Veränderung im Zustand wird mit **ponerse** angegeben; **ponerse** kann niemals mit einem Substantiv verbunden werden.

Ella quería ser monja.
*Sie wollte Nonne werden.*

In der Wendung „werden wollen" im Sinne eines angestrebten Berufs heißt *werden* **ser**.

Llegó a (ser) ministro.
*Er wurde Minister.*

Ist die Stellung erreicht, ist *werden* mit **llegar a ser** – oft nur **llegar a** – wiederzugeben.

El agua se convirtió en hielo.
*Das Wasser wurde zu Eis.*

„werden zu" (= sich verwandeln in) heißt **convertirse en**.

Der deutschen Verbindung eines Adjektivs mit „werden" (z. B.: krank werden) entspricht im Spanischen oft ein eigenes Verb. Vgl. hierzu die unten in Abschnitt C gegebene Wörterliste.

## 4. Verstärkende Relativsätze

Ein Satzteil kann durch Voranstellung und Bildung eines Relativsatzes hervorgehoben werden. Diesen Konstruktionen entspricht im Deutschen oft nur eine Hervorhebung durch die Stimme.

Eres tú la que lo hará.
*Du wirst es machen.*

No es eso lo que me interesa.
*Es ist nicht das, was mich interessiert.*

Son los españoles mismos quienes lo han hecho.
*Die Spanier selbst haben es getan.*

Für ein Substantiv oder ein Personalpronomen steht als Relativpronomen **el que** (la que, los que, las que, lo que), für Personen auch **quien** (quienes).

Fue en Málaga donde nos conocimos.
*In Málaga haben wir uns kennengelernt.*
Es en primavera cuando empieza el turismo de masa.
*Im Frühling beginnt der Massentourismus.*
Es así como se hace.
*So macht man es.*
Es por la paz por lo que se manifiestan.
*Für den Frieden demonstrieren sie.*
Es por eso que lo hago.
*Deshalb tue ich es.*
Es de ti de quien hablamos.
*Von dir haben wir gesprochen.*
Es por aquí por donde vinimos.
*Hier sind wir gefahren.*

Für eine Ortsangabe steht **donde** als Relativpronomen, für Zeitangaben **cuando**, für Angaben der Art und Weise **como**.

Für eine Angabe des Grundes steht **por lo que** *weshalb* als Relativpronomen, oft jedoch, wenn auch als fehlerhaft angesehen, auch einfaches **que**.

Steht eine **Präposition** vor dem Wort, das hervorgehoben werden soll, dann wird sie vor dem Relativpronomen wiederholt.

**5. con + Infinitiv**

No perderíamos nada con intentarlo.
*Wir würden nichts verlieren, wenn wir es versuchten.*
Ya tenemos bastante con mirar iglesias.
*Für uns ist es schon ausreichend, wenn wir uns Kirchen ansehen.*
Con ser importante eso, más importante es la patria.
*Obwohl das wichtig ist, wichtiger ist das Vaterland.*

Die Verbindung **con** + **Infinitiv** kann eine Bedingung angeben und dadurch einen Konditionalsatz verkürzen.

Durch **con** + **Infinitiv** wird gelegentlich ein Konzessivsatz verkürzt.

**6. venir + Gerundio / acabar + Gerundio**

Lo viene diciendo desde hace años.
*Er sagt es seit Jahren / er hat es seit Jahren immer wieder gesagt.*

Die Verbindung **venir** + **Gerundio** bezeichnet die allmähliche Entwicklung oder die Wiederholung einer Handlung bis in die Gegenwart hinein.

Acabaron peleándose.
*Schließlich stritten sie sich.*

Die Verbindung **acabar** + **Gerundio** drückt aus, daß eine Handlung am Ende einer Entwicklung eintritt.

# 29C Sprachgebrauch – Landeskunde

Man merke sich folgende spanische Entsprechungen für das deutsche „werden" + Adjektiv:

| | | | |
|---|---|---|---|
| adelgazar | *schlank werden* | mejorar | *besser werden* |
| enfermar | *krank werden* | calmarse | *ruhig werden* |
| engordar | *dick werden* | callarse | *still werden* |
| enfriarse | *kalt werden* | secarse | *trocken werden* |

Die Wendung **haber de** + **Infinitiv** *(müssen, sollen)* drückt eine subjektive Notwendigkeit aus, manchmal auch das Vorherbestimmtsein eines zukünftigen Ereignisses: has de saber que te engañan *du mußt/sollst wissen, daß man dich betrügt;* hemos de hacerlo *wir müssen/werden es tun.* In Fragen mit **cómo** und **por qué** muß sie mit *sollen* übersetzt werden: ¿Cómo he de saberlo? *Wie soll ich das wissen?* ¿Cómo había de saberlo? *Woher sollte ich das wissen?* ¿Por qué habría de saberlo? *Warum sollte ich das wissen?*

Das Verb **advertir** heißt nur dann *warnen,* wenn es beim Konjunktiv steht. Beim Indikativ hat es die Bedeutung *hinweisen, informieren.*

**La ley se acata, pero no se cumple** (etwa: *Das Gesetz wird beachtet, aber nicht eingehalten*) ist ein geflügeltes Wort.

# 29D Übungen

1. *Setzen Sie das Verb des Hauptsatzes ins historische Perfekt und ändern Sie das Tempus des Nebensatzes entsprechend:*
   a) Nos piden que las acompañemos.
   b) Te dejo el disco para que lo escuches.
   c) Nos aconseja que salgamos inmediatamente.
   d) Le ofrezco tabaco para que se calme.
   e) La policía impide que le ataquen.
   f) Sale sin que nadie se dé cuenta.
   g) Llegan al cine antes de que empiece la película.
   h) Me alegro de que te haya gustado.
   i) No me gusta que lo hayan hecho.

2. *Setzen Sie das Verb des Hauptsatzes ins Imperfekt Indikativ und ändern Sie das Tempus des Nebensatzes entsprechend:*
   a) No quiero que vayas.
   b) Es necesario que te quedes.
   c) Tengo miedo de que se caiga.
   d) Está bien que se lo haya dicho.
   e) Es natural que no respete las señales de tráfico.
   f) No es verdad que haya gente en la casa.

247

g) No creo que vengan los demás.
h) No estoy seguro de que sea así.

3. *Bilden Sie Dialoge nach dem Muster:*

<u>Salga</u> usted <u>ahora</u>.
¿Cómo?
Le he dicho que salga ahora.

a) llegar temprano.  b) no insultar a los guardias.  c) no destrozar las flores.  d) no venir más.  e) respetar las señales de tráfico.  f) perdonarme.

4. *Ersetzen Sie in der vorigen Übung* he dicho *durch* dije *und ändern Sie dann das Tempus des Nebensatzes entsprechend.*

5. *Setzen Sie das Perfekt oder Plusquamperfekt Indikativ von* volverse, ponerse *oder* hacerse *ein:*

a) Eran unos anticuados.  b) Todos estaban nerviosos.  c) Eran ricos. d) Somos tímidos.  e) Es un sentimental.  f) Ya es tarde.  g) Es de día. h) Está fría la sopa.  i) Todos somos liberales.  j) El niño está malo.  k) El toro es manso.  l) El toro está manso.  m) Son unos granujas.  n) Era jardinero.

6. *Bilden Sie Sätze nach dem Muster:*

Lo hizo <u>Juan</u>.
Fue Juan el que lo hizo.

a) Se conocieron <u>en Málaga.</u>
b) La policía llegó <u>entonces.</u>
c) La vieron <u>con unos estudiantes.</u>
d) Se pelearon <u>por una tontería.</u>
e) Me lo dijeron <u>Pablo y Lucrecia.</u>
f) Te equivocaste <u>tú</u>, María.

7. *Ersetzen Sie den Imperativ durch* con + Infinitiv:

a) Doble a la derecha y llegará enseguida.
b) Diga usted mi nombre y se le abrirán todas las puertas.
c) Respete usted las señales de tráfico y todo saldrá bien.
d) Ponga un poco más de sal y la paella saldrá mucho mejor.
e) Pague usted sus deudas y todo estará resuelto.
f) Escriba usted una carta y será suficiente.

8. *Übersetzungsübung:*

*(Verwenden Sie in allen Sätzen Verb + Gerundio.)*
a) Der Zug passierte die Brücke, als ich schon schlief.  b) Als du geläutet hast, habe ich gerade gebadet.  c) Da es weiterhin geregnet hat, sind wir nach Hause gegangen.  d) Der Saal füllte sich nach und nach, während wir die Stühle zusammenrückten.  e) Seit zwei Jahren habe ich das immer wieder gedacht. f) Schließlich habe ich sie geheiratet.

## 30A Text

**¿Vamos al cine?**

Ana María se deja caer en un sillón y le dice a su hermana Antonia:

*Ana María:* Estoy que no puedo más. Este jaleo de Navidad te deja mareada. Menos mal que conseguí los zuecos para el tío Fermín. Podían haber costado menos en otro sitio, pero ya estaba harta de andar.

*Antonia:* Te traigo las zapatillas, ¿Por dónde andan?

*Ana María:* Por el dormitorio, en algún sitio. ¿Sabes que los vendedores llaman clocs a los zuecos?

*Antonia:* No. Toma. Estaban encima del armario. ¿Es allí ahora su sitio?

*Ana María:* No, no sé cómo han ido a parar allí. Ay, tengo los pies hinchados. He pasado seis horas caminando sin descansar. En el Metro viajé de pie porque le cedí el asiento a una anciana que iba cargada de bultos. El hombre que viajaba a mi lado se hacía el sueco igual que los otros. ¿Sabes lo que fue el colmo? Un muchacho que venía sentado leyendo el periódico. Tenía unos paquetes puestos a su lado. Me dijo que no los podía quitar y que si quería podía sentarme encima de ellos. Debías haber visto aquello. Quien diga que España es tierra de caballeros, se equivoca de medio a medio. ¿Tienes preparada la cena ya?

*Antonia:* Pues sí, pero ha llamado Sara para decir que no viene. Tiene a su madre en casa y la señora se ha puesto mala. Vendrá a despedirse cualquier día de éstos.

*Ana María:* ¿Qué haremos nosotras con tanta comida?

*Antonia:* Pues comérnosla. ¿O quieres que la tiremos?

*Ana María:* Bueno, no queda más remedio que comerla. Sara pudo avisar antes. Bueno, queda perdonada. Seguro que anda despistada por lo del viaje.

*Antonia:* Eso es. Teme a la soledad en Alemania. Como aparte del novio no conoce a nadie...

*Ana María:* Pues no debía ser tan pesimista. Personas amables encuentra uno en todas partes. Basta con buscarlas.

*Antonia:* Lo mismo le he dicho yo. Y a lo mejor hasta consigue trabajo en Alemania. Precisamente hoy ha salido un anuncio de Iberia en el que solicitan personal para Alemania. Escucha: "Necesitamos con carácter urgente secretaria con experiencia para la Jefatura Regional de Ventas de Iberia en Munich, R.F.A., que sepa hablar y escribir perfectamente español, alemán e inglés, tenga buenos conocimientos de taquigrafía y mecanografía, sentido de la responsabilidad y talento organizador. Dirigirse a..." etcétera. ¿No te parece que sería un trabajo ideal para Sara?

*Ana María:* Pero si Sara no sabe alemán.

*Antonia:* No importa. No pierde nada con intentarlo. Voy a recortar el aviso y se lo mandaré por correo.

*Ana María:* Como quieras. En Munich es donde se realizaron los Juegos Olímpicos, ¿no?

*Antonia:* Sí, y no queda lejos de donde vivirá Sara.

*Ana María:* Ay, ¡cómo me duelen los pies!

*Antonia:* Mujer, no pienses más en ellos. ¿Quieres que vayamos al cine después de cenar? Es preciso que te distraigas un poco.

*Ana María:* ¡Buena idea! ¿Echan alguna cosa interesante?

*Antonia:* Ponen "Ese oscuro objeto del deseo" de Buñuel.

*Ana María:* No, no estoy con ánimo para ver películas de horror. Las películas de Buñuel me dejan angustiada. No hay película suya en que no suceda algo espantoso.

*Antonia:* A ver si echan otra interesante. Mira, en el "París" ponen

"La Colmena". Es la que representó a España en Berlín y ganó un premio. Está basada en la novela de Cela que estoy leyendo.

Ana María: ¿Y es interesante de veras?
Antonia: Mucho. Llevo leídas ya doscientas páginas y ninguna ha sido aburrida. A mí me gustaría verla para tener una idea del aspecto que tenían las gentes de Madrid hace cuarenta años...

| | |
|---|---|
| estoy que no puedo más | ich bin erledigt |
| mareado, -a | benommen, schwindlig |
| este jaleo te deja mareada | von diesem Trubel wirst du ganz benommen |
| menos mal que ... | ein Glück, daß ... |
| el zueco | der Holzschuh |
| podían haber costado menos | sie hätten vielleicht weniger gekostet |
| en otro sitio | woanders |
| la zapatilla | der Hausschuh |
| andar | sein, sich befinden |
| por | in |
| en algún sitio | irgendwo |
| el armario | der Kleiderschrank |
| caminar | gehen, laufen |
| de pie | im Stehen |
| ceder | überlassen |
| el (la) anciano (-a) | der alte Mann (die alte Frau) |
| cargar | (be)laden |
| el bulto | das Gepäckstück |
| que iba cargada de bultos | die voll bepackt war |
| hacerse el sueco | sich dumm stellen |
| igual que | genau wie |
| el colmo | die Höhe, der Gipfel |
| venir sentado, -a | sitzen |
| debías haber visto aquello | du hättest das sehen sollen |
| el caballero | der Kavalier |
| de medio a medio | vollständig, ganz und gar |
| tiene a su madre en casa | ihre Mutter ist bei ihr |
| ponerse malo, -a | krank werden |
| cualquier día de éstos | in den nächsten Tagen |
| avisar | Bescheid geben, sagen |
| pudo avisar antes | sie hätte früher Bescheid sagen können |
| queda perdonada | sie ist entschuldigt |
| la soledad | die Einsamkeit |
| pesimista | pessimistisch |
| amable | liebenswürdig, nett |
| bastar | genügen |
| basta con (+ Inf.) | es genügt, zu ... |
| precisamente | gerade, ausgerechnet |
| salir | erscheinen, herauskommen |
| solicitar | beantragen; hier: suchen |
| el carácter | der Charakter |
| urgente | dringend, dringlich |
| con carácter urgente | dringend |
| la jefatura | die Leitung |
| la venta | der Verkauf |
| la Jefatura Regional de Ventas | etwa: die Bezirksverkaufsleitung |
| R.F.A. = República Federal de Alemania | Bundesrepublik Deutschland |
| federal | föderativ, Bundes... |
| el conocimiento | die Kenntnis |
| la taquigrafía | die Kurzschrift |
| la mecanografía | das Maschineschreiben |
| la responsabilidad | die Verantwortung |
| el sentido de responsabilidad | das Verantwortungsbewußtsein |
| organizador, -a | Organisations... |
| dirigirse a | wenden Sie sich an |
| etcétera | und so weiter |
| ideal | ideal |
| recortar | ausschneiden |
| el aviso | die Anzeige, die Annonce |
| distraer | ablenken; zerstreuen |
| distraerse | sich unterhalten |
| ponen | es wird gezeigt, es läuft |
| el objeto | der Gegenstand; das Objekt; das Ziel |
| el deseo | der Wunsch; die Begierde |
| el ánimo | die Stimmung |
| el horror | der Schrecken |
| de horror | Horror... |

| | | | |
|---|---|---|---|
| angustiar | *ängstigen* | llevo leídas | *ich habe (schon) gele-* |
| la colmena | *der Bienenkorb* | | *sen* |
| el premio | *der Preis, die Auszeich-* | la página | *die (Buch-, Heft-)Seite* |
| | *nung* | | |
| estar basado, -a en | *beruhen auf* | *Grammatik:* | |
| | | cuanto | *alles, was* |

## 30B Grammatik

### 1. Der Konjunktiv in Relativsätzen

Der Konjunktiv steht in einem Relativsatz, wenn sein Inhalt keine Tatsache ist bzw. nicht als eine solche erscheinen soll. Man kann hier folgende Inhalte unterscheiden:

Buscan una secretaria que sepa inglés.
*Sie suchen eine Sekretärin, die Englisch kann.*

Der Relativsatz drückt einen **Wunsch** oder eine **Forderung** aus.

Quien diga tal cosa es un ignorante.
*Wer (auch immer) das sagt, ist ein Dummkopf.*

Der Relativsatz drückt etwas **Ungewisses** aus.

Haz lo que quieras.
*Tu, was du willst.*

Díselo sólo a quien te lo pregunte.
*Sag es nur dem, der dich danach fragt (fragen sollte).*

No hay nada que la pueda calmar.
*Es gibt nichts, was sie beruhigen kann/könnte.*

Der Relativsatz drückt etwas **Unwirkliches** aus.

Vive como quieras.
*Lebe, wie du magst.*

Iré contigo adonde vayas.
*Ich gehe mit dir, wohin du auch gehst.*

Llévate cuanto desees.
*Nimm alles, was du magst.*

Nach den gleichen Regeln wird der Konjunktiv auch bei den sog. Relativadverbien **como, cuando, donde** und **cuanto** gebraucht.

### 2. Gebrauch und Wegfall der Präposition a vor dem Akkusativobjekt

No veo a nadie.
*Ich sehe niemand.*

No conozco a ninguno de ellos.
*Ich kenne keinen von ihnen.*

Die Präposition **a** steht vor einem alleinstehenden Indefinitpronomen, das sich auf eine Person bezieht.

No los conozco a todos, sino sólo a dos.
*Ich kenne nicht alle, sondern nur zwei.*

252

Ver a Toledo.
*Toledo sehen.*

Tememos a sus palabras.
*Wir fürchten seine Worte.*

¿Cómo llamas a esto?
*Wie nennst du das?*

No tengo a nadie en el mundo.
*Ich habe niemanden auf der Welt.*

Tengo a Pepito en casa.
*Pepito ist bei mir* (wörtl.: *ich habe P. zu Hause*).

Tengo a mi madre enferma.
*Meine Mutter ist krank.*

Iberia está buscando personal.
*Iberia sucht Personal.*

Tú necesitas un jardinero.
*Du brauchst einen Gärtner.*

En esta ciudad sólo veo ladrones.
*In dieser Stadt sehe ich lauter Diebe.*

Gelegentlich steht **a** noch vor Länder- und Städtenamen.

Bei Verben, die vorwiegend mit einem Personenakkusativ verbunden werden, kann **a** vor einer Sache im Akkusativ stehen.

Bei **llamar** *nennen* steht **a** vor einer Sache im Akkusativ.

Vor **tener** steht **a**, wenn das Objekt ein Eigenname oder ein Substantiv mit einem Possessiv- oder Demonstrativpronomen ist oder wenn es ein alleinstehendes Indefinitpronomen ist, das sich auf eine Person bezieht.

Bei Verwandtschaftsbezeichnungen ist der Gebrauch von **tener a** sehr häufig.

Vor dem Akkusativobjekt steht k e i n a, wenn es sich dabei ganz allgemein um irgendwelche, nicht bekannte Personen handelt.

### 3. cualquiera / alguno

Eso está en **algún** armario.
*Das ist in irgendeinem Schrank* (ich weiß nur nicht genau, in welchem).

Puedes dejarlo en **cualquier** armario.
*Du kannst es in irgendeinem Schrank lassen* (es ist ganz egal, in welchem).

### 4. ser mit Ortsadverbien

¿Dónde están las guías?
Abajo. Su sitio es allí ahora.

*Wo sind die Stadtführer?*
*Unten. Ihr Platz ist jetzt dort.*

Estoy buscando el consultorio del doctor Suárez.
Es aquí, pero el doctor no está.

*Ich suche die Praxis von Herrn Dr. Suárez.*
*Das ist hier, aber der Herr Doktor ist gerade nicht da.*

Bei der Angabe eines Ortes durch ein Ortsadverb wird **ser** gebraucht (es allí, es aquí). Dabei wird jedoch keine Angabe über den Standort einer Person oder die Lage einer Sache gemacht; hierfür wird **estar** verwendet.

**5. Ersatzformen für den Konditional von deber und poder**

| | |
|---|---|
| Debías hacerlo. | Der 1. Konditional **debería** wird häufig durch **debía** ersetzt. |
| *Du solltest es tun.* | |
| Podías habérselo dicho. | Der 2. Konditional **habría podido** kann durch **podía haber** oder **pude** ersetzt werden. |
| *Du hättest es ihm sagen können.* | |
| Le pudo costar la vida. | |
| *Es hätte ihn das Leben kosten können.* | |
| Debías haberla visto. | Statt **habría debido** heißt es meistens **debía haber**, aber auch **debí**. |
| *Du hättest sie sehen müssen.* | |
| Debiste comprarlo. | |
| *Du hättest es kaufen sollen/müssen.* | |

**6. tener + Partizip / llevar + Partizip**

| | |
|---|---|
| Lo tengo apuntado aquí. | Die Verbindung **tener + (veränderliches) Partizip** drückt das Ergebnis eines vollendeten Vorgangs aus. |
| *Ich habe es hier aufgeschrieben.* | |
| Ya tengo preparada la cena. | |
| *Ich habe das Abendessen schon fertig.* | |
| Llevo leídas las cien primeras páginas. | Die Verbindung **llevar + (veränderliches) Partizip** drückt den augenblicklichen Stand einer längeren Entwicklung aus. |
| *Ich habe bereits die ersten hundert Seiten gelesen.* | |

# 30C Sprachgebrauch – Landeskunde

Statt **estar** werden sehr häufig die Verben der Bewegung **ir** und **venir** verwendet: iban sentados *sie saßen;* venía sentado *er saß;* venían de pie *sie standen.* Außerdem werden die Verben **andar, encontrarse, quedar, quedarse, verse** und **permanecer** statt **estar** als Kopula gebraucht. Beispiele für den Gebrauch von **andar**: los juguetes andan por el suelo *die Spielsachen liegen auf dem Fußboden herum;* anda triste por lo de los exámenes *sie ist wegen der Prüfungen traurig (man hat sie ab und zu so gesehen).*

Die Verben **dejar** *( = in einem Zustand zurücklassen)* und **quedar/quedarse** *( = in einem Zustand zurückbleiben)* ergänzen einander: la guerra los dejó en la miseria *der Krieg hat sie im Elend zurückgelassen;* quedaron en la miseria por la guerra *durch den Krieg sind sie ins Elend geraten.* Mit **quedarse** wird im folgenden Beispiel eine starke Betroffenheit ausgedrückt: me quedé asombrado *ich war erstaunt (ich wurde in Erstaunen versetzt).*

**Iberia** *(„Iberien")* ist der Name der spanischen Luftfahrtgesellschaft.

**Buñuel:** Luis Buñuel (1900–1983) war ein berühmter spanischer Filmregisseur. **Cela:** vgl. Lekt. 25C.

# 30D Übungen

1. *Ergänzen Sie den zweiten Satz mit Hilfe des ersten und achten Sie dabei auf den Moduswechsel:*
   a) Usted no sabe francés. Buscan una secretaria que . . . . .
   b) Usted no tiene conocimientos de taquigrafía. Nosotros queremos una secretaria que . . . . .
   c) Ya conocemos todos tus chistes. Cuéntanos uno que . . . . .
   d) Alguien debe cuidar a los niños. Necesitamos una persona que . . . . .
   e) Todos los periódicos traen malas noticias. Quisiera leer un periódico que . . . . .
   f) Necesitas distraerte. ¿Por qué no haces algo que . . . . .?

2. *Setzen Sie das Verb des Hauptsatzes ins Imperfekt Indikativ und ändern Sie dann das Tempus des Nebensatzes entsprechend:*
   a) No hay fiesta que no termine en una discusión.
   b) Busca un hombre que la comprenda.
   c) Le dice que coma todo lo que quiera.
   d) No conozco ninguna empresa que no haya hecho pérdidas.
   e) No dice nada que no sea un ataque contra los curas.

3. *Setzen Sie a ein, wenn es fehlt:*
   a) Iberia está buscando . . . . . personal.
   b) Yo también tengo . . . . . amigos en España.
   c) No sacamos nada con insultar . . . . . los guardias.
   d) Vimos en el andén . . . . . un hombre de barba y bigote.
   e) No hemos visto . . . . . nadie.
   f) No la quiere . . . . . ella, sino . . . . . otra.
   g) No le gusta invitar . . . . . españoles cuando tiene . . . . . invitados alemanes en casa.

h) Usted ha ofendido . . . . . mi patria.
i) Dígame, ¿. . . . . cuál de esos señores vio usted en la playa?
j) Una engañada no olvida nunca . . . . . el que la engañó.
k) Vimos . . . . . muchos vecinos en la estación, pero no vimos . . . . . Sara.
l) Es capaz de engañar . . . . . cualquiera con sus cosas.

4. *Setzen Sie* cualquiera *oder* alguno *ein (achten Sie dabei auf die Verkürzung dieser Pronomen):*

   a) Vamos a preguntar a . . . . . guardia.
   b) Las gafas tienen que estar en . . . . . sitio.
   c) No puedes dejar las zapatillas en . . . . . sitio.
   d) Vamos a charlar en . . . . . bar.
   e) Coge . . . . . trapo de ésos y ponte a limpiar el polvo.
   f) . . . . . motivo ha de tener para hacer tal cosa.
   g) Llame usted a . . . . . de los teléfonos que le hemos dado.
   h) Este problema tiene que tener . . . . . solución.

5. *Setzen Sie das Präsens, dann das Imperfekt von* ser *oder* estar *ein:*

   a) Esa ciudad no . . . . . en el centro, sino en el sur de Alemania.
   b) Los zuecos . . . . . encima del armario.
   c) El sitio de los bultos grandes . . . . . detrás.
   d) Buscamos el consultorio del doctor Pérez. Nos han dicho que . . . . . aquí.
   e) El dolor . . . . . aquí, señor.
   f) Yo creo que Pedro . . . . . en casa.

6. *Übersetzungsübung:*

   a) Du hättest es mir sagen können.  b) Das hätten Sie nicht tun dürfen.  c) Du hättest früher aufstehen müssen.  d) Das hättet ihr hören müssen.  e) Wir hätten nicht bleiben können.  f) Ich hätte es dir zeigen sollen.

# Spanisch-Deutsches Wörterverzeichnis

Die Tilde (~) wiederholt das Stichwort.

## A

**a** nach; zu; in; *steht vor der Bezeichnung eines Lebewesens im Akkusativ*
**abajo** unten; **más** ~ weiter unten
**abandonar** aufgeben, verlassen
**abanico** *m* Fächer
**abierto, -a** offen
**abogado** *m* Rechtsanwalt
**abrazo** *m* Umarmung
**abril** *m* April
**abrir** öffnen; eröffnen
**absoluto: en** ~ keineswegs; überhaupt nicht
**abuela** *f* Großmutter
**abuelita** *f* Oma
**abuelo** *m* Großvater; ~s *m/pl.* Großeltern
**aburrido, -a** langweilig
**acá** hier; **más** ~ diesseits
**acabar** enden; beenden; *mit Gerundio:* schließlich etw. tun; ~ **de desayunar** gerade gefrühstückt haben; ~se enden, aufhören; ¡se acabó! Schluß damit!
**academia** *f* Akademie; ~ **de idiomas** Sprachenschule
**acaso** vielleicht
**acatar** (be)achten, Folge leisten
**accidentado, -a** verunglückt
**accidente** *m* Unfall
**aceite** *m* Öl
**aceituna** *f* Olive
**acento** *m* Akzent
**aceptar** annehmen, akzeptieren; anerkennen
**acera** *f* Gehsteig, Bürgersteig
**acercar** heranbringen; ~se (näher)kommen, sich nähern
**ácido, -a** sauer
**aclarar** (auf)klären
**acoger** empfangen
**acomodarse** es sich bequem machen
**acompañar** begleiten
**aconsejar** raten
**acordarse** (ue) **de** sich erinnern an
**acostarse** (ue) sich hinlegen, schlafen gehen
**acostumbrar** gewöhnen
**actitud** *f* Haltung, Einstellung
**actual** gegenwärtig

**acuerdo** *m* Übereinstimmung, Einverständnis; **de** ~ einverstanden
**adelante** vorwärts; ¡~! herein!
**adelgazar** abnehmen, schlank werden
**además** außerdem; ~ **de** außer
**adentro** hinein
**¡adiós!** auf Wiedersehen!
**administrador** *m,* ~**a** *f* Geschäftsführer(in)
**admirar** bewundern
**adonde** wohin
**adornar** verzieren, dekorieren
**adquirir** (ie) erwerben
**advertir** (ie) warnen; anzeigen, hinweisen (auf)
**aeropuerto** *m* Flughafen
**afeitar** rasieren
**afición** *f* Vorliebe
**África** *f* Afrika
**afuera** hinaus
**agacharse** sich bücken
**agencia** *f* **de viajes** Reisebüro
**agitadamente** aufgeregt; in ständiger Bewegung
**agitado, -a** aufgeregt
**agosto** *m* August *(Monat)*
**agradable** angenehm
**agradecer** (zc) danken **(algo a alg.)** j-m für etw.)
**agua** *f* Wasser
**aguantar** aushalten; **no le aguanto** ich kann ihn nicht ausstehen
**ahora** jetzt
**ahorrar** sparen
**aire** *m* Luft
**aislar** isolieren
**ajo** *m* Knoblauch
**ala** *f* Flügel
**alarma** *f* Alarm, Notruf
**alavés, -esa: a la alavesa** nach der Art von A ± lava
**albañil** *m* Maurer
**alcanzar** reichen, ausreichen; erreichen
**alcohol** *m* Alkohol
**alegrar** freuen, erfreuen; ~se de sich freuen über
**alegre** fröhlich, lustig
**alemán, -ana** deutsch; *m, f* Deutscher, Deutsche
**Alemania** *f* Deutschland; **República Federal de** ~ Bundesrepublik Deutschland

**alfiler** *m* Stecknadel
**alfombra** *f* Teppich
**algo** etwas
**alguien** jemand
**alguno, -a** irgendeine(r); manche(r), manch ein; *pl.* -os, -as einige
**alma** *f* Seele
**almacén** *m* Lager; **grandes almacenes** *m/pl.* Kaufhaus
**almohada** *f* Kissen
**almorzar** (ue) frühstücken; vespern
**alojarse** logieren, absteigen, wohnen
**alquilar** mieten; vermieten
**alrededor** ringsherum; ~es *m/pl.* Umgebung
**altavoz** *m* Lautsprecher
**alto, -a** hoch, groß; **en voz -a** laut
**altura** *f* Höhe
**alumno** *m* Schüler; Student
**allá** dort, da; **más** ~ **de** über ...
hinaus; jenseits
**allí** dort
**amabilidad** *f* Liebenswürdigkeit
**amable** liebenswürdig, nett
**amapola** *f* Mohn
**amargar** bitter machen; verbittern; ~se **la vida** sich das Leben schwermachen
**amarillo, -a** gelb
**ambicioso, -a** ehrgeizig
**amenazador, -a** drohend; bedrohlich
**América** *f* Amerika
**americano** *m,* **-a** *f* (Latein-) Amerikaner(in)
**amiga** *f* Freundin
**amigo** *m* Freund; *Adj.* ~, **-a** befreundet
**amistad** *f* Freundschaft; **hacer** ~ sich anfreunden
**amontonar** anhäufen; ~se sich sammeln, zusammenlaufen
**amor** *m* Liebe
**análisis** *m* Untersuchung
**anciano, -a** *f* Greis(in)
**ancho, -a** breit
**Andalucía** *f* Andalusien
**andaluz, -za** *m* Andalusier(in)
**andar** (zu Fuß) gehen; sein, sich befinden; ~ **de malas** Pech haben
**andén** *m* Bahnsteig

ángel *m* Engel
angustiar ängstigen
animado, -a lebhaft, lustig
ánimo *m* Stimmung
ansioso, -a por neugierig, erpicht auf
ante vor
anteayer vorgestern
antes früher; ~ de vor; ~ de que ehe, bevor
antigüedades *f/pl.* Antiquitäten
antiguo, -a alt, altertümlich
antipatía *f* Abneigung
anuncio *m* Anzeige, Annonce
año *m* Jahr
apagar auslöschen, ausmachen
aparcamiento *m* Parkplatz
aparcar parken
aparecer (zc) erscheinen
apartamento *m* Appartement
aparte de abgesehen von, außer
apearse aussteigen
apellido *m* Familienname
apenas kaum
apetecer (zc) Appetit machen; ¿te apetece ...? magst du ...?
apetito *m* Appetit
aplastar plattdrücken
aplicado, -a fleißig
aprender lernen
apretar (ie) drücken
aprovechar (aus)nutzen; benutzen
apuntar aufschreiben
aquel, aquella jene(r, -s); aquello jenes
aquí hier; ~ mismo hier, in dieser Stadt
árabe arabisch; ~ *m* Araber
árbol *m* Baum
área *f* Gebiet
Argentina *f* Argentinien
argentino, -a argentinisch; *m, f* Argentinier(in)
arma *f* Waffe
armario *m* Schrank, Kleiderschrank
arquitectura *f* Architektur; Stadtbild
arreglar reparieren; aufräumen, in Ordnung bringen; ~se sich fertigmachen, sich herrichten
arriba oben
arroz *m* Reis
arte *m* Kunst
artesanía *f* Kunsthandwerk

artístico, -a Kunst ...
asado *m* Braten
ascensor *m* Aufzug, Fahrstuhl
aseado, -a sauber
así so, auf diese Weise; *beim Substantiv:* solch
Asia *f* Asien
asiento *m* (Sitz-)Platz; tomar ~ Platz nehmen, sich setzen
asimismo ebenfalls
asistir a teilnehmen an
asociación *f* Vereinigung, Verband
aspecto *m* Aussehen; tener un gran ~ gut aussehen
aspiradora *f* Staubsauger; pasar la ~ staubsaugen
asunto *m* Angelegenheit, Sache
asustar erschrecken, in Schrecken versetzen
atacar angreifen
ataque *m* Angriff; Anfall; ~ al corazón Herzanfall
atención *f* Aufmerksamkeit; llamar la ~ auffallen
atender (ie) bedienen
atento -a aufmerksam; höflich
Atlántico *m* Atlantik
atraer anziehen, anlocken
atrás (nach) hinten
atravesar (ie) durchqueren, durch ... gehen
aumento *m* Zunahme, Anstieg
aún noch
aunque obwohl; wenn auch
autobús *m* Bus
autóctono, -a bodenständig, eingeboren, (ein)heimisch
automóvil *m* Auto(mobil)
automovilista *m* Autofahrer
autopista *f* Autobahn
autoridad *f* Behörde
avanzar sich vorwärts bewegen
avenida *f* Allee
avería *f* Schaden, Panne
averiguar ermitteln, herausfinden
avión *m* Flugzeug
avisar Bescheid geben, B. sagen
aviso *m* Anzeige, Annonce
¡ay! o weh!
ayer gestern
ayuda *f* Hilfe
ayudar helfen; ~ a misa ministrieren
azteca aztekisch; *m* Azteke
azúcar *m* Zucker
azul blau

**B**

bachillerato *m* Abitur
bailar tanzen
bajar herunterkommen, hinuntergehen; ~se del coche aussteigen
bajo, -a niedrig, klein; bajo *Adv.* leise; *Präp.* unter
balcón *m* Balkon
baloncesto *m* Korbball (*Spiel*)
banco *m* Bank
bandeja *f* Tablett
bandera *f* Fahne, Flagge
bañarse baden
bañera *f* Badewanne
baño *m* Bad; Badezimmer
bar *m* Bar
barato, -a billig, preiswert
barba *f* Bart
barbaridad *f* Ungeheuerlichkeit; una ~ beim *Verb:* sehr viel, maßlos
barco *m* Schiff; ~ de vela Segelboot
barrer kehren, fegen
barrio *m* Stadtviertel
basado, -a: estar ~ en beruhen auf
base *f* Grundlage; a ~ de mit, aus
básico, -a grundlegend
bastante genug; ziemlich; ziemlich viel; tener ~ con ausreichen mit
bastar genügen; basta con mit *Inf.:* es genügt, zu ...
basura *f* Müll
batalla *f* Schlacht
beber trinken; ~se austrinken
belga belgisch; *m, f* Belgier(in)
bello, -a schön
Berlín *m* Berlin; ~ Occidental Westberlin
beso *m* Kuß
biblioteca *f* Bibliothek
bicicleta *f* Fahrrad
bidón *m* Kanister
bien gut, schön, in Ordnung; más ~ lieber, eher
bienvenido, -a willkommen
bigote *m* Schnurrbart
billete *m* Fahrkarte
bizcocho *m* Zwieback
blanco, -a weiß
blando, -a weich; sanft, nachgiebig
blusa *f* Bluse
bocadillo *m* belegtes Brötchen

**bodas** *f/pl.* Hochzeit; **viaje de ~** Hochzeitsreise
**boina** *f* Baskenmütze
**bolígrafo** *m* Kugelschreiber
**Bolivia** *f* Bolivien
**boliviano, -a** bolivianisch; *m, f* Bolivianer(in)
**bolsillo** *m* (Hosen-)Tasche
**bolso** *m* Tasche
**bonito, -a** hübsch, schön
**borde** *m* Rand
**borracho, -a** betrunken
**bosque** *m* Wald
**botella** *f* Flasche
**bravo, -a** wild
**brazo** *m* Arm; **con los ~s cruzados** mit verschränkten Armen; untätig
**brindar** anstoßen *(beim Trinken)*
**broma** *f* Spaß, Scherz; **estar para ~s** zu Späßen aufgelegt sein; **dejarse de ~s** aufhören zu spaßen
**bromear** spaßen
**bueno, -a** gut; **¡bueno!** nun ja, na schön
**buey** *m* Ochse
**bulto** *m* Gepäckstück
**burgalés, -a** aus Burgos
**burguesía** *f* Bürgertum; Bourgeoisie
**burlarse de** sich lustig machen über
**burlón, -ona** spöttisch
**buscar** suchen

**C**

**caballero** *m* Kavalier
**caballo** *m* Pferd
**caber** Platz haben, hineinpassen
**cabeza** *f* Kopf
**cacerola** *f* Topf, Kasserolle
**cada (uno)** jeder (einzelne); **cada cual** jeder
**caer** (herunter)fallen; niederstürzen; **~se** (hin)fallen, stürzen
**café** *m* Kaffee
**cafetería** *f* Café
**calamidad** *f* Katastrophe; Niete, Null
**calcetín** *m* Socke
**calcular** schätzen; rechnen
**calefacción** *f* Heizung
**calentar** (ie) (er)wärmen
**calentito, -a** schön warm

**calidad** *f* Qualität
**caliente** heiß
**California** *f* Kalifornien
**calmarse** sich beruhigen; ruhig werden
**calor** *m* Hitze; **hace ~ es** ist heiß
**callado, -a** schweigsam, ruhig, still
**callarse** den Mund halten, schweigen; still werden
**calle** *f* Straße
**cama** *f* Bett
**cámara** *f* **fotográfica** Fotoapparat
**camarera** *f* Kellnerin
**camarero** *m* Kellner
**cambiar** sich (ver)ändern; (aus)tauschen; **~ de aire** die Umgebung wechseln; **~se de traje** sich umziehen
**cambio** *m* Veränderung; Wechsel; **en ~** dagegen
**caminar** gehen, laufen
**camino** *m* Weg
**camión** *m* Lastwagen
**campesino** *m,* **-a** *f* Bauer, Bäuerin
**campo** *m* Land, Feld
**canción** *f* Lied
**cansado, -a** müde
**cansar** langweilen, belästigen
**cántabro, -a** kantabrisch
**cantante** *m, f* Sänger(in)
**cantar** singen
**caña** *f* (Schilf-)Rohr; **~ de pescar** Angelrute
**capaz** fähig **(de zu)**
**capital** *m* Kapital
**capítulo** *m* Kapitel
**cara** *f* Gesicht; **tener buena ~** gut aussehen
**carácter** *m* Charakter; **con ~ urgente** dringend
**¡caramba!** Donnerwetter!
**cárcel** *f* Gefängnis
**cardo** *m* Distel
**cargar** (be)laden
**cariño** *m* Liebe, Zuneigung; **¡~!** (mein) Schatz!
**cariñoso, -a** liebevoll
**carne** *f* Fleisch
**carnicería** *f* Metzgerei
**caro, -a** teuer
**carrete** *m* (Roll-)Film
**carretera** *f* (Land-, Fern-)Straße
**carril** *m* Fahrbahn
**carta** *f* Brief

**casa** *f* Haus; **en ~** zu Hause, bei uns; **a ~** nach Hause, zu uns; **~ de verano** Sommerhaus
**casado, -a** verheiratet
**casarse** heiraten **(con alg.** j-n)
**casi** fast, beinah
**casita** *f* Häuschen
**caso** *m* Fall; **el ~ es que** die Sache liegt so, daß; **hacer ~ a alg.** j-n hören
**castañuela** *f* Kastagnette
**castellano, -a** kastilisch; *m, f* Kastilier(in); **~** *m* Spanisch *(Sprache)*
**castillo** *m* Schloß, Burg
**catalán, -ana** katalanisch; *m, f* Katalane, Katalanin; **~** *m* Katalanisch *(Sprache)*
**catarro** *m* Schnupfen, Erkältung
**catedral** *f* Dom; Kathedrale
**católico, -a** katholisch
**cebolla** *f* Zwiebel
**ceder** nachgeben; *j-m etw.* überlassen
**celebrar** feiern
**celos** *m/pl.* Eifersucht; **tener ~ de alg.** auf j-n eifersüchtig sein
**celoso, -a** eifersüchtig
**cena** *f* Abendessen
**cenar** zu Abend essen
**central** Zentral ...
**centro** *m* Zentrum
**cerámica** *f* Keramik
**cerca** nahe, in der Nähe; **de ~** aus der Nähe, von nahem
**cerdo** *m* Schwein
**cerilla** *f* Streichholz
**cerrado, -a** geschlossen, zu; *Himmel:* bedeckt
**cerrar** (ie) (ab)schließen, zumachen
**cerro** *m* Hügel
**cerveza** *f* Bier
**cesar** aufhören; **sin ~** immerzu, ständig
**cesta** *f* Korb
**cielo** *m* Himmel
**cien, ciento** hundert; **por ciento** Prozent
**cierto, -a** gewiß; **¿es ~?** stimmt es?
**cigarrillo** *m* Zigarette
**cine** *m* Kino
**cinta** *f* Band
**cita** *f* Verabredung
**ciudad** *f* Stadt; **la ~ de Burgos** die Stadt B.
**civil** Bürger ...

**claridad** f Deutlichkeit
**claro** klar, natürlich
**clase** f Unterricht
**clásico, -a** klassisch
**clavar** einschlagen (*Nagel*)
**clavo** m Nagel
**cliente** m Kunde
**cobrar** kassieren
**cocer** kochen, gar werden lassen
**cocido** m Eintopf mit Fleisch und Gemüse
**cocina** f Küche
**cocinar** kochen
**cocinero** m Koch
**coche** m Wagen, Auto; ～ **oficial** Dienstwagen; **tener** ～ e-n Wagen haben; **en** ～ mit dem Wagen
**coger** nehmen; übernehmen; ～ **un catarro** e-n Schnupfen bekommen; ～ **del brazo** am Arm packen
**col** f Kohl, Kraut
**cola** f Schwanz; **hacer** ～ Schlange stehen
**colegio** m Schule
**colgar** (ue) (auf)hängen; auflegen (*Telefon*)
**cólico** m Kolik
**colmena** f Bienenkorb
**colmo** m Höhe, Gipfel
**colocar** stellen, setzen, legen
**Colombia** f Kolumbien
**colombiano, -a** kolumbianisch; m, f Kolumbianer(in)
**Colonia** f Köln
**colonial** Kolonial ...
**color** m Farbe; **de** ～ Farb ...
**comedor** m Eßzimmer; Speisesaal
**comenzar** (ie) beginnen
**comer** essen; zu Mittag essen
**comercio** m Handel
**comida** f Essen
**comienzo** m Anfang
**comisión** f Provision, Vermittlungsgebühr
**como** wie; als; da (ja), weil; ～ **si** als ob; **¿cómo?** wie?
**comodidad** f Bequemlichkeit
**cómodo, -a** bequem
**compañero** m Kollege, Kamerad
**completamente** gänzlich, völlig
**completo, -a** vollständig, komplett
**complicar** komplizieren, er-

schweren; ～**se** schwierig werden
**complot** m Komplott
**compra** f Kauf; Einkauf; **hacer la** ～ die (täglichen) Besorgungen machen
**comprar** kaufen
**comprender** begreifen, verstehen
**comprobar** (ue) feststellen, prüfen
**común** (～ **a**) gemeinsam
**comunicación** f Verbindung
**con** mit; zu, gegenüber (*j-m*)
**conde** m Graf
**condición** f Bedingung
**conducir** (zc) lenken, fahren, führen
**conductor** m Fahrer
**confianza** f Vertrauen
**confundir** verwechseln
**congreso** m Kongreß
**conmigo** mit mir
**conocer** (zc) kennen; kennenlernen
**conocimiento** m Kenntnis
**conquista** f Eroberung
**conseguir** (i) bekommen; erreichen
**consejo** m Ratschlag
**conservar** erhalten
**consigo** mit sich
**constantemente** ständig
**constructor, -a** Bau ...
**construir** (y) bauen, aufbauen
**consulado** m Konsulat
**consultorio** m (Arzt-)Praxis
**contagiar** anstecken (mit)
**contaminación** f Verschmutzung
**contar** (ue) zählen; erzählen
**contestación** f Antwort, Erwiderung
**contestar** antworten; **quedar sin** ～ unbeantwortet bleiben
**contigo** mit dir
**continente** m Kontinent, Erdteil
**continuar** (ú) weiterfahren, -gehen, -machen; ～ **viaje** weiterreisen
**contra** gegen
**contrario: lo** ～ das Gegenteil; **todo lo** ～ ganz im Gegenteil
**contratiempo** m Unannehmlichkeit
**control** m Kontrolle
**convencer** überzeugen, überreden

**convenir** zuträglich sein, ratsam sein
**conversación** f Gespräch
**convertir** (ie) verwandeln; ～**se en** werden zu
**conyugal** Ehe ...; ehelich
**coñac** m Kognak
**copa** f (Wein-)Glas
**copia** f Kopie
**copiosamente** reichlich
**corazón** m Herz
**corbata** f Krawatte
**cordial** herzlich
**correcto, -a** richtig, korrekt
**corregir** (i) verbessern
**correo** m Post; **por** ～ mit der Post; **por** ～ **certificado** per Einschreiben
**correr** laufen, rennen; fließen
**cortar** (ab)schneiden; unterbrechen; ～**se el pelo** sich die Haare schneiden lassen
**corto, -a** kurz
**cosa** f Ding, Sache; **una** ～ etwas; **gran** ～ viel
**coser** nähen
**costa** f Küste
**costar** (ue) kosten; ～ **un ojo de la cara** ein Heidengeld kosten; ～ **trabajo** Mühe bereiten
**Costa Rica** f Costa Rica
**costarriqueño, -a** costaricanisch; m, f Costaricaner(in)
**costumbre** f Gewohnheit; **como de** ～ wie üblich
**crecer** (zc) wachsen
**creces** f/pl.: **con** ～ reichlich, im Übermaß
**creer** glauben
**cremallera** f Reißverschluß
**criada** f Dienstmädchen
**criar** züchten; aufziehen; ～**se** aufwachsen
**crimen** m Verbrechen
**criminalidad** f Kriminalität
**criollo, -a** kreolisch
**crisis** f Krise
**cristiano, -a** christlich
**crítico, -a** kritisch
**cruzar** kreuzen; überqueren; ～**se con** zufällig treffen
**cuadernito** m kleines Heft
**cuaderno** m Schreibheft
**cuadrado, -a** viereckig; quadratisch
**cuadro** m Bild
**cual: el** ～**, la** ～ der, die das; welche(r, -s); **¿cuál?** welche(r, -s)?

**cualquier(a)** jede(r, -s); irgendein
**cuando** wenn; als; **¿cuándo?** wann?
**cuanto: unos ~s, unas -as** einige, ein paar; **~ antes** so schnell wie möglich; **¿cuánto?** wieviel?; wie lange?
**cuarto, -a** vierte(r, -s)
**cuarto** *m* Viertel; Zimmer; **~ de hora** Viertelstunde
**Cuba** *f* Kuba
**cubano, -a** kubanisch; *m, f* Kubaner(in)
**cubrir** bedecken, zudecken; **~ de** überhäufen mit
**cuchara** *f* Löffel
**cuello** *m* Hals; **a voz en ~** lauthals
**cuenta** *f* Rechnung; **darse ~ de algo** etw. merken, etw. begreifen
**cuento** *m* Erzählung; Märchen
**cuero** *m* Leder
**cueva** *f* Höhle; **~ de ladrones** Räuberhöhle
**cuidado** *m* Vorsicht; **con mucho ~** sehr vorsichtig; **~ con ...** bloß nicht ..., ja nicht ...
**cuidar** pflegen
**culpa** *f* Schuld; **tener la ~ de algo** an etw. schuld sein
**culto, -a** gebildet, kultiviert
**cumbre** *f* Gipfel
**cumpleaños** *m* Geburtstag
**cumplir** vollenden; erfüllen, (ein)halten
**cuñado** *m* Schwager
**cura** *m* Geistliche(r), Priester
**curarse** heilen
**cursilería** *f* Kitsch
**curso** *m* Kurs; Klasse
**cuyo, -a** dessen, deren; **¿cúyo?** wessen?

## Ch

**chabola** *f* (elende) Hütte
**charlar** plaudern
**chaval** *m* Junge
**chica** *f* Mädchen
**Chile** *m* Chile
**chileno, -a** chilenisch; *m, f* Chilene, Chilenin
**chiste** *m* Witz
**chocar** anstoßen; aufprallen; zusammenstoßen
**chocolate** *m* Schokolade

**chófer** *m* Chauffeur, Fahrer
**choque** *m* Zusammenstoß
**chorizo** *m* Paprikawurst
**churro** *m* Ölkringel *(Gebäck)*

## D

**dar** geben; **~ a** gehen auf *(z. B. Fenster)*
**de** von; aus; als
**debajo** unten; **~ de** unter
**deber** schulden; sollen, müssen; **~ de** müssen; **~** *m* Pflicht
**debido, -a** gehörig, richtig
**débil** schwach
**decidir** beschließen; entscheiden; **~se** sich entschließen
**décimo, -a** zehnte(r, -s)
**decir** sagen; **~ que no** nein sagen
**decisión** *f* Entscheidung
**dedicarse a** sich widmen
**dedo** *m* Finger
**defender** (ie) verteidigen
**defensor** *m* Verteidiger; **~, -a** Verteidigungs..., Schutz...
**dejar** lassen; überlassen; verlassen; erlauben; **~ de** aufhören zu, nicht mehr ...; **~ que** desear zu wünschen übriglassen
**delante** vorn; **~ de** vor *(räumlich)*
**delgado, -a** schlank
**demás: los ~, las ~** die übrigen; **lo ~** das übrige
**demasiado, -a** zuviel
**demostrar** (ue) zeigen
**denominar** nennen
**dentro** drinnen; **~ de** in, nach Ablauf (von)
**departamento** *m* Abteil
**dependienta** *f* Angestellte, Verkäuferin
**dependiente** abhängig **(de** von)
**deporte** *m* Sport
**deprisa** *Adv.* schnell
**derecha** *f*: **a la ~** rechts
**derecho, -a** rechte(r, -s)
**derrota** *f* Niederlage
**desagradable** unangenehm
**desarrollo** *m* Entwicklung
**desayunar** frühstücken
**desayuno** *m* Frühstück
**descansar** sich ausruhen; sich

erholen; **que descansen ustedes** angenehme Ruhe!
**descanso** *m* Pause; Ruhe
**descendiente** *m* Nachkomme
**desconocido, -a** unbekannt
**desde** seit; von, von ... aus *(örtlich);* **~ hace** seit
**desdoblar** entfalten
**desear** wünschen; mögen, wollen
**desenvolverse** (ue) sich zurechtfinden
**deseo** *m* Wunsch; Begierde
**desgracia** *f* Unglück; **por ~** leider, unglücklicherweise
**desigual** ungleich
**desorden** *m* Unordnung
**despacio** *Adv.* langsam
**despachar** ausgeben, verkaufen
**despacho** *m* Büro, Arbeitszimmer
**despedir** (i) entlassen; **~se** sich verabschieden
**despeinado, -a** ungekämmt
**despertador** *m* Wecker
**despertar** (auf)wecken; anregen; **~se** aufwachen
**despido** *m* Entlassung
**despistado, -a** zerstreut
**desprender** (ab)lösen
**después** dann, danach, nachher; **~ de** nach *(zeitlich)*
**destino** *m* Schicksal
**destrozar** zerstören; kaputtmachen
**destrozo** *m* Zerstörung, Verwüstung
**destrucción** *f* Zerstörung
**destruir** (y) zerstören
**detalle** *m* Detail, Einzelheit
**detenerse** (an)halten
**detrás** hinten; **~ de** hinter
**deuda** *f* Schuld
**devolver** (ue) zurückgeben
**día** *m* Tag; **buenos ~s** guten Morgen; **un ~** eines Tages; **de ~ en ~** von Tag zu Tag; **el otro ~** neulich; **otro ~** ein andermal, morgen
**diablo** *m* Teufel; **¡~!** zum Teufel!
**dialectal** mundartlich
**dialecto** *m* Dialekt
**diapositiva** *f* Dia(positiv)
**diario, -a** täglich
**diciembre** *m* Dezember
**dicho** *(v.* decir) gesagt
**dieta** *f* Diät
**diferencia** *f* Unterschied

261

**diferente** verschieden
**difícil** schwierig
**dificultad** *f* Schwierigkeit
**dignidad** *f* Würde
**dinero** *m* Geld; **hacer** ~ Geld verdienen
**Dios** *m* Gott; ¡~ mío!, ¡por ~! mein Gott!
**dique** *m* Damm; Deich
**dirección** *f* Adresse
**director** *m* Direktor
**dirigir** lenken, führen, richten; ~se a sich wenden zu (nach, an); zugehen auf
**disciplina** *f* Disziplin
**disco** *m* Schallplatte
**discusión** *f* Diskussion; Auseinandersetzung
**discutir** diskutieren
**disparar** schießen, feuern
**distinguir** unterscheiden
**distinto, -a** verschieden; ~ **de** anders als
**distraer** ablenken; zerstreuen; ~se sich unterhalten
**diverso, -a** verschieden
**divertido, -a** unterhaltsam; vergnügt
**divertir** (ie) Spaß, Freude machen; ~se sich amüsieren
**doblar** abbiegen
**docena** *f* Dutzend
**doctor** *m* Doktor
**doler** (ue) schmerzen, weh tun
**dolor** *m* Schmerz; **estar con** ~ **de cabeza** Kopfschmerzen haben
**domicilio** *m* Wohnsitz
**domingo** *m* Sonntag; **los** ~s sonntags
**dominicano, -a** dominikanisch; *m, f* Dominikaner(in); **República Dominicana** Dominikanische Republik
**donde** wo; **¿dónde?** wo?
**dormir** (ue) schlafen
**dormitorio** *m* Schlafzimmer
**dos** zwei; **los** ~, **las** ~ beide; **en un** ~ **por tres** im Nu
**ducha** *f* Dusche; **darse una** ~ duschen
**dudar** bezweifeln, daran zweifeln
**dueño** *m* Besitzer
**dulce** süß; ~ *m* Süßigkeit
**durante** während
**durar** dauern
**duro, -a** hart; ~ *m* 5 Peseten *(Münze)*

## E

**Ecuador** *m* Ecuador
**ecuatoriano, -a** ecuadorianisch; *m, f* Ecuadorianer(in)
**echado, -a** liegend
**echar** (ab)werfen; ausströmen; *(Film)* geben; ~ **a** beginnen zu; ~ **de menos** vermissen, sich sehnen nach
**edad** *f* Alter
**edificio** *m* Gebäude
**educación** *f* Erziehung; **ser de mala** ~ ungezogen sein
**educado, -a** erzogen; **mal** ~ ungezogen
**educar** erziehen; unterrichten; ~se zur Schule gehen
**ejemplo** *m* Beispiel; **por** ~ zum Beispiel
**ejercicio** *m* Übung; Bewegung
**ejército** *m* Heer
**él** er
**electricista** *m* Elektriker
**eléctrico, -a** elektrisch
**electrónico, -a** elektronisch
**elegante** elegant, schick, fesch
**elemento** *m* Element
**ella** sie *(f/sg.)*
**ello** das; **por todo** ~ darum, deshalb
**ellos, -as** sie *(pl.)*
**embarcarse** auf das Schiff gehen
**embargo** *m:* **sin** ~ jedoch
**embutidos** *m/pl.* Wurstwaren
**emigracion** *f* Auswanderung
**emigrar** auswandern
**emisión** *f* Sendung *(Radio)*
**emocionarse** ergriffen werden
**empezar** (ie) anfangen, beginnen **(a** zu)
**empleado** *m,* **-a** *f* Angestellte(r)
**empleo** *m* (Arbeits-)Stelle
**empresa** *f* Firma, Unternehmen
**empresario** *m* Unternehmer
**en** in; an; auf; ~ **1987** (im Jahre) 1987
**enamorado, -a** verliebt **(de** in)
**encantado, -a** entzückt
**encantador, -a** bezaubernd
**encargado** *m* Angestellte(r)
**encargo** *m* Auftrag
**encender** anzünden
**encima** oben; ~ **de** auf
**encontrar** (ue) finden; ~ **a** j-n treffen; ~se sich befinden; ~se **con** alg. j-n (zufällig) treffen

**enero** *m* Januar
**enfadar** ärgern; ~se ärgerlich werden
**enfermar** krank werden **(de** an)
**enfermo, -a** krank
**enfrente:** ~ **de** gegenüber; **de** ~ gegenüber, drüben
**enfriarse** (i) kalt werden
**engañar** betrügen
**engordar** dick werden
**¡enhorabuena!** herzlichen Glückwunsch!
**enorme** ungeheuer, riesig
**enriquecerse** sich bereichern
**ensalada** *f* Salat
**enseguida** gleich, sofort
**enseñanza** *f* Unterricht
**enseñar** lehren, beibringen; zeigen
**entender** (ie) verstehen; ~se **bien** sich gut verstehen; **hacerse** ~ sich verständlich machen
**enterado, -a: estar** ~ Bescheid wissen
**enterarse de** erfahren
**entonces** dann; damals
**entrada** *f* Eingang; Einreise
**entrar** eintreten, hineingehen; einreisen; ~ **en calor** sich erwärmen
**entre** zwischen; unter; ~ **nosotros** wir untereinander, unter uns
**entregar** übergeben, abgeben
**entretanto** inzwischen
**entrevista** *f* Interview
**enviar** (í) schicken
**envidia** *f* Neid
**envolver** (ue) einpacken, einwickeln
**época** *f* Zeitalter, Epoche
**equilibrio** *m* Gleichgewicht
**equipaje** *m* Gepäck
**equipo** *m* Anlage
**equivocarse** sich irren
**erre** *f* spanisches R (= rr)
**error** *m* Fehler
**escalera** *f* Treppe; Treppenhaus
**escaparse** fliehen, davonlaufen
**escena** *f* Szene
**escoger** auswählen
**esconder** verstecken
**escribir** schreiben
**escritor** *m* Schriftsteller
**escuchar** hören; zuhören
**escuela** *f* Schule
**ese, esa** der, die das da

**esfuerzo** *m* Anstrengung
**eso** das; ~ **es** so ist es; ~ **sí** das allerdings; **a** ~ **de las doce** so um zwölf (Uhr) herum
**espacio** *m* Raum
**espalda** *f* Rücken
**espantoso, -a** furchtbar, entsetzlich
**España** *f* Spanien
**español, -a** spanisch; *m, f* Spanier(in)
**especial** Sonder...; besondere; **nada** ~ nichts Besonderes
**espejo** *m* Spiegel
**esperar** erwarten, warten auf; hoffen
**espeso, -a** dick(flüssig)
**esposa** *f* (Ehe-)Frau, Gattin
**esquina** *f* Ecke
**establecido, -a** angesiedelt
**establo** *m* Stall
**estación** *f* Bahnhof; Jahreszeit; ~ **de lluvias** Regenzeit
**estadio** *m* Stadion
**estado** *m* Zustand
**Estado** *m* Staat; **los** ~**s Unidos** die Vereinigten Staaten
**estampado, -a** bedruckt
**estar** sein, sich befinden; ~ **a punto de** im Begriff sein zu; ~ **con jaqueca** Migräne haben; ~ **de ... als ...** arbeiten; **está bien** in Ordnung; **¿a cuánto están ...?** was kosten ...?
**estatua** *f* Statue, Standbild
**este, esta** diese(r, -s)
**esto** dies; ~ **es** das ist; ~ **de ...** die Sache mit ...
**estómago** *m* Magen
**estropearse** kaputtgehen
**estudiante** *m, f* Student(in); ~ **de bachillerato** Gymnasiast(in)
**estudiar** studieren; lernen
**estudios** *m/pl.* Studium
**estudioso, -a** lernbegierig; fleißig
**etcétera** und so weiter
**eterno, -a** ewig
**euskera: el** ~ das Baskische
**¡exactamente!** genau!
**examen** *m* Prüfung; Untersuchung
**examinar** prüfen; mustern
**excepción** *f* Ausnahme
**exceso** *m* Übermaß; ~ **de peso** Über-, Mehrgewicht
**exclamar** (aus)rufen
**exclusivamente** ausschließlich

**excursión** *f* Ausflug
**exigir** fordern, verlangen
**existir** existieren, bestehen
**experiencia** *f* Erfahrung
**explicación** *f* Erklärung
**explicar** erklären, erläutern
**exposición** *f* Ausstellung
**expresarse** sich ausdrücken
**expulsar** ausweisen; vertreiben
**extender** (ie) verbreiten
**extranjera** *f* Ausländerin
**extranjero** *m* Ausländer; Ausland; ~, **-a** ausländisch
**extrañar** wundern
**extraño, -a** seltsam, verwunderlich
**extremo** *m* Ende

**F**

**fábrica** *f* Fabrik
**fácil** leicht
**facilidad** *f* Geschick, Talent; ~ **para los idiomas** Sprachbegabung
**facultad** *f* Fakultät
**fachada** *f* Fassade, Hausfront
**falda** *f* (Damen-)Rock
**falta** *f* Mangel; **hacer** ~ nötig sein, fehlen; **me hace(n)** ~ ich brauche
**faltar** fehlen; **no faltaba más** selbstverständlich
**familia** *f* Familie; **tener** ~ Kinder haben
**familiar** Familien...; in der Familie
**famoso, -a** berühmt
**favor** *m* Gefallen, Gefälligkeit; **por** ~ bitte; **haga el** ~ **de** bitte
**febrero** *m* Februar
**fecha** *f* Datum
**federal** föderativ, Bundes...
**felicidad** *f* Glück; **¡muchas** ~**es!** alles Gute!
**felicitar** gratulieren, beglückwünschen
**feliz** glücklich
**feo, -a** häßlich
**fideo** *m* (Faden-)Nudel
**fiebre** *f* Fieber
**fiera** *f* (wildes) Tier
**fiesta** *f* Fest; **hacer una** ~ feiern
**figurar:** ~ **en** erscheinen, erwähnt werden in; ~**se** vermuten, glauben

**fijar** festsetzen, festlegen
**fijo, -a** fest
**fila** *f* Reihe; **en** ~ **india** im Gänsemarsch
**fin** *m* Ende, Schluß; **por** ~ endlich
**final** *m* Ende, Schluß; **a** ~**es de** Ende ...
**finca** *f* Plantage
**firma** *f* Unterschrift
**flaco, -a** mager
**flamenco** *m* Flamenco
**flan** *m* Pudding
**flor** *f* Blume; Blüte
**florecita** *f* kleine Blume, Blümchen
**folleto** *m* Broschüre, Prospekt
**fomento** *m* Förderung
**fondo** *m* Grund, Boden; **bien en el** ~ ganz unten
**foráneo, -a** (orts)fremd
**forma** *f* Form; **de esa** ~ auf diese Weise
**formación** *f* (Heraus-)Bildung
**formal** förmlich
**formalidad** *f* Formalität
**formar** bilden
**foto** *f* Foto
**fotografía** *f* Fotografie
**francés, -esa** französisch; *m, f* Franzose, Französin
**Francia** *f* Frankreich
**frecuencia** *f:* **con** ~ oft
**frecuente** häufig
**freír** (in der Pfanne) braten
**frente** *f* Stirn
**fresa** *f* Erdbeere
**fresco, -a** frisch
**frigorífico** *m* Kühlschrank
**frío, -a** kalt
**frío** *m* Kälte; **tengo** ~ mir ist kalt, ich friere; **hace más** ~ **es** ist kälter
**frontera** *f* Grenze
**fruta** *f* Frucht; Obst
**fuego** *m* Feuer
**fuera** außerhalb; draußen; weg; ~ **de** außerhalb (von)
**fuerte** stark; schwer
**fuerza** *f* Kraft; Gewalt; ~**s** *f/pl.* Streitkräfte
**fumar** rauchen
**funda** *f* (*Kissen-*)Bezug
**furgoneta** *f* Lieferwagen
**furioso, -a** wütend
**fusil** *m* Gewehr
**fútbol** *m* Fußball; **jugar al** ~ Fußball spielen
**futuro** *m* Zukunft

263

## G

**gafas** *f/pl.* Brille; ~ **de sol** Sonnenbrille
**Galicia** *f* Galicien
**gallego, -a** galicisch; *m, f* Galicier(in)
**gallina** *f* Henne
**gana** *f:* **tener ~s de** Lust haben zu; **de mala ~** ungern
**ganar** verdienen; gewinnen
**garaje** *m* Garage
**garbanzo** *m* Kichererbse
**gas** *m* Gas
**gasolina** *f* Benzin
**gasolinera** *f* Tankstelle
**gastar** verbrauchen; ausgeben (**en** für)
**gato** *m* Katze
**general** allgemein
**generalmente** meistens
**gente** *f* Leute; ~**s** *f/pl.* Bevölkerung
**glotón, -ona** verfressen
**gobierno** *m* Regierung
**golosina** *f* Leckerbissen
**goloso, -a** naschhaft; gefräßig
**golpe** *m* Schlag; ~ **militar** Putsch; ~ **de Estado** Staatsstreich; **de ~** plötzlich
**golpear** (an)schlagen
**gordo, -a** dick; ~ *m:* **sacarse el ~** das Große Los ziehen
**gorra** *f* Mütze
**gracia** *f:* ~**s** danke (**por** für); **muchas ~s** vielen Dank
**gracioso, -a** witzig
**grado** *m* Grad; **hace 16 ~s es** sind 16 Grad
**graduado** *m,* -**a** *f* Inhaber(in) eines Hochschultitels; Akademiker(in)
**grande** groß; **gran cosa** viel
**grandioso, -a** imposant
**granuja** *m* Gauner
**grasa** *f* Fett
**grave** schwer, ernst
**griego, -a** griechisch; *m, f* Grieche, Griechin
**gringo** *m* Gringo (*in Lateinamerika:* Ausländer, Yankee)
**gripe** *f* Grippe
**gris** grau
**gritar** schreien, rufen
**grito** *m* Schrei
**grupo** *m* Gruppe
**guapo, -a** hübsch, gutaussehend

**guardar** aufheben, zurücklegen
**guardia** *m* Posten, Wache; ~ **civil** Landpolizist
**Guatemala** *f* Guatemala
**guatemalteco, -a** guatemaltekisch; *m, f* Guatemalteke, Guatemaltekin
**guerra** *f* Krieg
**guía** *m* Fremdenführer; ~ *f* Führer (*Buch*)
**guitarra** *f* Gitarre
**guitarrista** *m, f* Gitarrenspieler(in)
**gustar** gefallen; Spaß machen; ~ **mit** *Inf.*: gern (etw. tun); **le ~ía** er würde gern; ~ **más** besser gefallen
**gusto** *m* Vergnügen; Geschmack; **con mucho ~** sehr gern

## H

**Habana: la ~** Havanna
**haber** haben; ~ **de** (*mit Inf.*) müssen; **hay** es gibt, es ist, es sind; **hay que** man muß; **había** es gab
**habitación** *f* Zimmer
**habla** *f* Sprache
**hablador, -a** redselig
**hablar** sprechen
**hacer** machen, tun; ~**se** werden; ~ **reír** zum Lachen bringen; **hace una semana** vor einer Woche; **hace poco** vor kurzem
**hacia** in Richtung auf, nach, zu ... hin
**hambre** *f* Hunger; **morirse de ~** verhungern
**harto, -a** satt, überdrüssig; **estaba ~ de él** ich hatte ihn satt
**hasta** *Präp.* bis; ~ **que** bis (daß); ~ **luego** auf Wiedersehen; ~ *Adv.* sogar
**hay** *siehe* **haber**
**hecho** (*v.* hacer) gemacht, getan; ~ *m* Tatsache; **el ~ de que** die Tatsache, daß; **es un ~** das steht fest
**helado, -a** eiskalt; ~ *m* (Speise-)Eis
**herida** *f* Wunde
**hermana** *f* Schwester
**hermano** *m* Bruder; ~**s** *m/pl.* Geschwister

**hermoso, -a** schön
**hervir** (ie) kochen (lassen)
**hierro** *m* Eisen
**hija** *f* Tochter
**hijo** *m* Sohn
**hinchar** schwellen
**hispanoamericano, -a** spanischamerikanisch
**historia** *f* Geschichte
**histórico, -a** historisch, geschichtlich
**hoja** *f* Blatt; ~**s muertas** welkes Laub
**hojaldre** *m* Blätterteig
**¡hola!** hallo; guten Tag
**Holanda** *f* Holland
**holandés, -esa** holländisch; *m, f* Holländer(in)
**holgazán, -ana** faul, träge; ~ *m* Faulpelz
**hombre** *m* Mensch; Mann
**hombro** *m* Schulter
**Honduras** *f* Honduras
**hondureño, -a** honduranisch; *m, f* Honduraner(in)
**honradez** *f* Rechtschaffenheit, Ehrbarkeit
**hora** *f* Stunde; Uhrzeit; **¿qué ~ es?** wie spät ist es; **es ~ de** es ist Zeit zu; **a estas ~s** um diese Zeit
**horrible** schrecklich
**horror** *m* Schrecken; **de ~** Horror ...
**hospital** *m* Krankenhaus
**hotel** *m* Hotel
**hoy** heute
**huella** *f* Spur
**huevo** *m* Ei
**huir** (y) fliehen, flüchten
**húmedo, -a** feucht
**humor** *m* Laune; Humor; **de buen ~** gut gelaunt
**¡huy!** o Gott!

## I

**ibérico, -a** iberisch
**ida** *f* Hinfahrt; ~ **y vuelta** hin und zurück, Hin- und Rückfahrt
**idea** *f* Idee
**ideal** ideal
**idéntico, -a** identisch (**a** mit)
**idioma** *m* Sprache
**iglesia** *f* Kirche
**ignorante** unwissend; ~ *m* Dummkopf
**igual** gleich; **da ~** es ist egal;

~ que genau wie
igualmente gleichfalls
ilusión f Illusion; Vorfreude;
¡qué ~! wie schön!
imaginar ausdenken, ersin-
nen; ~se sich denken, sich
vorstellen
imbécil schwachsinnig
imitar nachahmen
impedir (i) verhindern
importancia f Wichtigkeit
importante wichtig
importar wichtig sein, ausmachen; no importa das macht
nichts
imposible unmöglich
imprimir drucken
impuesto m Steuer (f)
incluso Adv. sogar
incómodo, -a unbequem
increíble unglaublich
independiente unabhängig,
frei
indicación f Angabe, Hinweis
indio, -a indianisch; indisch
individuo m Individuum; Kerl,
Person
industrial industriell, Indu-
strie ...
influencia f Einfluß
información f Information,
Auskunft
informar informieren
ingenioso, -a geistreich
ingenuo, -a einfältig
inglés, -esa englisch; m, f Eng-
länder(in); ~ m Englisch
(Sprache)
ingresar einliefern
ingresos m/pl. Einnahmen,
Einkünfte
inmediatamente unmittelbar
danach, sofort
inmediato, -a sofortig
inmenso, -a unermeßlich,
überaus groß
inolvidable unvergeßlich
insecto m Insekt
insolente frech
inspirar einflößen
instalar einrichten, aufstellen
insultar beschimpfen; beleidigen
insulto m Beschimpfung
inteligente intelligent
intenso, -a sehr stark
intentar versuchen
interés m Interesse
interesante interessant
interesar interessieren

interior Innen...
internacional international
intérprete m, f Dolmet-
scher(in)
inútil nutzlos, zwecklos
invasión f Invasion
invierno m Winter
invitado m Gast, Eingelade-
ne(r)
invitar einladen
ir gehen, fahren; ~ por (ab)ho-
len; ~ bien con gut passen zu;
~ a hacer gleich tun (werden);
tun wollen; ~se weggehen
iraní iranisch; ~ m Iraner
isla f Insel
israelí israelisch; ~ m Israeli
Italia f Italien
italiano, -a italienisch; m, f
Italiener(in); ~ m Italienisch
(Sprache)
izquierda f: a la ~ links
izquierdo, -a linke(r, -s)

**J**

jabalí m Wildschwein
jaleo m Trubel; Durcheinan-
der
jamón m Schinken
japonés, -esa japanisch; m, f
Japaner(in)
jaqueca f Migräne
jardín m Garten
jardinero m Gärtner
jarrón m Vase
jefatura f Leitung
jefe m Chef
jersey m Pullover
jornal m Tagelohn
joven jung; ~ m junger Mann
joya f Juwel
judío, -a jüdisch
juego m Spiel
jueves m Donnerstag; el ~ am
Donnerstag; los ~ donnerstags
jugador m Spieler
jugar spielen
juguete m Spielzeug
julio m Juli
junio m Juni
juntar zusammenbringen; ~se
con alg. mit j-m zusammen-
kommen
junto a neben; junto con zusammen mit
juntos, -as zusammen
justo, -a gerecht; recht; richtig

**K**

kilo m Kilo
kilómetro m Kilometer

**L**

la Pron. sie (Akk.)
lado m Seite; Gegend; al ~
nebenan; en ningún ~ nir-
gends; por otro ~ anderer-
seits
ladrillo m Ziegelstein
ladrón m Dieb
lamentarse sich beklagen,
jammern
lana f Wolle
lápiz m Bleistift
largo, -a lang
lástima f Mitleid; dar ~ leid
tun; ¡qué ~! wie schade!
lata f Dose
lavabo m Waschbecken
lavandería f Wäscherei
lavar waschen
le ihn; ihm, ihr, Ihnen
lección f Lektion
lector m Leser
leche f Milch
lechuga f: ensalada de ~ grüner
Salat, Kopfsalat
leer lesen
lejos weit (entfernt); a lo ~ in
der Ferne
lengua f Zunge; Sprache
lento, -a langsam
letra f Buchstabe
letrero m Schild
levantar heben; aufheben; aufbauen, errichten; ~se aufstehen
ley f Gesetz
liberal liberal, großzügig
librería f Buchhandlung
libro m Buch
licenciado m, -a f Akademi-
ker(in)
lidia f (Stier-)Kampf
limitar begrenzen, beschränken;
~se a sich beschränken auf
limón m Zitrone
limosna f Almosen
limpiar saubermachen; ~ el
polvo Staub wischen
limpio, -a rein, sauber
lindo, -a schön
lista f Liste; Speisekarte
listo, -a fertig, bereit; klug,
schlau

**lo:** ~ **de** das mit, die Sache mit
**local** *m* Lokal; Räumlichkeit
**loco, -a** verrückt
**locura** *f* Verrücktheit
**lograr** erreichen; *mit Inf.:* können
**loma** *f* Anhöhe, Hügel
**lomo** *m* Lende
**lonja** *f* Börse *(Gebäude)*
**lotería** *f* Lotterie
**lucha** *f* Kampf
**luchar** kämpfen
**luego** nachher; später; dann; (so)gleich; **hasta** ~ auf Wiedersehen; ~ **de** *(mit Inf.)* nachdem
**lugar** *m* Ort, Platz, Stelle; ~ **de interés** Sehenswürdigkeit
**luna** *f* Mond; **estar en la** ~ sehr zerstreut sein
**lunes** *m* Montag; **el** ~ am Montag
**luz** *f* Licht

## Ll

**llamada** *f* Anruf
**llamar** rufen; anrufen; nennen; ~ **la atención** auffallen; ~**se** heißen
**llave** *f* Schlüssel
**llegada** *f* Ankunft
**llegar** ankommen; ~ **a ser** werden
**llenar** füllen; ~**se** voll werden
**lleno, -a** voll
**llevar** tragen; bei sich haben; (hin)bringen; mitnehmen; *mit Zeitangabe:* sein; ~**se** mitnehmen; ~**se bien** sich gut vertragen
**llorar** weinen
**llover** (ue) regnen
**lluvia** *f* Regen

## M

**maceta** *f* Blumentopf
**madera** *f* Holz
**madre** *f* Mutter
**madrileño, -a** aus Madrid; *m, f* Madrider(in)
**mal** schlecht
**malagueño, -a** aus Málaga; ~**s** *m/pl.* Leute aus Málaga
**maldito, -a** verdammt
**malentendido** *m* Mißverständnis

**maleta** *f* Koffer
**malo, -a** schlecht; krank; **ponerse** ~ krank werden
**mallorquín, -ina** aus Mallorca, mallorquinisch; *m, f* Mallorquiner(in)
**mandar** schicken; ~ **saludos** grüßen lassen
**manifestación** *f* Demonstration
**mano** *f* Hand
**manso, -a** zahm
**manta** *f* Decke
**manteca** *f* **de cerdo** Schweineschmalz
**mañana** morgen; ~ *f* Morgen; **a las siete de la** ~ um sieben Uhr morgens
**mapa** *m* Landkarte
**máquina** *f* Maschine; ~ **de escribir** Schreibmaschine
**maquinilla** *f* Rasierapparat
**mar** *m* Meer, *die* See
**maravilla** *f* Wunder
**maravilloso, -a** wunderbar
**marca** *f* Marke
**marcar** wählen *(am Telefon)*
**marco** *m* D-Mark
**marcharse** abreisen; weggehen
**mareado, -a** benommen, schwindlig
**margarita** *f* Margerite
**marido** *m* (Ehe-)Mann
**marina** *f* Marine
**marinero, -a** seemännisch; nach Matrosenart
**marino** *m* Matrose
**mariscos** *m/pl.* Meeresfrüchte
**marrón** braun
**martes** *m* Dienstag
**marzo** *m* März
**más** mehr; noch, ferner; ~ **tarde** später; **unos días** ~ noch ein paar Tage; **no ... ~ que** nicht mehr als, nur
**masa** *f* Masse
**material** *m* Material
**materno, -a** mütterlich, Mutter...
**matrícula** *f* (Auto-)Kennzeichen
**matrimonio** *m* Ehe; Ehepaar
**mayo** *m* Mai
**mayor** größer; älter; **el** ~, **la** ~ der (die) größte, älteste
**mayoría** *f* Mehrheit
**mazapán** *m* Marzipan
**me** mich; mir
**mecánico** *m* Mechaniker

**mecanografía** *f* Maschineschreiben
**media** *f* Strumpf
**mediado: a** ~**s de** *zeitlich:* (in der) Mitte
**medianoche** *f* Mitternacht; **a la** ~ um Mitternacht
**medicina** *f* Medizin
**médico** *m* Arzt; ~, **-a** ärztlich
**medida** *f* Maß; Maßnahme
**medio, -a** halb; ~ *Adv.:* **de** ~ **a** ~ vollständig, ganz und gar; ~ *m* Mitte; Mittel
**mediodía** *m* Mittag; **a** ~ mittags
**medir** (i) messen; ausmessen
**Mediterráneo** *m* Mittelmeer
**mejor** besser; **a lo** ~ vielleicht; **el** ~, **la** ~ der (die) beste
**mejorar** besser werden
**mellizo, -a** Zwillings...
**mellizos** *m/pl.*, **-as** *f/pl.* Zwillinge
**mendigo** *m*, **-a** *f* Bettler(in)
**menor** kleiner; jünger; **el** ~, **la** ~ der (die) kleinste, jüngste
**menos** weniger; **por lo** ~ wenigstens; **a** ~ **que** es sei denn; ~ **mal que** ein Glück, daß ...
**mentalidad** *f* Mentalität
**mentir** (ie) lügen
**menú** *m* Speisekarte; Menü
**menudo: a** ~ oft; **más a** ~ häufiger
**mercado** *m* Markt
**merendero** *m* Eß-, Ausflugslokal
**merluza** *f* Seehecht
**mes** *m* Monat
**mesa** *f* Tisch
**meseta** *f* Hochebene
**meter** hineinstecken; ~**se** sich werfen, sich stürzen
**metro** *m* Meter
**Metro** *m* U-Bahn
**mexicano, -a** mexikanisch; *m, f* Mexikaner(in)
**México** *m* Mexiko
**mezcla** *f* Mischung
**mi** mein
**mi: para** ~ für mich
**miedo** *m* Angst
**miel** *f* Honig
**miembro** *m* Mitglied
**mientras** *Konj.* während; solange; ~ **que** während *(Gegensatz)*; ~ *Adv.* inzwischen
**miércoles** *m* Mittwoch; **el** ~ am Mittwoch
**mil** tausend

mili *f* F Wehrdienst
militar militärisch, Militär...
millón *m* Million
ministro *m* Minister
minoría *f* Minderheit
minuto *m* Minute
mío, -a mein, von mir
mirada *f* Blick
mirar (sich) ansehen, nachschauen; ¡mira! sieh mal!
misa *f* Gottesdienst, Messe
miseria *f* Elend; una ~ de sehr wenig, erbärmlich wenig
mismo, -a selbst; el ~, la -a der-, dieselbe; lo ~ dasselbe; aquel ~ día am gleichen Tag; mañana ~ gleich morgen
mitad *f* Hälfte
moda *f* Mode; a la ~ nach der Mode
modales *m/pl.* Manieren
modelo *m* Modell; Schnittmuster
modernísimo, -a sehr modern
moderno, -a modern
modo *m* Art; de ~ que also
mojado, -a naß
mojar naß machen
molestar belästigen; ärgern; stören
molestia *f* Belästigung
molesto, -a ärgerlich
momento *m* Augenblick; de ~ im Augenblick
monasterio *m* Kloster
monja *f* Nonne
montaña *f* Berg
montón *m* Haufen
monumento *m* Denkmal
moreno, -a dunkel(haarig, -häutig)
morir (ue) sterben; ~se sterben; ~se de frío vor Kälte erstarren
mosca *f* Fliege
mostrar (ue) zeigen
motivo *m* Anlaß; Motiv; con ~ de anläßlich
moto *f* Motorrad
mover (ue) bewegen
muchacha *f* Mädchen
muchacho *m* Junge
muchachote *m* großer Junge
mucho, -a viel; ~ *Adv.* viel, sehr *(bei Verben)*
mueble *m* Möbel(stück)
muelle *m* Kai
muerte *f* Tod
muerto, -a tot; estar ~ de calor vor Hitze sterben

mujer *f* Frau
multitud *f* Menge
mundial Welt...
mundo *m* Welt; todo el ~ alle Leute
Munich *f* München
muñeca *f* Puppe
museo *m* Museum
música *f* Musik
muy sehr *(vor Adj. u. Adv.)*; ~ buenas F guten Tag

**N**

nacer (zc) geboren werden
nación *f* Nation, Volk
nacional national, Volks...
nacionalidad *f* Staatsangehörigkeit
nada nichts; no es ~ das macht nichts; ~ más weiter nicht(s); ~ de ... kein ...
nadar schwimmen
nadie niemand
natillas *f/pl. (Art)* Cremespeise
natural natürlich, selbstverständlich
naturalmente natürlich
náuseas *f/pl.* Übelkeit, Ekel; sintió ~ ihm wurde übel
navegar segeln
Navidad *f* Weihnachten
necesario, -a nötig, notwendig
necesidad *f* Notwendigkeit; es por ~ es ist notwendig
necesitar brauchen, benötigen
negocio *m* Geschäft
negro, -a schwarz
nervioso, -a nervös
neumático *m* Reifen
nevada *f* Schneefall
nevar (ie) schneien
nevera *f* Eisschrank; Kühlfach
ni auch nicht; und (auch) nicht; nicht einmal
Nicaragua *f* Nicaragua
nicaragüense nicaraguanisch; *m, f* Nicaraguaner(in)
nieto *m* Enkel
nieve *f* Schnee
ninguno, -a keine(r, -s)
niño *m* Kind
no nein; nicht; kein; ~ ... más que nur; ~ tanto nicht so sehr
noche *f* Nacht; Abend; buenas ~s guten Abend, gute Nacht; esta ~ heute abend; por la ~

am Abend, in der Nacht
nombre *m* Name; Vorname
nórdico, -a nordisch
normal normal
norte *m* Norden; al ~ nördlich
nos uns
nosotros, -as wir
nota *f* Note
notar bemerken
noticia *f* Nachricht
novela *f* Roman
noveno, -a neunte(r, -s)
novia *f* Braut, Verlobte
noviembre *m* November
novio *m* Verlobter
nube *f* Wolke
nuestro, -a unser(e)
nuevo, -a neu
nuez *f* Walnuß
número *m* Zahl, Nummer
numeroso, -a zahlreich
nunca niemals

**O**

o *(zwischen Zahlen:* ó*)* oder; o sea das heißt; o bien ... o bien entweder ... oder
objeto *m* Gegenstand; Objekt; Ziel
obligar zwingen
obra *f* Werk; Bau
obrero *m* Arbeiter
observar beobachten
occidental westlich
Océano *m* Atlántico Atlantischer Ozean
octavo, -a achte(r, -s)
octubre *m* Oktober
ocupar besetzen; beschäftigen; ~se de sich beschäftigen mit
ocurrencia *f* Einfall, Idee
ocurrir geschehen, passieren; ~se einfallen *(j-m)*
odiar hassen
ofender beleidigen
oferta *f* Angebot
oficial amtlich, Amts...; Dienst...
oficina *f* Büro
oficio *m* Beruf
ofrecer (zc) bieten, anbieten
oír hören
ojalá wenn nur; hoffentlich
ojo *m* Auge
oler (ue) riechen (a nach)
olímpico, -a olympisch
olivar *m* Olivenhain

olivo *m* Oliven-, Ölbaum
olor *m* Geruch
olvidar vergessen; ~se de algo etw. vergessen
opinión *f* Meinung
oponer entgegenstellen; ~se dagegen sein, sich widersetzen
oposición *f* Widerstand
oposiciones *f*|*pl.* Auswahlprüfung für Beamte
organización *f* Organisation
organizador, -a Organisations...
oriente *m* Orient; el Próximo Oriente der Nahe Osten, Nahost
origen *m* Ursprung; Herkunft
os euch
oscuro, -a dunkel
OTAN *f* NATO
otoño *m* Herbst
otro, -a ein anderer, eine andere; unos a ~s einander; el ~ día neulich; otra vez noch einmal
oveja *f* Schaf

**P**

pacifismo *m* Pazifismus
padre *m* Vater; Pater; ~s *m*|*pl.* Eltern
paella *f* Paella *(Reisgericht)*
pagar zahlen, bezahlen; vergelten
página *f* (Buch-, Heft-)Seite
país *m* Land; de ~ en ~ von Land zu Land
paisaje *m* Landschaft
paja *f* Stroh
pájaro *m* Vogel
palabra *f* Wort
palacio *m* Palast
pan *m* Brot
Panamá *m* Panama
panameño, -a panamaisch; *m, f* Panamaer(in)
pantalla *f* Bildschirm; Leinwand
pañuelo *m* Taschentuch; Halstuch
papá *m* Papa
papel *m* Papier
paquete *m* Paket
par *m* Paar; un ~ de ein paar, einige
para für; um zu; nach; bis; ~ que damit

parada *f* Haltestelle
parado *m:* los ~s die Arbeitslosen
parador *m* staatliches Touristenhotel; ~ de montaña Berghotel
paraguas *m* Regenschirm
Paraguay *m* Paraguay
paraguayo, -a paraguayisch; *m, f* Paraguayer(in)
parar halten; anhalten; aufhalten; ir a ~ hingeraten, landen; ~se stehenbleiben
parecer (zc) scheinen; ¿qué te parecen ...? wie gefallen dir ...?
parecido, -a ähnlich
pared *f* Wand
pareja *f* Paar; Partner; ~ de enamorados Liebespaar
pariente *m* Verwandte(r)
parlanchín, -ina geschwätzig
paro *m* Arbeitslosigkeit; quedar en ~ arbeitslos werden
parroquia *f* Pfarrei
parte *f* Teil; en todas ~es, en cualquier ~ überall
partido *m* Spiel, Partie
partir abfahren; a ~ de von ... an
pasado mañana übermorgen
pasaporte *m* Paß *(Ausweis)*
pasar vorbeifahren, -gehen (an); überqueren, passieren; (herüber-)reichen; *(Zeit)* verbringen; sich unterziehen; vergehen; geschehen; passieren, los sein; ~ a gehen nach; ~ hambre Hunger leiden; ~ la noche übernachten
pasillo *m* Flur
paso *m* Schritt; a cada ~ auf Schritt und Tritt
pasodoble *m* Pasodoble (Tanz)
pastar weiden
pastel *m* Kuchen
pastelito *m* kleiner Kuchen, Törtchen
pastor *m* Hirt
patata *f* Kartoffel
patio *m* Hof
patria *f* Vaterland
patrón *m* Arbeitgeber
pavo *m* Truthahn
paz *f* Frieden
pedazo *m* Stück
pedir (i) bitten; erbitten; bestellen
pegar schlagen
peinar kämmen

pelar schälen; ~se de frío vor Kälte erstarren
pelear streiten, zanken
película *f* Film
peligro *m* Gefahr
peligroso, -a gefährlich
pelo *m* Haar
peluquería *f* Friseursalon
península *f* Halbinsel
peninsular Halbinsel...
pensar (ie) denken (en an); vorhaben zu, wollen
pensión *f* Pension
peón *m* Tagelöhner
peor schlechter, schlimmer
pequeño, -a klein
perder (ie) verlieren
pérdida *f* Verlust
perdón *m* Entschuldigung
perdonar entschuldigen, verzeihen
perfectamente vollkommen; ¡~! jawohl!
perfecto, -a perfekt, vollkommen
perfumería *f* Parfümerie(abteilung)
periódico *m* (Tages-)Zeitung
periodismo *m* Journalismus
periodista *m, f* Journalist(in)
permiso *m* Erlaubnis
permitir erlauben
pero aber; ~ si aber ... doch
perro *m* Hund
persona *f* Person
personal *m* Personal
personalidad *f* Persönlichkeit
personalmente persönlich
Perú *m* Peru
peruano, -a peruanisch; *m, f* Peruaner(in)
pesado, -a schwer; langweilig
pesar wiegen; a ~ de trotz; *mit Inf.:* obwohl; a ~ de que obwohl
pesca *f* Fischerei
pescado *m* Fisch
pescador *m* Fischer
pescar angeln, fischen
pese a todo trotz allem
peseta *f* Pesete
pesimista pessimistisch
pésimo, -a miserabel, sehr schlecht
peso *m* Gewicht
petróleo *m* (Erd-)Öl
piano *m* Klavier
picante scharf, pikant
pie *m* Fuß; al ~ de am Fuße, in der Nähe von; de ~ im Stehen

**piedra** f Stein
**pierna** f Bein
**pieza** f Stück
**pijama** m Schlafanzug
**pimienta** f Pfeffer
**pintor** m, ~a f Maler(in)
**pirámide** f Pyramide
**Pirineos** m/pl. Pyrenäen
**piscina** f Schwimmbad
**piso** m Wohnung; Stockwerk
**pitillo** m F Zigarette
**placer** m Vergnügen
**plan** m Plan
**plano** m Stadtplan
**planta** f Pflanze; Stockwerk; ~ **baja** Erdgeschoß
**plato** m Teller; Gericht, Essen
**playa** f Strand; Meeresufer
**plaza** f Platz
**plural** m Plural
**población** f Bevölkerung
**pobre** arm
**pobreza** f Armut
**poco, -a** wenig; ~ m: **un** ~ ein bißchen, etwas; ~ Adv.: **hace** ~ vor kurzem; **por** ~ beinah
**poder** (ue) können
**poesía** f Dichtung; Dichtkunst; Gedicht
**policía** f Polizei
**política** f Politik
**polvo** m Staub
**pollo** m Hähnchen
**poner** setzen, stellen, legen; (Platte) auflegen; hineingeben; einrichten; ein-, anschalten; ~ **con** verbinden mit (am Telefon); ~se sich anziehen; umbinden; mit Adj.. werden; ~se a beginnen zu
**popular** Volks...
**poquito** m: **un** ~ ein bißchen
**por** durch; wegen, aus; in; mit Inf.: zu; ~ **ser español** weil er Spanier ist; ~ **allá** dort; ~ **aquí** hier, in dieser Gegend; ~ **consiguiente** infolgedessen; ~ **ello**, ~ **eso** deswegen, deshalb; ~ **lo que** weshalb; ¿~ **qué?** warum?; ~ **nada del mundo** um nichts in der Welt
**porque** weil
**portarse** sich verhalten
**portero** m Portier
**Portugal** m Portugal
**portugués, -esa** portugiesisch; m, f Portugiese, Portugiesin
**posible** möglich
**postre** m Nachspeise
**practicar** (aus)üben, treiben

**precio** m Preis
**precisamente** ausgerechnet, gerade
**preciso, -a** nötig; genau, präzise; **es** ~ **que** ... du mußt ...
**precolombino, -a** vorkolumbisch
**preferido, -a** Lieblings...
**preferir** (ie) vorziehen; **prefiero mirar fotos** ich sehe mir lieber Fotos an
**pregunta** f Frage
**preguntar** fragen (**una cosa a alg.** j-n etwas)
**premio** m Preis, Auszeichnung
**preparar** (zu)bereiten; vorbereiten
**presentar** vorstellen
**presente** anwesend
**presidente** m, -a f Präsident(in)
**prima** f Cousine
**primavera** f Frühling
**primero, -a** erste(r, -s); ~ Adv. zuerst
**primitivo, -a** primitiv
**primo** m Cousin
**principal** hauptsächlich
**principio** m Anfang; **al** ~ am Anfang, zuerst
**prisa** f Eile; **tener** ~ es eilig haben; **con tanta** ~ so eilig; **de** ~ schnell
**probable** wahrscheinlich
**probar** (ue) kosten, probieren
**problema** m Problem
**procedente** stammend, herkommend (**de** aus)
**producir** (zc) verursachen
**producto** m Erzeugnis
**profesional** beruflich, Berufs...
**profesor** m, ~a f Lehrer(in)
**programa** m Programm; Sendung
**prohibir** verbieten
**prolongarse** sich in die Länge ziehen
**promesa** f Versprechen
**prometer** versprechen
**pronombre** m Pronomen
**pronto** bald; früh; **de** ~ plötzlich; **lo más** ~ **posible** so bald wie möglich; **por lo** ~ zunächst einmal
**pronunciación** f Aussprache
**pronunciar** (aus)sprechen
**propio, -a** eigen
**proponer** vorschlagen
**propósito** m Vorhaben; **a** ~

apropos, zum Thema
**prosa** f Prosa
**protestante** protestantisch
**provecho** m Nutzen, Gewinn; ¡**buen** ~! guten Appetit!
**provincia** f Provinz
**provisto: lo** ~ das Vorgesehene; **antes de lo** ~ früher als vorgesehen
**próximo, -a** nahe; nächste(r, -s)
**proyectar** werfen, projizieren
**proyector** m Projektor
**pudrirse** (ver)faulen, (ver)modern
**pueblo** m Dorf; ~ **serrano** Gebirgsdorf
**puente** m Brücke
**puerta** f Tür
**puerto** m Hafen
**Puerto Rico** m Puerto Rico
**puertorriqueño, -a** puertoricanisch; m, f Puertoricaner(in)
**pues** nun ja, also; ~ **sí** doch, ja
**puesto** m Stand; Stelle, Posten; ~ (v. poner) aufgelegt
**punto** m Punkt; **a las seis en** ~ Punkt sechs (Uhr); **estar a** ~ **de** im Begriff sein zu
**puro** m Zigarre

## Q

**que** Pron. der, die, das; welche(r, -s); Konj. daß; denn; **a** ~ damit
**qué:** ¿~? was (für ein)?; welche(r, -s)?; ¿**a** ~? wozu?; ¿~ **es de** ...? was macht ...?; ¿~ **tal?** wie geht's?; **no hay de** ~ keine Ursache; ¡~ **bien!** wie schön!, wie gut!; ¡~ **poco!** wie wenig!
**quebrar** (ie) brechen; Konkurs machen
**quedar** liegen, sich befinden (auch geographisch); noch dasein; **quedáis invitados** ihr seid eingeladen; ~se bleiben; ~se **con** behalten; ~ **parado** stehenbleiben; ~ **sin empleo** arbeitslos werden
**quejarse** klagen; sich beklagen
**quemar** verbrennen, brennen; ~se verbrennen
**querer** wollen; ~ **a alg.** j-n mögen, lieben; **quisiera** ich möchte, ich würde gern
**querido, -a** lieb, geliebt

269

**queso** m Käse
**quien** wer; ¿**a quién?** wen?, wem?
**quieto, -a** ruhig, unbeweglich, still
**quinto, -a** fünfte(r, -s)
**quiosco** m Kiosk
**quisiera** siehe **querer**
**quitar** wegnehmen; ~**se** (Kleidung) abnehmen, ausziehen
**quizá(s)** vielleicht

**R**

**racionalización** f Rationalisierung
**radio** f Rundfunk; Radio
**raíz** f Wurzel; **echar raíces** Wurzel schlagen
**rama** f Zweig
**ramo** m Strauß
**raro, -a** selten; seltsam
**rascacielos** m Wolkenkratzer
**Rastro** m Trödelmarkt (in Madrid)
**ratito** m: **un** ~ eine kleine Weile
**rato** m Weile; **mucho** ~ lange (Zeit); **al** ~ bald darauf; **a cada** ~ alle Augenblicke, ständig
**razón** f Grund
**real** wirklich; königlich, Königs...
**realidad** f Wirklichkeit; **en** ~ eigentlich
**realizar** verwirklichen; ~**se** stattfinden
**recado** m Nachricht
**recambio** m: **de** ~ Ersatz...
**recepción** f Rezeption, Empfang (im Hotel)
**recepcionista** f Empfangsangestellte(r)
**receta** f Rezept
**recibir** bekommen, in Empfang nehmen
**recibo** m Quittung
**reciente** neu
**recipiente** m Gefäß
**reclamar** reklamieren, sich beschweren
**recoger** sammeln; aufheben; **ir a** ~ abholen
**recomendar** (ie) empfehlen
**reconocer** (zc) (wieder)erkennen
**reconquista** f Wiedereroberung

**recordar** (ue) (sich) erinnern (an)
**recorrer** besichtigen; durchwandern
**recortar** ausschneiden
**recuerdo** m Erinnerung; Gruß
**referéndum** m Volksentscheid
**referirse** (ie) sich beziehen (a auf); **en lo que se refiere a** ... was ... betrifft
**regalar** schenken
**regalo** m Geschenk
**regar** (ie) (be)gießen
**región** f Gegend, Region
**regional** regional; Volks...
**regresar** zurückkommen
**regreso** m Rückkehr; Rückreise
**rehusar** ablehnen
**reina** f Königin
**reír** lachen; ~**se de** lachen über, auslachen
**reloj** m Uhr
**reluciente** glänzend
**remedio** m (Heil-)Mittel; Abhilfe
**remolcar** abschleppen
**rendirse** (i) sich ergeben
**renovar** (ue) erneuern
**repartir** verteilen; austragen, ausfahren
**repente: de** ~ plötzlich
**repetir** (i) wiederholen
**representar** vertreten
**república** f Republik
**reserva** f Reserve
**resfriarse** (í) sich erkälten
**residencia** f Aufenthalt
**resistir** standhalten; aushalten, ertragen
**resolver** (ue) (auf)lösen, beseitigen
**respecto a** hinsichtlich, bezüglich, für
**respetar** beachten, respektieren
**respeto** m Respekt
**respetuoso, -a** respektvoll
**respirar** atmen
**resplandeciente** strahlend
**responsabilidad** f Verantwortung
**respuesta** f Antwort
**restaurante** m Restaurant
**resultado** m Ergebnis
**resultar** sich ergeben; ~ **ser** sich erweisen als
**retraso** m Verspätung
**reunir** versammeln; ~**se** sich treffen

**reventarse** (ie) platzen
**revista** f Zeitschrift
**revolución** f Revolution
**revólver** m Revolver
**rey** m König
**riada** f Überschwemmung
**rico, -a** reich; schmackhaft
**rincón** m (Zimmer-)Ecke
**río** m Fluß
**robar** stehlen
**robo** m Diebstahl, Raub; ~ **grande** schwerer Diebstahl
**rogar** (ue) bitten
**rojo, -a** rot
**rollo** m Rolle; „alte Platte"
**romper** (zer)brechen; ~ **con alg.** mit j-m brechen; ~**se** (zer-)brechen, (zer)reißen
**ropa** f Wäsche; Kleidung
**ropero** m Kleiderschrank
**rosa** f Rose
**roto** (v. romper) gebrochen, zerbrochen
**rubio, -a** blond
**rueda** f Rad
**ruina** f Ruine; Ruin; **quedarse en la** ~ ins Elend geraten
**Rusia** f Rußland
**ruta** f Reiseroute

**S**

**sábado** m Samstag, Sonnabend
**sábana** f (Bett-)Laken
**saber** wissen; können; erfahren
**sabor** m Geschmack
**sacar** herausnehmen, -ziehen, -holen; ~ **una foto** e-e Aufnahme machen; ~ **tiempo** sich Zeit nehmen
**sacudir** schütteln; (aus)klopfen
**sal** f Salz
**sala** f Saal
**salchicha** f Würstchen
**salida** f Abfahrt, Abreise, Abflug
**salir** hinausgehen; herauskommen; abfahren; erscheinen; ~ **bien** gut abschneiden; ~ **caro** teuer kommen
**salón** m Wohnzimmer, Salon
**salsa** f Soße
**salud** f Gesundheit; **¡a su** ~! auf Ihr Wohl!, prost!
**saludar** grüßen, begrüßen
**saludo** m Gruß

270

**Salvador: El ~** El Salvador
**salvadoreño, -a** salvadorianisch; *m, f* Salvadorianer(in)
**sangre** *f* Blut
**sangría** *f* Sangria *(Rotweinbowle)*
**sangriento, -a** blutig
**sano, -a** gesund
**santo, -a** heilig; **~** *m, f* Heilige(r); Namenstag
**sartén** *f* Pfanne
**sauna** *f* Sauna
**se** sich; man; *(Dat.)* ihm, ihr, ihnen, Ihnen
**secar** (ab)trocknen; **~se** trocknen, trocken werden
**sección** *f* Abteilung
**seco, -a** trocken
**secretaria** *f* Sekretärin
**seductor** *m* Verführer
**sefardí** sephardisch; **los ~es** die Sephardim
**seguir** (i) folgen; **~ a dieta** Diät halten; **sigue lloviendo** es regnet weiter
**según** nach, gemäß
**segundo, -a** zweite(r, -s)
**seguro, -a** sicher
**sello** *m* Briefmarke
**semáforo** *m* (Verkehrs-)Ampel
**semana** *f* Woche; **Semana Santa** Karwoche
**sembrado** *m* Saatfeld
**semejante** solche(r, -s)
**sencillo, -a** einfach; bescheiden
**sendero** *m* Pfad, Fußweg
**sensación** *f* Gefühl
**sensato, -a** vernünftig
**sentado, -a: estar ~, venir ~** sitzen
**sentar** (ie) sitzen, passen, *(j-m)* stehen; **~se** sich setzen
**sentido** *m* Sinn; **no tener ~** keinen Zweck haben; **~ de responsabilidad** Verantwortungsbewußtsein
**sentimental** sentimental
**sentir** (ie) fühlen; bedauern; spüren; leiden unter; **lo siento** es tut mir leid
**seña** *f* Zeichen; **hacer ~s** (zu)winken
**señal** *f* Zeichen; Signal
**señalar** zeigen
**señor** *m* Herr; **~es** *m/pl.* Herrschaften
**señora** *f* Frau; Dame
**señorita** *f* Fräulein; junge Dame

**separar** trennen
**septiembre** *m* September
**séptimo, -a** siebte(r, -s)
**ser** sein *(Verb);* stattfinden; **llegar a ~** werden; **a no ~ que** außer wenn; es sei denn, daß
**serio, -a** ernst(haft)
**serrano, -a** Gebirgs..., Berg...
**servir** (i) (be)dienen; servieren, einschenken
**sexto, -a** sechste(r, -s)
**si** ob; wenn; **~ no** sonst
**sí** *Adv.* ja; *Pron.:* **para ~** für sich
**siempre** immer; **lo de ~** das Übliche
**sierra** *f* Gebirge
**siesta** *f* Mittagsschlaf
**siglo** *m* Jahrhundert
**significado** *m* Bedeutung
**significar** bedeuten
**siguiente** folgend; **al día ~** am nächsten Tag
**silencioso, -a** lautlos, schweigsam
**silvestre** wild
**silla** *f* Stuhl
**sillón** *m* Sessel
**simpático, -a** nett, sympathisch
**sin** ohne; **~ que** ohne daß
**sino** sondern; **no ... ~** nur
**sistema** *m* System
**sitio** *m* Platz; Ort; **en algún ~** irgendwo; **en otro ~** woanders
**situación** *f* Lage
**sobrar** übrigbleiben
**sobre** auf; über; **~ todo** vor allem
**sobrina** *f* Nichte
**sobrino** *m* Neffe
**sociedad** *f* Gesellschaft
**sofá** *m* Sofa
**sol** *m* Sonne
**soldado** *m* Soldat
**soledad** *f* Einsamkeit
**soler** (ue) pflegen (zu); **suele ...** meistens ...
**solicitar** beantragen; suchen
**solitario, -a** einsam
**solo, -a** allein; einzig
**sólo** nur
**soltar** (ue) lösen; loslassen; **~se** locker werden
**soltero, -a** ledig
**sombra** *f* Schatten
**sombrero** *m* Hut
**sonar** (ue) läuten
**sonido** *m* Laut

**sonreír** lächeln
**sonrisa** *f* Lächeln
**soñar** (ue) träumen (**con** von); **ni ~lo** ach wo!
**sopa** *f* Suppe
**soportar** ertragen
**sorbo** *m* Schluck
**sorprender** überraschen
**sorpresa** *f* Überraschung
**sospechar** vermuten, den Verdacht haben
**su** sein, ihr, Ihr
**suave** sanft
**súbdito** *m* Staatsangehöriger
**subir** steigen; einsteigen; hinaufbringen, -tragen
**subrayar** unterstreichen
**suceder** geschehen, sich ereignen
**suciedad** *f* Schmutz
**sucio, -a** schmutzig
**sudar** schwitzen
**sueco, -a** schwedisch; *m, f* Schwede, Schwedin; **~** *m* Schwedisch *(Sprache)* **hacerse el ~** sich dumm stellen
**suegra** *f* Schwiegermutter
**suegro** *m* Schwiegervater
**sueldo** *m* Gehalt
**suelo** *m* Boden; Fußboden
**sueño** *m* Schlaf; Traum; **tener ~** müde sein
**suerte** *f* Glück; **por ~** zum Glück
**suficiente** ausreichend, genügend
**sufrido, -a** leidgeprüft
**sufrir** leiden; erleiden
**sugerencia** *f* Vorschlag
**Suiza** *f* die Schweiz
**suplemento** *m* Zuschlag
**suponer** vermuten, denken
**supuesto: por ~** natürlich, selbstverständlich
**sur** *m* Süden
**sustituir** (y) ersetzen
**susto** *m* Schreck; **llevarse un ~** erschrecken
**suyo, -a** von ihm, von ihr, von Ihnen

**T**

**tabaco** *m* Tabak
**tal** solche(r, -s); **¿qué ~?** wie geht's?; wie ist ...?; **~ vez** vielleicht; **con ~ que** vorausgesetzt, daß

271

**talento** *m* Talent
**tallado, -a** geschnitzt
**taller** *m* Werkstatt
**tamaño** *m* Größe
**también** auch
**tampoco** auch nicht; **ni ~ ayer** und gestern auch nicht
**tan** so, so sehr; **~ pronto sobald**
**tanto, -a** soviel; **~** *Adv.* so, ebenso
**taquigrafía** *f* Kurzschrift
**taquilla** *f* Schalter
**tardar** lange dauern, Zeit brauchen
**tarde** spät; **~ f** Nachmittag; **buenas ~s** guten Tag; **por la ~** nachmittags, am Nachmittag
**tarjeta** *f* Karte
**taxi** *m* Taxi
**taxista** *m, f* Taxifahrer(in)
**taza** *f* Tasse
**te** dich; dir
**té** *m* Tee
**tecla** *f* Taste
**técnico, -a** technisch
**tela** *f* Stoff
**telefonear** telefonieren
**teléfono** *m* Telefon
**televisión** *f* Fernsehen; **mirar la ~** fernsehen
**televisor** *m* Fernseher
**tema** *m* Thema
**temer** fürchten; befürchten
**temperatura** *f* Temperatur
**temprano** *Adv.* früh
**tender** (ie) ausstrecken; aufhängen
**tenedor** *m* Gabel
**tener** haben; **~ ... años ...** Jahre alt sein; **~ que** müssen
**tequila** *m* Tequila *(mexikanischer Schnaps)*
**tercero, -a** dritte(r, -s)
**terminar** beenden, abschließen
**ternera** *f* Kalb
**terraza** *f* Terrasse
**terrible** furchtbar, schrecklich
**territorio** *m* Gebiet
**testigo** *m, f* Zeuge, Zeugin
**Texas** *m* Texas
**texto** *m* Text
**tía** *f* Tante
**tibio, -a** lauwarm
**tiempo** *m* Zeit; Wetter; **a ~** rechtzeitig
**tienda** *f* Laden, Geschäft; **~ de campaña** Zelt

**tierra** *f* Erde; Land; Heimat
**tijeras** *f/pl.* Schere
**timbre** *m* Klingel; **~ de alarma** Notbremse; **tocan el ~ es** klingelt
**tímido, -a** scheu, schüchtern
**tío** *m* Onkel
**típico, -a** typisch
**tipo** *m* Art, Sorte
**tirar** werfen; wegwerfen; ziehen; **~ por** *(Weg)* einschlagen
**tiro** *m* Schuß
**tocar** berühren; *(Instrument)* spielen
**todavía** noch
**todo, -a** ganze(r, -s); jede(r, -s); **todo** alles; **~** ganz, völlig
**todos, -as** alle
**tomar** nehmen; *etw.* zu sich nehmen, essen, trinken; **~se** essen, zu sich nehmen
**tomate** *m* Tomate
**tontería** *f* Dummheit
**tonto, -a** dumm; **~** *m* Dummkopf
**tormenta** *f* Unwetter; Sturm
**toro** *m* Stier; **~ de lidia** Kampfstier
**toronja** *f* Pampelmuse
**torre** *f* Turm
**tos** *f* Husten
**toser** husten
**total** *Adj.* ganz, total, vollständig; *Adv.* nun, alles in allem
**totalmente** ganz, völlig, total
**trabajador, -a** arbeitsam, fleißig; **~** *Adv.* Arbeiter; **~ emigrado** Gastarbeiter
**trabajar** arbeiten
**trabajo** *m* Arbeit
**traducción** *f* Übersetzung
**traducir** (zc) übersetzen
**traductor** *m, ~a f* Übersetzer(in)
**traer** haben, (bei sich) tragen; (her)bringen; **ir a ~** holen
**tráfico** *m* Verkehr
**trago** *m* Schluck
**traición** *f* Verrat
**traje** *m* Anzug; Kleid; **~ de luces** Stierkämpfertracht
**tranquilo, -a** ruhig
**transfusión** *f* Transfusion
**transporte** *m* Transport
**trapo** *m* Lappen
**tras** nach, hinter; **~ cambiar ... nachdem er ... gewechselt hatte**
**trasladarse** umziehen

**tratado** *m* (internationaler) Vertrag
**tratamiento** *m* Behandlung; Anrede
**tratar** versuchen (**de** zu); behandeln
**trato** *m* Umgang; Verkehr
**tren** *m* Zug
**triste** traurig
**tu** dein
**tú** du
**tumbado, -a: estar ~** liegen
**tumbar** umwerfen, niederstrecken; **~se** sich hinlegen
**turco, -a** türkisch; *m, f* Türke, Türkin; **~** *m* Türkisch *(Sprache)*
**turismo** *m* Fremdenverkehr; **~ de masa** Massentourismus
**turista** *m, f* Tourist(in)
**turístico, -a** touristisch, Reise...
**Turquía** *f* die Türkei
**tuyo, -a** dein, von dir

**U**

**últimamente** in letzter Zeit
**último, -a** letzte(r, -s)
**un, una** ein, eine
**único, -a** einzig
**uniforme** gleichmäßig, einheitlich
**unir** verbinden; vereinigen
**universidad** *f* Universität
**universitario, -a** Universitäts...
**uno, una** eine(r, -s); man
**unos, -as** einige, ein paar; **~ diez años** etwa zehn Jahre
**urgente** dringend, dringlich
**Uruguay** *m* Uruguay
**uruguayo, -a** uruguayisch; *m, f* Uruguayer(in)
**usar** benutzen, verwenden
**uso** *m* Gebrauch; Verwendung
**usted** Sie *(Anrede)*
**útil** nützlich

**V**

**vaca** *f* Kuh
**vacaciones** *f/pl.* Urlaub; Ferien; **de ~** auf Urlaub
**vacío, -a** leer
**vacunar** impfen; **~se** sich impfen lassen

**vagón** *m* Waggon
**valer** wert sein; kosten; helfen, nützen; ¡válgame Dios! um Gottes willen!; ¡vale! okay!, einverstanden!, in Ordnung!
**valor** *m* Wert; Mut; con ~ mutig
**variar** (í) wechseln, sich ändern
**variedad** *f* Vielfalt
**varios, -as** mehrere, einige
**varón** *m* Mann; Junge
**vasco, -a** baskisch; *m, f* Baske, Baskin
**vascuence:** el ~ das Baskische
**vaso** *m* (Trink-)Glas
**vecino** *m* Nachbar
**vehículo** *m* Fahrzeug
**vela** *f* Segel
**veloz** flink, schnell
**vencer** besiegen; siegen
**vendedor** *m, ~a* *f* Verkäufer(in); ~ ambulante Straßenhändler
**vender** verkaufen
**venezolano, -a** venezolanisch; *m, f* Venezolaner(in)
**Venezuela** *f* Venezuela
**venida** *f* Ankunft, *das* Kommen
**venir** kommen; ~ por (ab)holen; ~se kommen
**venta** *f* Verkauf
**ventana** *f* Fenster
**ver** sehen; nach-, durchsehen; a ~ mal sehen
**veranear** den Sommer(-Urlaub) verbringen
**verano** *m* Sommer
**veras** *f/pl.:* de ~ wirklich, im Ernst
**verdad** *f* Wahrheit; ¿~? nicht wahr?

**verde** grün; ~ *m das* Grün
**verdulero** *m* Gemüsehändler
**vergüenza** *f* Scham; ¿no te da ~? schämst du dich nicht?
**vestíbulo** *m* Eingangshalle
**vestido** *m* Kleid
**vestirse** (i) sich kleiden; sich anziehen
**vez** *f* Mal; a la ~ que während; de ~ en cuando ab und zu; en ~ de statt; rara ~ selten (einmal); una ~ einmal; una ~ más noch einmal
**vía** *f* Weg, Straße
**viajar** reisen; abreisen; ~ en avión fliegen
**viaje** *m* Reise; Fahrt; de ~ auf Reisen; estar de ~ verreist sein
**viajero** *m* Reisende(r); Fahrgast
**vida** *f* Leben
**viejo, -a** alt
**viento** *m* Wind; hace ~ es ist windig
**viernes** *m* Freitag
**vinagre** *m* Essig
**vino** *m* Wein
**visado** *m* Visum
**visera** *f* Mützenschirm
**visita** *f* Besuch
**visitante** *m* Besucher
**visitar** besuchen
**víspera** *f:* la ~ de am Abend vor
**visto** (*v.* ver) gesehen
**vivir** leben; wohnen; ¡viva! es lebe!; ~ en las nubes sehr zerstreut sein
**vivo, -a** lebendig, lebend
**vocabulario** *m* Wortschatz
**volar** (ue) fliegen
**volumen** *m* Lautstärke; a todo ~ mit voller Lautstärke
**volver** (ue) zurückkommen,

-fahren, -gehen; ~ a *mit Inf.:* noch einmal (etw. tun); ~ de trabajar von der Arbeit kommen; ~se heimkehren; *mit Adj.:* werden
**voseo** *m* Anrede mit „vos"
**vosotros, -as** ihr
**voz** *f* Stimme; en ~ alta laut; voces *f/pl.* Stimmen, Rufe
**vuelo** *m* Flug; ~ internacional Auslandsflug; ~ nacional Inlandsflug
**vuelta** *f* Rückfahrt; Runde; Wechselgeld; Drehung; dar una ~ e-n Spaziergang machen; dar media ~ kehrtmachen; darse la ~ sich umdrehen; estar de ~ zurück sein
**vuelto** (*v.* volver) zurückgekehrt
**vuestro, -a** euer, eure

## Y

**y** und
**ya** schon; ach so, ich verstehe; ~ no nicht mehr; ~ que da, weil
**yema** *f* Eigelb; Konfekt aus Eigelb
**yo** ich

## Z

**zapatilla** *f* Hausschuh
**zapato** *m* Schuh
**zarzuela** *f* Singspiel
**zona** *f* Gebiet
**zueco** *m* Holzschuh
**zumo** *m* Saft

# Konjugationsmuster

## Konjugationsmuster der regelmäßigen und unregelmäßigen Verben

(Participio = Partizip, Gerundio = Gerundium, Presente = Präsens, Imperfecto = Imperfekt, Pretérito indefinido = historisches Perfekt, Futuro = Futur, Condicional = Konditional, Imperativo = Imperativ, Presente de subjuntivo = Präsens Konjunktiv, Imperfecto de subjuntivo = Imperfekt Konjunktiv)

### Regelmäßige Verben

**tomar** *nehmen*
Participio: tomado *genommen*
Gerundio: tomando
Presente: tomo *ich nehme,* tomas, toma, tomamos, tomáis, toman
Imperfecto: tomaba *ich nahm,* tomabas, tomaba, tomábamos, tomabais, tomaban
Pretérito indefinido: tomé *ich nahm,* tomaste, tomó, tomamos, tomasteis, tomaron
Futuro: tomaré *ich werde nehmen,* tomarás, tomará, tomaremos, tomaréis, tomarán
Condicional: tomaría *ich würde nehmen,* tomarías, tomaría, tomaríamos, tomaríais, tomarían
Imperativo: toma *nimm* (no tomes), tome Vd., tomemos, tomad (no toméis), tomen Vds.
Presente de subjuntivo: tome *ich nehme,* tomes, tome, tomemos, toméis, tomen
Imperfecto de subjuntivo: I. tomara *ich nähme,* tomaras, tomara, tomáramos, tomarais, tomaran; II. tomase *ich nähme,* tomases, tomase, tomásemos, tomaseis, tomasen

**comer** *essen*
Participio: comido *gegessen*
Gerundio: comiendo
Presente: como *ich esse,* comes, come, comemos, coméis, comen
Imperfecto: comía *ich aß,* comías, comía, comíamos, comíais, comían
Pretérito indefinido: comí *ich aß,* comiste, comió, comimos, comisteis, comieron
Futuro: comeré *ich werde essen,* comerás, comerá, comeremos, comeréis, comerán
Condicional: comería *ich würde essen,* comerías, comería, comeríamos, comeríais, comerían
Imperativo: come *iß* (no comas), coma Vd., comamos, comed (no comáis), coman Vds.
Presente de subjuntivo: coma *ich esse,* comas, coma, comamos, comáis, coman
Imperfecto de subjuntivo: I. comiera *ich äße,* comieras, comiera, comiéramos, comierais, comieran; II. comiese *ich äße,* comieses, comiese, comiésemos, comieseis, comiesen

**subir** *steigen*
Participio: subido *gestiegen*
Gerundio: subiendo

274

Presente: subo *ich steige,* subes, sube, subimos, subís, suben
Imperfecto: subía *ich stieg,* subías, subía, subíamos, subíais, subían
Pretérito indefinido: subí *ich stieg,* subiste, subió, subimos, subisteis, subieron
Futuro: subiré *ich werde steigen,* subirás, subirá, subiremos, subiréis, subirán
Condicional: subiría *ich würde steigen,* subirías, subiría, subiríamos, subiríais, subirían
Imperativo: sube *steige* (no subas), suba Vd., subamos, subid (no subáis), suban Vds.
Presente de subjuntivo: suba *ich steige,* subas, suba, subamos, subáis, suban
Imperfecto de subjuntivo: I. subiera *ich stiege,* subieras, subiera, subiéramos, subierais, subieran; II. subiese *ich stiege,* subieses, subiese, subiésemos, subieseis, subiesen

## Unregelmäßige Verben

Die nicht aufgeführten Formen werden regelmäßig gebildet. Beim „Imperfecto de subjuntivo" sind allein die Formen auf **-ra** angegeben.

**andar** *gehen*
Pretérito indefinido: anduve *ich ging,* anduviste, anduvo, anduvimos, anduvisteis, anduvieron
Imperfecto de subjuntivo: anduviera *ich ginge,* anduvieras usw.

**caber** *Platz haben, hineinpassen*
Presente: quepo *ich habe Platz,* cabes, cabe, cabemos, cabéis, caben
Pretérito indefinido: cupe *ich hatte Platz,* cupiste, cupo, cupimos, cupisteis, cupieron
Futuro: cabré *ich werde Platz haben,* cabrás usw.
Condicional: cabría *ich würde Platz haben,* cabrías usw.
Presente de subjuntivo: quepa *ich habe Platz,* quepas usw.
Imperfecto de subjuntivo: cupiera *ich hätte Platz,* cupieras usw.

**caer** *fallen*
Participio: caído *gefallen*
Gerundio: cayendo
Presente: caigo *ich falle,* caes, cae, caemos, caéis, caen
Pretérito indefinido: caí *ich fiel,* caíste, cayó, caímos, caísteis, cayeron
Imperativo: cae *falle* (no caigas), caiga Vd., caigamos, caed (no caigáis), caigan Vds.
Presente de subjuntivo: caiga *ich falle,* caigas, caiga, caigamos, caigáis, caigan
Imperfecto de subjuntivo: cayera *ich fiele,* cayeras usw.

**conducir** *führen; lenken, fahren*
Presente: conduzco *ich führe,* conduces, conduce, conducimos, conducís, conducen
Pretérito indefinido: conduje *ich führte,* condujiste, condujo, condujimos, condujisteis, condujeron

Imperativo: conduce *führe* (no conduzcas), conduzca Vd., conduzcamos, conducid (no conduzcáis), conduzcan Vds.
Presente de subjuntivo: conduzca *ich führe*, conduzcas, conduzca, conduzcamos, conduzcáis, conduzcan
Imperfecto de subjuntivo: condujera *ich führte*, condujeras usw.

**dar** *geben*
Presente: doy *ich gebe*, das, da, damos, dais, dan
Pretérito indefinido: di *ich gab*, diste, dio, dimos, disteis, dieron
Imperativo: da *gib* (no des), dé Vd., demos, dad (no deis), den Vds.
Presente de subjuntivo: dé *ich gebe*, des, dé, demos, deis, den
Imperfecto de subjuntivo: diera *ich gäbe*, dieras usw.

**decir** *sagen*
Participio: dicho *gesagt*
Gerundio: diciendo
Presente: digo *ich sage*, dices, dice, decimos, decís, dicen
Pretérito indefinido: dije *ich sagte*, dijiste, dijo, dijimos, dijisteis, dijeron
Futuro: diré *ich werde sagen*, dirás, dirá, diremos, diréis, dirán
Condicional: diría *ich würde sagen*, dirías usw.
Imperativo: di *sag* (no digas), diga Vd., digamos, decid (no digáis), digan Vds.
Presente de subjuntivo: diga *ich sage*, digas, diga, digamos, digáis, digan
Imperfecto de subjuntivo: dijera *ich sagte*, dijeras usw.

**estar** *sein, sich befinden*
Presente: estoy *ich bin*, estás, está, estamos, estáis, están
Pretérito indefinido: estuve *ich war*, estuviste, estuvo, estuvimos, estuvisteis, estuvieron
Imperativo: está *sei* (no estés), esté Vd., estemos, estad (no estéis), estén Vds.
Presente de subjuntivo: esté *ich sei*, estés, esté, estemos, estéis, estén
Imperfecto de subjuntivo: estuviera *ich wäre*, estuvieras usw.

**freír** *braten* siehe **reír**

**haber** *haben*
Presente: he *ich habe*, has, ha, hemos, habéis, han
Pretérito indefinido: hube *ich hatte*, hubiste, hubo, hubimos, hubisteis, hubieron
Futuro: habré *ich werde haben*, habrás, habrá, habremos, habréis, habrán
Condicional: habría *ich würde haben*, habrías usw.
Presente de subjuntivo: haya *ich habe*, hayas, haya, hayamos, hayáis, hayan
Imperfecto de subjuntivo: hubiera *ich hätte*, hubieras, hubiera, hubiéramos, hubierais, hubieran

**hacer** *machen, tun*
Participio: hecho *gemacht*
Presente: hago *ich mache,* haces, hace, hacemos, hacéis, hacen
Pretérito indefinido: hice *ich machte,* hiciste, hizo, hicimos, hicisteis, hicieron
Futuro: haré *ich werde machen,* harás, hará, haremos, haréis, harán
Condicional: haría *ich würde machen,* harías usw.
Imperativo: haz *mache* (no hagas), haga Vd., hagamos, haced (no hagáis), hagan Vds.
Presente de subjuntivo: haga *ich mache,* hagas, haga, hagamos, hagáis, hagan
Imperfecto de subjuntivo: hiciera *ich machte,* hicieras usw.

**ir** *gehen, fahren*
Gerundio: yendo
Presente: voy *ich gehe,* vas, va, vamos, vais, van
Imperfecto: iba *ich ging,* ibas, iba, íbamos, ibais, iban
Pretérito indefinido: fui *ich ging,* fuiste, fue, fuimos, fuisteis, fueron*
Imperativo: ve *geh* (no vayas), vaya Vd., vamos, id (no vayáis), vayan Vds.
Presente de subjuntivo: vaya *ich gehe,* vayas, vaya, vayamos, vayáis, vayan
Imperfecto de subjuntivo: fuera *ich ginge,* fueras usw.

**oír** *hören*
Participio: oído *gehört*
Gerundio: oyendo
Presente: oigo *ich höre,* oyes, oye, oímos, oís, oyen
Pretérito indefinido: oí *ich hörte,* oíste, oyó, oímos, oísteis, oyeron
Imperativo: oye *höre* (no oigas), oiga Vd., oigamos, oíd (no oigáis), oigan Vds.
Presente de subjuntivo: oiga *ich höre,* oigas, oiga, oigamos, oigáis, oigan
Imperfecto de subjuntivo: oyera *ich hörte,* oyeras usw.

**poder** *können; dürfen*
Gerundio: pudiendo
Presente: puedo *ich kann,* puedes, puede, podemos, podéis, pueden
Pretérito indefinido: pude *ich konnte,* pudiste, pudo, pudimos, pudisteis, pudieron
Futuro: podré *ich werde können,* podrás, podrá, podremos, podréis, podrán
Condicional: podría *ich würde können,* podrías usw.
Presente de subjuntivo: pueda *ich könne,* puedas, pueda, podamos, podáis, puedan
Imperfecto de subjuntivo: pudiera *ich könnte,* pudieras usw.

**poner** *setzen, stellen, legen*
Participio: puesto *gesetzt*
Presente: pongo *ich setze,* pones, pone, ponemos, ponéis, ponen
Pretérito indefinido: puse *ich setzte,* pusiste, puso, pusimos, pusisteis, pusieron

---

* Hier handelt es sich um die gleichen Formen wie bei ser *sein* (vgl. Lekt. 17B2 und 18B1).

Futuro: pondré *ich werde setzen,* pondrás, pondrá, pondremos, pondréis, pondrán
Condicional: pondría *ich würde setzen,* pondrías usw.
Imperativo: pon *setze* (no pongas), ponga Vd., pongamos, poned (no pongáis), pongan Vds.
Presente de subjuntivo: ponga *ich setze,* pongas, ponga, pongamos, pongáis, pongan
Imperfecto de subjuntivo: pusiera *ich setzte,* pusieras usw.

**querer** *wollen; lieben*
Presente: quiero *ich will,* quieres, quiere, queremos, queréis, quieren
Pretérito indefinido: quise *ich wollte,* quisiste, quiso, quisimos, quisisteis, quisieron
Futuro: querré *ich werde wollen,* querrás, querrá, querremos, querréis, querrán
Condicional: querría *ich würde wollen,* querrías usw.
Imperativo: quiere *wolle* (no quieras), quiera Vd., queramos, quered (no queráis), quieran Vds.
Presente de subjuntivo: quiera *ich wolle,* quieras, quiera, queramos, queráis, quieran
Imperfecto de subjuntivo: quisiera *ich wollte,* quisieras usw.

**reír** *lachen*
Participio: reído *gelacht*
Gerundio: riendo *lachend*
Presente: río *lache,* ríes, ríe, reímos, reís, ríen
Pretérito indefinido: reí *ich lachte,* reíste, rió, reímos, reísteis, rieron
Imperativo: ríe *lache* (no rías), ría Vd., riamos, reíd (no riáis), rían Vds.
Presente de subjuntivo: ría *ich lache,* rías, ría, riamos, riáis, rían
Imperfecto de subjuntivo: riera *ich lachte,* rieras usw.

**saber** *wissen; können; erfahren*
Presente: sé *ich weiß,* sabes, sabe, sabemos, sabéis, saben
Pretérito indefinido: supe *ich wußte, ich erfuhr,* supiste, supo, supimos, supisteis, supieron
Futuro: sabré *ich werde wissen,* sabrás, sabrá, sabremos, sabréis, sabrán
Condicional: sabría *ich würde wissen,* sabrías usw.
Imperativo: sabe *wisse* (no sepas), sepa Vd., sepamos, sabed (no sepáis), sepan Vds.
Presente de subjuntivo: sepa *ich wisse,* sepas, sepa, sepamos, sepáis, sepan
Imperfecto de subjuntivo: supiera *ich wüßte,* supieras usw.

**salir** *hinausgehen; herauskommen; abfahren*
Presente: salgo *ich gehe hinaus,* sales, sale, salimos, salís, salen
Futuro: saldré *ich werde hinausgehen,* saldrás, saldrá, saldremos, saldréis, saldrán
Condicional: saldría *ich würde hinausgehen,* saldrías usw.
Imperativo: sal *geh hinaus* (no salgas), salga Vd., salgamos, salid (no salgáis), salgan Vds.
Presente de subjuntivo: salga *ich gehe hinaus,* salgas, salga, salgamos, salgáis, salgan

**ser** *sein*
Presente: soy *ich bin*, eres, es, somos, sois, son
Imperfecto: era *ich war*, eras, era, éramos, erais, eran
Pretérito indefinido: fui *ich war*, fuiste, fue, fuimos, fuisteis, fueron
Imperativo: sé *sei* (no seas), sea Vd., seamos, sed (no seáis), sean Vds.
Presente de subjuntivo: sea *ich sei*, seas, sea, seamos, seáis, sean
Imperfecto de subjuntivo: fuera *ich wäre*, fueras usw.

**tener** *haben*
Presente: tengo *ich habe*, tienes, tiene, tenemos, tenéis, tienen
Pretérito indefinido: tuve *ich hatte, ich bekam*, tuviste, tuvo, tuvimos, tuvisteis, tuvieron
Futuro: tendré *ich werde haben*, tendrás, tendrá, tendremos, tendréis, tendrán
Condicional: tendría *ich würde haben*, tendrías usw.
Imperativo: ten *habe* (no tengas), tenga Vd., tengamos, tened (no tengáis), tengan Vds.
Presente de subjuntivo: tenga *ich habe*, tengas, tenga, tengamos, tengáis, tengan
Imperfecto de subjuntivo: tuviera *ich hätte*, tuvieras usw.

**traer** *bringen*
Participio: traído *gebracht*
Gerundio: trayendo
Presente: traigo *ich bringe*, traes, trae, traemos, traéis, traen
Pretérito indefinido: traje *ich brachte*, trajiste, trajo, trajimos, trajisteis, trajeron
Imperativo: trae *bringe* (no traigas), traiga Vd., traigamos, traed (no traigáis), traigan Vds.
Presente de subjuntivo: traiga *ich bringe*, traigas, traiga, traigamos, traigáis, traigan
Imperfecto de subjuntivo: trajera *ich brächte*, trajeras usw.

**valer** *wert sein; kosten*
Presente: valgo *ich bin wert*, vales, vale, valemos, valéis, valen
Futuro: valdré *ich werde wert sein*, valdrás, valdrá, valdremos, valdréis, valdrán
Condicional: valdría *ich würde wert sein*, valdrías usw.
Presente de subjuntivo: valga *ich sei wert*, valgas, valga, valgamos, valgáis, valgan

**venir** *kommen*
Gerundio: viniendo
Presente: vengo *ich komme*, vienes, viene, venimos, venís, vienen
Pretérito indefinido: vine *ich kam*, viniste, vino, vinimos, vinisteis, vinieron
Futuro: vendré *ich werde kommen*, vendrás, vendrá, vendremos, vendréis, vendrán
Condicional: vendría *ich würde kommen*, vendrías usw.
Imperativo: ven *komm* (no vengas), venga Vd., vengamos, venid (no vengáis), vengan Vds.
Presente de subjuntivo: venga *ich komme*, vengas, venga, vengamos, vengáis, vengan
Imperfecto de subjuntivo: viniera *ich käme*, vinieras usw.

279

**ver** *sehen*

Participio: visto *gesehen*
Presente: veo *ich sehe,* ves, ve, vemos, veis, ven
Imperfecto: veía *ich sah,* veías usw.
Pretérito indefinido: vi *ich sah,* viste, vio, vimos, visteis, vieron
Imperativo: ve *sieh* (no veas), vea Vd., veamos, ved (no veáis), vean Vds.
Presente de subjuntivo: vea *ich sehe,* veas, vea, veamos, veáis, vean
Imperfecto de subjuntivo: viera *ich sähe,* vieras usw.


### Verben mit unregelmäßigem Partizip

| | | | |
|---|---|---|---|
| abrir | *öffnen* | abierto | *geöffnet* |
| cubrir | *bedecken* | cubierto | *bedeckt* |
| escribir | *schreiben* | escrito | *geschrieben* |
| imprimir | *drucken* | impreso | *gedruckt* |
| morir | *sterben* | muerto | *gestorben* |
| resolver | *(auf)lösen* | resuelto | *(auf)gelöst* |
| romper | *brechen* | roto | *gebrochen* |
| volver | *zurückkommen* | vuelto | *zurückgekommen* |

(Die Zahlen verweisen auf die Lektionsabschnitte, die mit A beginnenden Angaben beziehen sich auf das Kapitel „Aussprache und Schreibung des Spanischen" im Vorbogen)

# Sachregister

- un statt una: 8B2
- Substantivierung von Adjektiven: 26B6
uno:
- Verkürzung: 1B2, 4B6
- Femininum: 1B2, 4B6
- unpersönliches Subjekt: 12B4
- uno ... otro: 25B6
unpersönliches Subjekt: 12B4
unregelmäßige Konjugation:
- presente de indicativo: 9B1, 14B1 + 2, 16B1, 17B1, 21B1, 21C
- unregelmäßige Partizipformen: 10B2, 12B2, 15B1
- pretérito imperfecto de indicativo: 13B5
- pretérito indefinido: 18B1, 19B1, 21B1
- futuro imperfecto: 21B2
- presente de subjuntivo: 26B1, 27B1
- Imperativ: 27B4
- gerundio: 9B2, 12B1, 14B2, 15B1, 21B1
valer:
- presente de indicativo: 15B1
- futuro imperfecto: 21B2
venir:
- presente de indicativo: 15B1
- pretérito indefinido: 18B1
- futuro imperfecto: 21B2
- Imperativ: 27B4
- gerundio: 15B1
- Unterschied zu ir: 4B1
- venir por: 15C
- venir + gerundio: 29B6
ver:
- presente de indicativo: 6B1
- pretérito imperfecto de indicativo: 13B5
- Partizip: 10B2
- a ver: 15C
Verb: (siehe: regelmäßige Konjugation und unregelmäßige Konjugation)
- Stellung im Satz: 1B4, 15B6
- nahe Zukunft: 6B3, 18C
- nahe Vergangenheit: 6B3, 18C
- dritte Person Plural als unpersönliches Subjekt: 12B4
- Komposita: 19C

- Verben der Bewegung statt estar: 30C
- Verwendung der Zeiten:
  - presente de indicativo: 17B1, 19C
  - imperfecto de indicativo: 13B5, 17B5, 18B3, 19B2
  - perfecto compuesto de indicativo: 16B2
  - pretérito indefinido: 16B2, 17B5, 18B3, 19B2
  - pluscuamperfecto de indicativo: 17B2
  - pretérito anterior: 24C
  - futuro imperfecto: 21B2
  - futuro perfecto: 21B3
  - condicional simple: 23B1, 24B2
  - condicional compuesto: 23B1, 24B2
- subjuntivo:
  - nach que: 26B2, 27B2 + 3, 28B3
  - in Bedingungssätzen: 24B1, 29B2
  - in Vergleichssätzen: 25B1
  - in Konzessivsätzen: 25B1, 28B3
  - in Relativsätzen: 30B1
  - als Imperativ: 27B4, 29B1
  - in Temporalsätzen: 28B3
  - in Finalsätzen: 28B3
  - Tempus des subjuntivo-Nebensatzes: 28B3, 29B1 + 2

Vergangenheit, nahe: 6B3
Vergleichssätze: 12B3, 13B4, 21B4
Vermutung: 21B2, 21B4, 23B6
Verneinung: 2B5, 8B4, 10B5, 21B6
Vokale: 1B5, 21C
volver a + Infinitiv: 27B5
volverse: 29B3
Wortstellung: 1B4, 7B5, 8B6, 12B6, 15B5 + 6, 16B5
Wunschsatz: 24B3, 24C, 26B2, 27B3, 27C (gute Wünsche)
y: wird zu e: 6C
Zahlen:
- Grundzahlen: 1B2, 2B6, 4B6, 6B5, 11B4
- Ordinalzahlen: 11B4
Zeitangaben: 17B6, 18B6, 21B5
Zeitenfolge: 20B5, 23B1, 29B1
Zukunft, nahe: 6B4

286

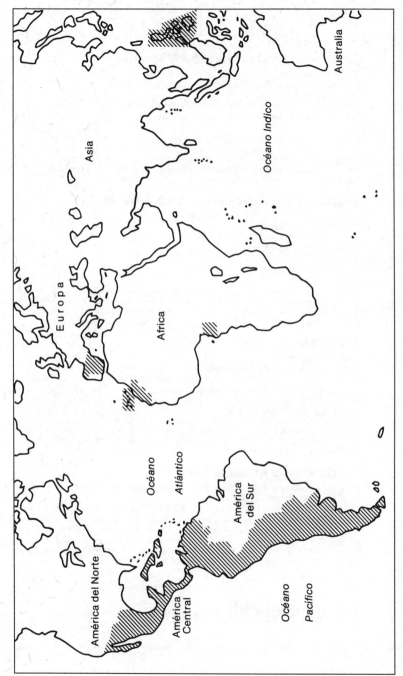

Die Verbreitung des Spanischen in der Welt

América del Norte · América Central · América del Sur · Europa · Asia · Africa · Australia · Océano Atlántico · Océano Pacífico · Océano Indico

## Langenscheidts Handwörterbuch Spanisch

**Teil I: Spanisch-Deutsch**
Neubearbeitung von Prof. Dr. Günther Haensch. 660 Seiten.
**Teil II: Deutsch-Spanisch**
Neubearbeitung von Gisela Haberkamp de Antón. 640 Seiten.
Beide Teile auch in einem Band. Format jeweils 17 × 24,3 cm,
Ganzleinen.
Langenscheidts Handwörterbuch Spanisch bietet dem Benutzer rund 195 000
Stichwörter und Wendungen in beiden Teilen. Über den Wortschatz der
heutigen Umgangssprache hinausgehend ist auch der wichtige Fachwort-
schatz berücksichtigt. Eine Fülle von Neologismen und zahlreiche grammati-
kalische Hinweise ergänzen die reine Stichwortübersetzung.

## Langenscheidts Taschenwörterbuch Spanisch

Unter Berücksichtigung der Lateinamerikanismen.
**Teil I: Spanisch-Deutsch**
Von Gisela Haberkamp de Antón. 544 Seiten.
**Teil II: Deutsch-Spanisch**
Von Gisela Haberkamp de Antón. 512 Seiten.
Beide Teile auch in einem Band. Format jeweils 9,6 × 15,1 cm,
Plastikeinband.
Langenscheidts Taschenwörterbuch Spanisch bringt einen sorgfältig ausge-
wählten Wortschatz von rund 80 000 Stichwörtern und Wendungen in beiden
Teilen. Neben der Angabe der Aussprache in der Internationalen Lautschrift
sind Neologismen ebenso berücksichtigt wie grammatikalische Hinweise.

## Teste Dein Spanisch!

**Stufe 1: Testbuch für Anfänger**
**Stufe 2: Testbuch für Fortgeschrittene**
Jeweils 104 Seiten, Format 11 × 18 cm, kartoniert-laminiert.
Alle Anfänger und viele Fortgeschrittene machen Fehler, die ihre spanisch-
sprechenden Partner als merkwürdig, komisch oder peinlich empfinden. Sie
gebrauchen das falsche Wort, die falsche Wendung oder eine falsche
grammatische Form. Mit „Teste Dein Spanisch" können Sie Ihre Spanisch-
kenntnisse zugleich testen und festigen: In einem unterhaltsamen Frage- und
Antwortspiel lernen Sie, wie man „typische" Fehler vermeidet. Mit einem
Schlüssel zu den Fragen kontrollieren Sie die Richtigkeit Ihrer Antwort.

## Langenscheidts spanische Lektüren

**Band 36: Cuentos españoles – Band 58: Lecturas amenas**
**Band 65: Rodando por España**
Jeweils 112–128 Seiten, Format 11 × 18 cm, kartoniert-laminiert.
Diese leicht lesbaren Lektürebände enthalten Reiseberichte, Gespräche und
Kurzgeschichten. Neben dem Lesetext stehen zusätzliche Übersetzungshilfen,
erläuterndes Vokabular und Ausspracheangaben für alle weniger bekannten
Ausdrücke und Redensarten. Langenscheidts spanische Lektüren sind ideal
zur Festigung und Erweiterung Ihrer Sprachkenntnisse.

# Langenscheidt ... weil Sprachen verbinden